la sémiologie en question

DU MÊME AUTEUR

Aux Éditions universitaires — Jean-Pierre Delarge

Esthétique et psychologie du cinéma
Vol. 1 — *Les Structures* (1963)
Vol. 2 — *Les Formes* (1965)

Histoire du cinéma
I) *Le cinéma muet* Vol. 1 — 1895/1915 (1968)
Vol. 2 — 1915/1923 (1969)
Vol. 3 — 1923/1929 (1973)

II) *Le cinéma parlant* Vol. 4 — 1929/1940 (1980)
Vol. 5 — 1940/1950 (1980)
Vol. 6 — 1959/1960 en préparation
Vol. 7 — 1960/1970 en préparation

Collection « Classiques du Cinéma »
1 — *John Ford* (1954)
4 — *S.M. Eisenstein* (1956)
5 — *Charlot et la fabulation chaplinesque* (1957)
9 — *René Clair* (1960)
Nouvelle réédition revue et augmentée : *S.M. Eisenstein* (1978)

Chez d'autres éditeurs

Collection « L'Avant-Scène »
21 — *D.W. Griffith* (1965)
91 — *Thomas Ince* (1965)
16 — *Max Linder* (1966)
24 — *Mack Sennett* (1967)
36 — *Maurice Tourneur* (1968)
41 — *Pearl White* (1969)
48 — *Ivan Mosjoukine* (1969)
56 — *Louis Delluc* (1970)

Tout Chaplin, Éditions Seghers, 1972.
Le Cinéma expérimental, Éditions Seghers, 1974.
Filmographie universelle
Vol. 1 à 17, Éditions Idhec, 1963-1972
Vol. 18 à 34 (et la suite en cours), Éditions Archives nationales du film, 1978-1986.

A l'étranger

John Ford, Madrid, Éditions Rialp, 1960.
Charlot, Barcelone, Éditions Fontanella, 1962.
Estetika i Psyhologija Filma, Belgrade, Institut za Film, 1966.
Aesthetic and Psychology of the Film, New York, Columbia University Press, (à paraître).

Films

Une trentaine de courts métrages, parmi lesquels :
Pacific 231, Tadié Cinéma, 1949.
Images pour Debussy, Argos Film, 1952.
Symphonie Mécanique, Argos Film, 1955 (Polyvision).

Poésie

L'Ave Vénus, Montréal, Le Préambule ; Paris, Diffedit, 1980.
Le Panier à salade, Montréal, Le Préambule ; Paris, Belles Lettres, 1983.

jean mitry

la sémiologie en question

langage et cinéma

7ART

collection dirigée par Guy Hennebelle

LES ÉDITIONS DU CERF
29, bd Latour-Maubourg, Paris
1987

Photo de couverture : Lilian Gish et Lars Hanson dans *Le Vent,* de Victor Sjöström.

Au dos, de gauche à droite : Scène de *Los olvidados,* de Luis Buñuel (plan américain) ; plongée en plan moyen dans *La Passion de Jeanne d'Arc,* de Carl Th. Dreyer ; gros premier plan de la mère affolée dans *Le Cuirassé Potemkine,* de S.M. Eisenstein.

ISBN 2-204-02630-1
ISSN 0768-1496

AVANT-PROPOS

Dès que l'on commença à théoriser sur le cinéma il fut question non seulement d'un moyen d'expression nouveau, mais d'une sorte de langage susceptible de signifier des idées, des sentiments dont le sens dépendait du montage, de la nature des plans et de leurs relations au moins autant que des choses représentées. Mais le terme de langage n'était encore employé que d'une façon toute métaphorique. Ce n'est qu'au cours des années cinquante, à la suite des travaux et recherches socio-psychologiques de l'Institut de filmologie que l'idée de langage fut envisagée d'une façon objective et concrète pour être cependant contestée tout aussitôt par certains théoriciens, notamment par Gilbert Cohen-Séat[1].

C'est en répondant à ses objections que je crois bien avoir été l'un des premiers à soutenir que le cinéma était effectivement un *langage* :

> On objectera peut-être, disais-je alors, que le cinéma est une écriture plutôt qu'un langage, l'image qui montre les choses sans les nommer n'ayant aucune équivalence phonétique. Il est évident que si l'on entend par langage un moyen permettant les échanges de la conversation, le cinéma ne saurait être un langage. Néanmoins, les images n'étant pas employées comme une simple reproduction photographique mais comme un moyen d'exprimer des idées en vertu d'un enchaînement de relations logiques et signifiantes, il s'agit bien d'un *langage*. Un langage dans lequel l'image joue le rôle à la fois du verbe et du sujet, du substantif et de l'attribut par sa symbolique et ses qualités de signe éventuel. Un langage grâce auquel l'équivalence des données du monde sensible n'est plus obtenue par l'intermédiaire de figures abstraites plus ou moins conventionnelles mais au moyen de la *reproduction du réel concret*. Ainsi la réalité n'est plus « représentée » par un substitut graphique ou symbolique quelconque. Elle est *donnée en image* et c'est cette image, maintenant, qui sert à signifier. Prise au piège dans une dialectique nouvelle dont elle devient la forme même, elle sert d'élément à sa propre fabulation[2].

---

1. G. COHEN-SÉAT, « Le discours filmique », in *Revue de filmologie*, n° 2, P.U.F.
2. In *Esthétique et psychologie du cinéma* (p. 51-59), Éd. universitaires, 1963 ; édition ronéotypée, I.D.H.E.C., 1961.

En 1963, alors que j'écrivais ces lignes, je n'avais pas envisagé plus avant les rapports du cinéma et de la linguistique pour la toute simple raison que je les considérais comme étrangers l'un à l'autre. Or l'année suivante, un jeune sémiologue, Christian Metz, vint me présenter un manuscrit intitulé « Le cinéma, langue ou langage ?[3] ». Je fus saisi par le sérieux, la profondeur de ce travail qui se fondait sur la linguistique pour étudier par le menu les structures signifiantes du film, apportant du même coup une terminologie beaucoup plus précise que les définitions filmiques habituelles, issues pour la plupart du théâtre et des conventions scéniques.

Il me semblait toutefois que, dans ces recherches, Christian Metz tendait à prendre la linguistique pour modèle bien plutôt que comme simple référence, considérant l'expression verbale et l'expression filmique comme assimilables, pouvant être à tout le moins rapportées l'une à l'autre dans un structuralisme globalisant.

Ce travail considérable — qui le devint surtout par la suite — me semblait fondé sur une erreur d'aiguillage. Quelle qu'ait été mon admiration, je n'ai pas manqué de le lui dire, son erreur reposant, selon moi, sur des considérations linguistiques hors de propos.

Il reste que, dès 1966, les théories de Christian Metz et de ses émules connurent un succès que le caractère scientifique de la sémiologie ne suffit pas à expliquer. Aussi bien, devant le développement inattendu de cette discipline auprès surtout des universitaires nouvellement chargés du cinéma, j'avais envisagé d'écrire un ouvrage, intitulé « Le mot et l'image » (parfois annoncé dans la presse), pour dire en quoi et pourquoi ce genre de recherches était sans issue et pour mettre en garde pas mal d'enseignants qui, plus forts en linguistique qu'en cinéma, s'égaraient à plaisir dans les pièges du structuralisme appliqué aux images animées.

Or j'avais déjà entrepris une *Histoire du cinéma* dont les cinq volumes aujourd'hui parus ne m'ont pas permis de voir la fin. Tant et si bien que j'ai commencé de publier dans *Cinématographe* une série d'articles faisant le tour de ces questions. Repris et développés, ces articles constituent l'essentiel du présent ouvrage en lequel on ne cherchera pas une étude exhaustive mais un simple exposé développant ma position et mes réserves devant la sémiologie du film — telle du moins qu'elle est entendue par les linguistes.

La fièvre sémiotique s'étant aujourd'hui calmée, il est moins question de s'armer contre elle, dont certains aspects ne laissent pas d'avoir été

3. In *Communications*, n° 4, octobre 1964 ; repris dans *Essais sur la signification au cinéma*, Éd. Klincksieck, 1968.

singulièrement enrichissants, que d'expliquer le pourquoi de son échec entendu au sens large du mot.

Je n'ai pas voulu m'adresser à une centaine de spécialistes, linguistes ou sémiologues, non plus qu'aux seuls critiques mais, autant que possible, à un maximum de cinéphiles intéressés par les théories du cinéma. Or, bien que l'enseignement du cinéma se développe chaque jour un peu plus, tant dans le secondaire que dans les universités, il se trouve que beaucoup de néophytes sont encore mal préparés à la lecture d'un semblable ouvrage.

C'est pourquoi, à la demande des éditeurs et en plein accord avec eux, j'ai cru devoir faire précéder le corps de cet ouvrage de quelques notions préliminaires destinées à informer le débutant. Sans avoir à reprendre des définitions passées dans le langage courant, telles que *plan, séquence, champ, contrechamp* et autres, il s'agit moins de mettre l'accent sur les procédés que sur leur utilisation et les significations qui s'ensuivent. A préciser d'autre part certaines notions relatives au « langage filmique », aux structures linguistiques et à la sémiologie. Le lecteur averti pourra les « sauter » sans peine et aborder directement le premier chapitre.

N.B. Du fait que cet ouvrage reprend une série d'articles, on ne s'étonnera pas d'y trouver des répétitions que l'on a cru devoir laisser telles quelles, les choses y étant envisagées ici et là sous des aspects différents.

I

PRÉLIMINAIRES

Aux débuts du cinéma nul n'imaginait qu'il pût devenir un art non plus qu'une industrie. A plus forte raison une sorte de langage, un « donné à voir » chargé de sens.

Avant donc d'en arriver aux premières théories, aux premiers principes, il convient de rappeler brièvement comment le cinéma est devenu l'art essentiel qu'on se plaît désormais à reconnaître en lui.

Avant 1908

Comme chacun sait la première séance publique du « Cinématographe Lumière » eut lieu au Salon indien, dans les sous-sols du Grand Café, le 28 décembre 1895.

Le cinéma n'était alors qu'une machine à enregistrer et reproduire le mouvement, chose déjà extraordinaire puisque jamais encore obtenue. Spectacle nouveau également puisque projeté sur un écran en place de la représentation théâtrale.

Il est à remarquer cependant que *L'Arrivée d'un train, La Sortie du port, Le Goûter de bébé* sont déjà, instinctivement, « du cinéma ». Non seulement les vues sont prises « sur le fait », mais le train fonce droit sur l'objectif qui le saisit depuis son apparition à l'arrière-plan ; la petite embarcation est vue du haut de la jetée, et Mme Lumière, qui donne la becquée à son bébé, est cadrée à mi-corps selon un plan analogue à celui que l'on appellera plus tard « plan américain ». Le point de vue est celui d'un observateur qui considère les choses sous le meilleur angle et dans un axe approprié. *Dès les premiers jours, le cadre étroit de la représentation scénique était brisé.* L'espace remplaçait la scène. Il n'était limité que par les bords de l'image, laquelle apparaissait comme une sorte de lucarne ouverte sur le monde.

Tout de suite, en effet, on se rendit compte des possibilités immédiates de la caméra et de l'avantage qu'elle avait de pouvoir se déplacer. Les premiers cinéastes ne furent point des gens de théâtre soumis à une esthétique *a priori*, mais de simples photographes, des opérateurs qui agissaient comme tout amateur pouvait le faire avec un Kodak.

Dès 1896, Alexandre Promio, Félix Mesguich et Francis Doublier, qui entreprennent de longs voyages à l'étranger afin d'y présenter le Cinématographe Lumière, rapportent des « vues » de toutes les parties du monde. C'est alors que Promio, profitant d'un séjour en Italie, eut l'idée de situer sa caméra dans une gondole. La prise de vues était « fixe », comme elle le fut toujours jusqu'en 1909, mais le déplacement de la gondole enregistrait de larges vues panoramiques de telle sorte que *Le Grand Canal à Venise* (1897) fut le premier « travelling » jamais réalisé. Fier de sa découverte Promio, par la suite, fixa sa caméra sur divers éléments mobiles tels qu'un wagon de chemin de fer, le pont d'un transatlantique et le téléférique du Mont-Blanc.

De son côté, un prestidigitateur, Georges Méliès, pensant que l'appareil des frères Lumière lui permettrait d'enregistrer et de diffuser les séances d'illusionnisme qu'il produisait alors au théâtre Robert-Houdin, fut le premier à concevoir le cinéma comme un spectacle, le premier donc à introduire la notion de « mise en scène ».

Tandis que Lumière, prenant « la nature sur le vif », respectait l'authentique mais se contentait de l'enregistrer tel quel, Méliès fut le premier à *créer* un spectacle original au moyen du cinéma. Tout en filmant des scènes préétablies organisées avec des procédés de théâtre, il fit surgir à cette occasion des mirages nouveaux, les pouvoirs de la caméra venant au secours des insuffisances scéniques. Et ces pouvoirs, fussent-ils tenus pour des pouvoirs de magicien plutôt que pour les éléments d'un langage à venir, c'est lui qui les découvrit, sachant en tirer les premiers effets avec une maîtrise qui fut alors sans égale.

Ce qui fait que son art demeure foncièrement théâtral, c'est moins la plantation des décors, les toiles peintes ou la disposition des acteurs, que *la constante unité du point de vue* : la caméra, immuablement fixée sur un espace scénique uniforme, donne à voir, toujours de la même façon, un spectacle qui vient se produire devant elle au lieu qu'elle ne le découvre et l'aille chercher là où il se déroule ou semble devoir se dérouler.

Comme le remarquait déjà André Malraux,

tant que le cinéma n'était que le moyen de reproduction de personnages en mouvement, il n'était pas plus un art que la photographie de reproduction. Dans un espace circonscrit, généralement une scène de théâtre véritable ou imaginaire, des acteurs évoluaient, représentaient une pièce ou une farce que l'appareil se bornait à enregistrer. La naissance du cinéma en tant que moyen d'expression (et non de reproduction) date de la destruction de cet *espace circonscrit* ; de l'époque où le découpeur imagina la division de son récit en plans, envisagea, au lieu de photographier une pièce de théâtre, d'enregistrer une succession d'instants, d'approcher son appareil (donc de faire grandir les personnages de l'écran quand c'était nécessaire), de le reculer, surtout de substituer au plateau d'un théâtre, le « champ », l'espace qui sera limité par l'écran — le champ où l'acteur entre, d'où il sort, et que le metteur en scène *choisit*, au lieu d'en être prisonnier[1].

En attendant, le « champ », pour Méliès, s'identifie à l'espace scénique et les limites de l'écran à celles de la rampe. Si les lieux sont divers, ils viennent tour à tour s'imbriquer dans le même réceptacle, se présenter devant le même regard, comme autant de « tableaux » de théâtre devant un spectateur assis dans son fauteuil et considérant les choses du même point de vue.

De l'un à l'autre de ces tableaux il y a, bien sûr, une continuité narrative, une chronologie, mais il y a toujours « rupture » dans leur succession comme du passage d'un acte à un autre acte sur une scène, à ceci près que le baisser de rideau ou le « changement à vue » est remplacé, grâce au collage bout à bout, par le passage instantané d'un tableau à un autre. Mais cette instantanéité ne résout pas la continuité du mouvement, ni celle de l'action — encore moins celle du temps. Temps, mouvement et action se présentent par petites fractions *discontinues*, comme par bonds successifs.

Selon un point de vue invariable, ce sont des espaces uniformes (quelle que soit la diversité de leur contenu) qui se succèdent en des temps uniformes. La discontinuité des tableaux est soulignée par *leur absence de mobilité dans l'espace et dans le temps*, bien davantage que par leur absence de liaison.

Cette absence de liaison — conséquente d'ailleurs de l'absence de mobilité spatio-temporelle — impose alors des « reprises » qui sont autant de distorsions lorsqu'on veut, comme il arrive parfois, présenter — toujours devant le même regard, dans le même axe et à la même distance — les aspects différents d'une même action.

Ainsi, dans *Le Voyage à travers l'impossible*, l'automobile du professeur Mabouloff traverse (maquette) les régions montagneuses de la Suisse. A un moment donné elle dévale une pente vertigineuse. Arrivé à bout de course, Mabouloff rate un tournant et percute l'Auberge du Righi dont les murs s'écroulent. Fin du tableau.

Au tableau suivant, nous sommes à l'intérieur de la même auberge.

1. André MALRAUX, *Esquisse d'une psychologie du cinéma*, N.R.F., 1940.

Rien, bien sûr, ne s'est encore passé. Les dîneurs sont attablés et devisent joyeusement. Soudain, au grand effroi de l'assistance, la voiture, traversant les murs, pénètre dans la salle à manger et culbute la table d'hôte.

Le montage, plus tard, nous fera voir l'événement des deux points de vue, mais dans la même unité de mouvement, la simultanéité étant circonscrite par l'ubiquité du regard. Ici la discontinuité apparaît d'autant mieux que le même temps se trouve dédoublé de par la nécessité d'une division en tableaux successifs.

Concernant les décors, les accessoires qui ne « jouent » pas sont peints sur la toile et les perspectives sont en trompe-l'œil. Les lignes de fuite ne se raccordent que selon un point singulier qui est précisément celui de la caméra, située un peu en retrait et sur la ligne médiane du décor, comme d'un spectateur qui occuperait le premier rang des fauteuils d'orchestre, derrière le trou du souffleur.

C'est cette unité du lieu d'observation que Sadoul et moi avons appelé le « point de vue du monsieur de l'orchestre », le changement de point de vue supposant *le déplacement de l'observateur par rapport à la chose observée* et non la simple transformation d'un décor devant un spectateur immobile.

La redécouverte récente d'une quantité de petits films antérieurs à 1906 a provoqué des controverses relatives à l'origine du montage et de la multiplicité des plans comme si cette origine, qui se situe entre 1901 et 1903, avait dû stopper la mise en scène en « tableaux discontinus » qui se perpétua jusque vers la fin de 1906. C'est ainsi que Pierre Jenn a prétendu démontrer « la multiplicité des points de vue dans les films de Méliès » sous prétexte que, d'un tableau à l'autre, les décors font voir des choses analogues sous des aspects différents. Or la caméra de Méliès — comme celle de Zecca et de bien d'autres — était immuable. Il ne faut tout de même pas confondre le « monde qui change devant la caméra[2] » (changement de décor) avec la caméra qui se déplace dans le monde (changement de point de vue, et de plan).

Inversement on a parlé de « théâtre filmé », ce qui est fort inexact car ni Méliès ni Zecca qui filmaient des féeries ou de petits sketches comiques n'ont adapté des pièces de théâtre. D'autant moins que le théâtre est un art du verbe et que leurs films étaient muets. Jamais Méliès n'aurait pu réaliser sur une scène ce qu'il a obtenu avec une caméra. Au niveau de l'image, ses films étaient déjà du pur cinéma, mais chez lui — et chez les autres — la mise en scène était faite comme sur un plateau de théâtre. Au lieu de « théâtre filmé » on devrait parler de mise

2. Cf. Pierre JENN, *Georges Méliès, cinéaste*, Éd. Albatros, 1984.

en scène *scénique* en opposition à la mise en scène *filmique* dont *The Great Train Robbery*, d'Edwin Porter, marque les débuts en 1903, d'une façon d'ailleurs tout à fait exceptionnelle.

Il n'en est pas moins exagéré de dire que si les premiers metteurs en scène demeuraient confinés dans des décors de toile peinte, c'était par ignorance des capacités du cinéma. Chez certains, notamment l'Anglais George-Albert Smith et l'Américain Edwin Porter, l'art du montage existait dès les débuts, ou presque, du septième art. Il y a dans *Les Mésaventures de Mary-Jane* (Smith, 1902) des raccords dans le mouvement d'une précision stupéfiante pour l'époque.

Aussi invraisemblable que cela puisse paraître, lorsqu'en 1901 et 1902 Edwin Porter enregistrait des documentaires — des « panoramic views » —, il filmait dans des décors naturels avec force panoramiques et même un semblant de champs/contrechamps. Au contraire, lorsqu'il tournait des « fictions » comme *La Case de l'oncle Tom*, il revenait aux conventions scéniques avec toile de fond et décors en trompe-l'œil.

A vrai dire, cette alternance du réel et du scénique est significative des premiers âges du cinéma. La raison n'en est pas du tout technique mais, curieusement, psychologique. Ce ne sont pas les metteurs en scène qui s'obstinaient à maintenir une routine théâtrale, c'est le public qui l'imposait. Habitué qu'il était à la représentation scénique, il ne pouvait pas comprendre — ni admettre — qu'une histoire fictive, un drame puisse être figuré autrement. Les metteurs en scène eurent donc recours aux « tableaux ». Non seulement le mouvement gestuel ne se poursuivait pas d'un tableau à l'autre, mais l'unité de point de vue imposait la *frontalité* du décor et, donc, des reprises et des chevauchements continuels. Le plus curieux, c'est que la diversité des images — qu'on appellera bientôt des *plans* — était parfaitement admise lorsqu'il s'agissait de « vues » documentaires. Sans doute parce qu'on se trouvait en présence d'un monde « réel » au sein duquel on pouvait se déplacer. Il devenait alors tout naturel d'en avoir l'impression en épousant les divers points de vue enregistrés par la caméra. Pour ce qui est des « drames », le public fut long à admettre que la représentation d'un monde fictif puisse être conforme aux données de la réalité « vraie ». Chose que certains critiques actuels ne parviennent pas encore à comprendre si je m'en rapporte à une polémique ouverte à ce propos par Alain Masson dans la revue *Positif* (avril 1985-juillet 1986).

« Les spectateurs du début du siècle n'étaient pas plus bêtes que ceux d'aujourd'hui », disait-il en substance. A quoi il ajoutait : « Apercevant un instant des chevaux aux jambes invisibles, les spectateurs des *Aventures de Dollie* (Griffith, 1908) ont dû penser qu'il s'agissait d'animaux dont on n'avait pas filmé les jambes et non de monstres qui en fussent privés. » C'est certain. Ils ont bien compris qu'il s'agissait de chevaux,

Un monde artificiellement composé :
Les Grandes Espérances, de David Lean, 1946

mais ils ne comprenaient pas *pourquoi* ces chevaux leur étaient montrés de la sorte, ni pourquoi l'action était morcelée en fragments successifs. Encore qu'en 1908 ce n'était déjà plus comme en 1900/1906. Bien des choses avaient changé. Mais il ne faut pas oublier que le fait de raconter une histoire avec des images animées, cela n'existait pas avant le cinéma. Il fallait donc se référer à des choses connues, d'où cette application des formes théâtrales aux représentations cinématographiques, toute découverte, toute invention nouvelle faisant scandale — et émerveillement — en venant bousculer les habitudes, les conventions et les traditions.

1908-1918

Tandis qu'aux États-Unis on découvrait le montage, le cinéma européen, dégagé de la représentation scénique, se développa tout particulièrement sous l'égide de la peinture. Le théâtre étant *verbal* et le cinéma *muet*, ce n'est pas du théâtre que l'on devait s'inspirer mais de la peinture. Pour que les images soient *chargées de sens*, il devait suffire de

L'expressionnisme repris en 1943 dans *Jour de colère*,
de Carl Th. Dreyer

faire en sorte qu'elles *expriment* tout ce qu'un tableau peut exprimer, le mouvement leur étant accordé *en plus*.

Composer *avec* les images, composer *l'image* surtout, ses structures internes, en jouant avec les surfaces, les lignes et les volumes, avec les lumières et les ombres, avec le symbolisme des formes et le symbolisme des choses, tel fut le sens des recherches menées par les cinéastes danois fortement influencés par l'expressionnisme pictural. Composer l'image c'était en fait composer artificiellement le monde que l'on donnait à voir.

Certes, on aurait pu *organiser* le réel sans le recomposer. Le simple fait de situer tel personnage ou tel objet relativement à tel autre, de structurer le contenu *à la mesure du cadre* eût permis de valoriser les choses vues en leur donnant un sens provisoire. On aurait pu considérer le monde sous un certain angle sans le modifier pour autant.

Mais il aurait fallu pouvoir disposer d'optiques alors inexistantes qui eussent permis de jouer sur les perspectives, faire intervenir une grande variété de plans, tabler sur le montage, toutes choses alors pratiquement inconnues en Europe.

Interpréter, styliser le monde, cela ne pouvait se faire qu'en le recréant par des voies *décoratives*. La caméra *enregistrait* un univers préparé d'avance, élaboré esthétiquement, *chargé de sens.* Un sens acquis toutefois grâce à une intervention extra-cinématographique.

On n'avait quitté la représentation scénique que pour appliquer, d'une toute autre façon sans doute mais non moins certainement, les principes majeurs de la scénographie.

Étant donné les intentions des Danois cette esthétique se justifiait. Elle permettait d'irréaliser les apparences et de déboucher, au-delà du réel immédiat, sur un monde quasi onirique révélateur « par le dedans » de ses significations profondes. Un monde symbolique dont les signes, alors seuls en cause, permettaient d'avaliser une anecdote puérile, mélodramatique à souhait, mais au travers de laquelle on pouvait découvrir comme en filigrane le reflet démesurément grossi, « phantasmatisé », de troubles réels, d'un climat social authentique ou de quelques vérités sous-jacentes.

Développée au cours des années 1912-1915, cette esthétique donna naissance à *l'expressionnisme allemand* (1918-1925) qui fut l'un des grands courants de l'art cinématographique.

Plus symboliques que discursives, les qualités signifiantes de l'expressionnisme débouchaient cependant sur les attendus de la psychanalyse bien plutôt que sur les structures langagières dont le montage, au contraire, apparaissait comme devant en être le principal fondement.

Le Montage

Au sens premier du mot le montage consiste à coller bout à bout les plans (ou prises de vues) dans l'ordre requis par la logique du drame (de l'histoire, de la narration). Dans ce sens le montage est aussi vieux que le cinéma lui-même. On peut l'entendre également comme du raccordement d'une série de coupes faites pour raccourcir un mouvement, déphaser un geste ou relier des enchaînés successifs. Mais cette sorte de montage pratiqué essentiellement par Méliès aux débuts du cinéma pour ramasser le plus de dynamisme possible à l'intérieur de ses « tableaux » relève des trucages en lesquels il était passé maître, bien plutôt que de l'établissement d'une *relation productrice de sens.* Entendu de la sorte — seul entendement esthétiquement convenable —, le montage consiste à *raccorder deux ou plusieurs plans de telle sorte que leur mise en relation détermine un sens qui n'appartient à aucun de ces plans pris séparément.* Mais voyons d'abord l'historique.

A mesure que les films prirent de l'importance et que les plans et les cadrages se diversifièrent, on s'aperçut que, tout en construisant le drame, la simple mise bout à bout déterminait des relations arbitraires entre les choses représentées en leur donnant un sens allusif, symbolique ou autre. Parmi les metteurs en scène qui participèrent aux recherches et tentatives issues de cette découverte, le plus important fut l'Américain David Wark Griffith dont l'œuvre universellement connue est analysée dans toutes les histoires du cinéma. Avec lui, tout particulièrement, le montage engageait les formes spatiales, rythmiques et discursives du récit.

1. En montrant les événements, les actes, les personnages tantôt de près, tantôt de loin, de face ou de profil, de dos ou de trois quarts, d'en haut ou d'en bas, le film plaçait le spectateur *parmi* les personnages du drame, *dans* l'espace du drame. En voyant les choses selon des points de vue différents rapportés entre eux, le spectateur percevait ces choses *tout comme s'il se déplaçait réellement autour d'elles.* L'impression de réalité spatiale était de la sorte un fait acquis.

2. En créant — de par l'intensité du drame, de par la variété des points de vue et des cadrages — des relations de *durées* entre les plans, le montage imposait un *rythme* propre à chaque film. De plus, en jouant avec les temps et les espaces rapportés entre eux, il permettait toutes sortes d'ellipses et de raccourcis.

3. La mise en relation des plans entraînait, suggérait une idée que, par référence à la terminologie linguistique, on appelle « signifié connoté » ou *connotation*, le sens des choses montrées étant dit sens *dénoté.*

Avant qu'il soit question de sémiotique on disait plus simplement que « ce qui compte ce ne sont pas les images mais ce qu'il y a *entre* les images » (Abel Gance), ou encore que « les images signifient moins par ce qu'elles montrent — quelle que soit la signification des choses représentées — que par leur ordonnance et moins par cette ordonnance même que par leurs relations rythmiques ou sémantiques » (Jean Epstein).

Rythme et signification

Mis au point, développé, amplifié par Griffith dans *Naissance d'une nation*, premier chef-d'œuvre du cinéma mondial (1914), puis dans *Intolérance* (1916) — films que l'on ne connut en Europe qu'après la guerre de 1914-1918 —, le rythme visuel se fit remarquer avec éclat en France à travers *La Roue* d'Abel Gance (1922).

Succédant à la peinture, la musique devint alors la seule référence valable, tant et si bien que, plusieurs années durant, on ne parla plus que de « musique visuelle » : « Que le film soit pour l'œil ce que la musique est pour l'oreille », proclamait alors un critique oubliant que ces organes ont des diapasons sensoriels fort distincts. Ce qui

Montage contrasté — les riches et les pauvres —
dans *Les Spéculateurs*, de David W. Griffith, 1909

n'empêcha point une certaine « avant-garde » d'entrevoir les éventuelles possibilités d'un cinéma purement rythmique dit, à tort ou à raison, « cinéma pur »...

Dans le même temps, ayant découvert eux aussi les constructions et les cadences rythmiques à travers les films de Griffith, les Soviétiques entreprirent des recherches axées sur le rythme mais surtout sur les *relations* en prenant appui sur la dialectique et le marxisme. La plus remarquable découverte — due au hasard — relève des expériences de Koulechov qui n'envisageait que le jeu des comédiens : des relations arbitraires établies entre un sujet « regardant » et des personnages « regardés » (supposés être regardant et regardés) engageaient dans l'esprit du spectateur des significations anticipées. Autrement dit, le spectateur accordait au « regardant » des idées ou des sentiments qu'il devait ou aurait dû exprimer par référence aux faits observés conformément à une logique socio-culturelle établie. Le caractère quasi linguistique du cinéma était de la sorte partiellement démontré.

Premières théories

Si l'on excepte des considérations esthétiques plus littéraires que scientifiques comme celles de Canudo, Delluc, L'Herbier et les subtiles analyses d'un psychologue américain alors pratiquement inconnu, Hugo Munsterberg, qui rapportait l'entendement filmique aux structures formelles de la psychologie gestaltiste, c'est-à-dire à l'entendement perceptif immédiat, les premières théories quelque peu scientifiques — au niveau bien entendu des sciences normatives — prirent corps à partir des expériences de Koulechov.

Jean Epstein le tout premier mit l'accent sur le rôle et la signification du *gros plan*, particulièrement du gros plan d'objets ; sur le sens et les conditions du montage rythmique ; sur la symbolique des choses, les valeurs signifiantes étant encore considérées globalement et désignées — à l'instar de Delluc et de Canudo — sous le terme vague de *photogénie* :

J'appellerai photogénique tout aspect des choses, des êtres et des âmes qui accroît sa qualité morale par la reproduction cinématographique. [...] L'aspect photogénique d'un objet est une résultante de ses variations dans l'espace-temps[3].

A défaut de langage, Eisenstein envisagea une sorte de *Ciné-dialectique* dans laquelle le montage était essentiel :

Le plan, dit-il, n'est pas un *élément* de montage, c'est une cellule. De même que la division des cellules produit une série d'organismes différents, de même la division des plans — leur collision, leur conflit — fait naître des concepts. Poudovkine défend l'idée selon laquelle le montage ne serait qu'une *association* de plans, une succession de fragments arrangés en série afin *d'exposer* une thèse. Pour moi le montage est une *collision* et de la collision de deux facteurs *surgit* un concept. A mon point de vue l'association n'est qu'une possibilité, un cas particulier.

Si le montage doit être comparé à quelque chose, poursuit Eisenstein, les collisions successives d'un ensemble de plans peuvent être comparées à une série d'explosions dans un moteur d'automobile. Comme celles-ci impriment le mouvement à la machine, le dynamisme du montage donne l'impulsion au film et le conduit à sa finalité expressive[4].

Chez lui, donc, le sens est conséquent de la non-congruence des éléments rapportés entre eux plutôt que d'une idée amorcée par une suite événementielle. Toutefois, le signifié devient signifiant dans une continuité qui est, comme toute autre, un *développement* (idéologique, factuel, dramatique, etc.), mais un développement qui, au lieu d'être *continu*, fondé sur la linéarité du *récit*, est *discontinu*, fondé sur l'entrechoc d'éléments *quasi simultanés* qui engendrent des idées à la manière d'un développement harmonique. Mais à moins d'une simultanéité *réelle* comme dans la « profondeur de champ » (postérieure au cinéma d'Eisenstein), cette simultanéité est forcément transmuée en continuité, *signifiée* plutôt que représentée. Il s'ensuit — du fait de la non-linéarité du développement — une continuité hachée, brisée, fragmentée, c'est-à-dire où la fragmentation est *soulignée* en tant que production de sens.

En d'autres termes, chez Poudovkine, la continuité narrative sollicite le montage : elle en commande les effets tandis que chez Eisenstein c'est le montage qui *construit*, détermine un développement tout à la fois descriptif et discursif.

Pensant à son tour que « le montage ne devient productif que lorsque grâce à lui on apprend des choses que les images elles-mêmes ne mon-

3. Jean EPSTEIN, *Le Cinéma vu de l'Etna*, 1926.
4. S.M. EISENSTEIN, *Film Form*, 1926.

trent pas », Béla Balázs n'en refusait pas moins le montage « intellectuel » prôné par Eisenstein qui « aboutissait à des hiéroglyphes, à un idéogramme que l'on devait déchiffrer comme un rébus ». Il insistait sur les pouvoirs du *gros plan*, sur le fait surtout que le *cadrage* permettait de transformer les rapports du spectateur au monde représenté.

> L'image, disait-il, est une interprétation, pas un décalque. Rien n'est plus subjectif qu'un objectif[5]...

Disciple de Köhler et de Wertheimer (fondateurs de la *Gestalt* ou « psychologie de la forme » en 1912-1914), Rudolph Arnheim fut le premier théoricien du cinéma à établir des rapprochements entre la perception filmique et les structures gestaltistes. D'une façon plus formaliste que Béla Balázs il souligna les différences marquées par le film entre le réel et son image. Mais ses conceptions fondées essentiellement sur les conditions du cinéma muet lui firent ignorer et rejeter le cinéma parlant :

> Mélange et non pas synthèse de moyens formateurs, le parlant, disait-il, finira par se décomposer. Il rendra alors le muet à son ancienne et parfaite pureté[6].

Affirmation non confirmée à ce jour et dont on peut douter qu'elle le soit jamais.

Pendant une bonne dizaine d'années on évita de théoriser, le cinéma parlant encore à ses débuts ne le permettant pas. Ce n'est qu'après la guerre que de nouveau parurent des essais théoriques un peu consistants, à commencer par l'*Essai sur les principes d'une philosophie du cinéma* de Gilbert Cohen-Séat. Distinguant le filmique (expression esthétique) d'avec le cinématographique (procédé technique), étudiant surtout les formes du « discours filmique », Cohen-Séat insista sur la différence pour lui fondamentale entre le langage verbal et l'expression visuelle. Pleine d'aperçus intéressants, son œuvre est malheureusement négligée aujourd'hui par la critique, tout comme la *Logique du cinéma* d'Albert Laffay (1964), recueil d'articles sur le réel, l'imaginaire et les grands thèmes de l'écran envisagés sous un éclairage quelque peu existentialiste[7].

Inversement André Bazin jouit d'une réputation universelle. Sans doute parce qu'il fut le plus grand critique de sa génération et que,

---

5. Béla BALÁZS, *L'Esprit du film*, 1930.
6. Rudolph ARNHEIM, *Le Film en tant qu'art*, 1932.
7. Articles publiés dans *Les Temps modernes*, 1955-1960.

dans ce sens, ses écrits sont d'un intérêt de tout premier ordre. Mais, sur le plan théorique, ses idées sont fort contestables. Le plus curieux c'est que ce sont ceux dont l'idéologie est à l'opposé des siennes qui l'ont porté au pinacle.

Bazin prend l'exact contrepied de tout ce qui a été avancé, proposé, démontré avant lui et — derechef — après lui. Il admet le montage entendu comme moyen de construction mais refuse la « mise en relation arbitraire des plans » comme de nature à « fausser la réalité ». Ce qui est vrai. Mais l'art, justement, consiste à transformer le monde, pas à le décalquer. Or c'est cette reproduction — cette faculté reproductrice — que Bazin retient du cinéma au nom d'un réalisme transcendantal qui, si l'on s'en rapporte à ses convictions théologiques, est plus proche du spiritualisme existentialiste de Gabriel Marcel ou d'Emmanuel Mounier que de l'idéalisme bergsonien auquel on a voulu parfois le rapporter.

Sous prétexte que la caméra saisit le réel sans le colorer d'un *a priori* idéologique ou culturel quelconque, Bazin en déduit que « l'image filmique, reproduction objective des choses, est le plus sûr moyen de connaissance du réel vrai, du réel d'avant la connaissance, d'"avant la perception", le réel "en-soi" »... Pour lui, le fondement de l'expression cinématographique ne saurait être que cette reproduction « objective » du monde et des choses...

Tandis que Bazin, tout en admettant que le cinéma était un langage, refusait la réduction de l'image à un signe linguistique, c'est-à-dire à n'être plus à travers des symboles arbitraires que le véhicule de concepts détachés du réel concret, Christian Metz entreprenait une « sémiologie du film » en appliquant au cinéma les grands principes de la linguistique structurale.

Mais qu'est-ce que la sémiologie ? Que signifient les termes employés en linguistique ? Sans doute est-il temps d'éclairer le néophyte après ce tour d'horizon retraçant l'aventure langagière du film.

Le mot et l'image

La signification relève de la psychologie en ce qu'elle associe un objet, un être, une idée à un *signe* susceptible de les évoquer. La notion de signe entraîne deux entendements distincts qui prêtent souvent à confusion = les signes *naturels* et les signes *artificiels*. Parmi ceux-ci on distingue encore les signes de *représentation*, qui reproduisent les caractères naturels des choses, et les signes *conventionnels* ou arbitraires qui sont ceux du langage.

La *sémiologie* (du grec *sêma* : signe) est la science qui étudie tous les systèmes de signes — gestes, signaux, symboles, etc. Tout signe comporte nécessairement deux termes = un *signifiant* (le signe lui-même) et un *signifié* (ce à quoi il renvoie). Les signes naturels sont fondés sur des relations existant entre un phénomène et un sens commun généralement motivé par le caractère ou les conséquences de ce phénomène. Ainsi de gros nuages sombres sont signe de pluie, la fumée signe d'un feu quelconque, proche ou lointain.

L'image qui reproduit une réalité donnée — paysage, objet, individu — est le *signe direct* de ce qu'elle montre ou signe *formel* en ce qu'il est formellement identique à ce qu'il reproduit. Il peut avoir une qualité propre mais en général il ne signifie rien de plus que ce que signifie la chose représentée. On le dit alors « coextensif au signifié ».

Le signe *linguistique* au contraire n'est pas un *duplicat*. Il est fondamentalement conventionnel, son caractère propre étant de n'avoir aucun rapport naturel avec ce qu'il désigne ou signifie : « le mot chien ne mord pas », disait William James.

Selon la définition saussurienne, le signe linguistique — le mot — est une unité arbitraire et immotivée[8]. Une unité bifaciale où le *signifiant* est l'énoncé oral et le *signifié* un concept qui renvoie à un référent concret (l'objet désigné). Il y a cependant un rapport *nécessaire* entre le signe et le signifié (le *mot* chaise et l'*idée* chaise). Il reste que la linguistique contemporaine tend à abandonner la bipolarité saussurienne et à considérer le mot comme un signifiant global renvoyant à la fois à un signifié concret (l'objet) et/ou abstrait (le concept), la distinction se faisant à la lecture en raison du contexte.

Si, en tant qu'unité de signification verbale, le mot — ou *monème* — est insécable, il n'en est pas moins constitué d'unités sonores dépourvues de sens, les *phonèmes*, que l'on peut ramener grossièrement aux syllabes (hors l'analyse phonologique). De ce fait, l'une des propriétés essentielles du langage est d'avoir une *double articulation* = celle qui relie les unités verbales et celle qui relie les composantes phonétiques du mot à l'intérieur de celui-ci.

La *sémantique* (du grec *sêmainô* : signifier) est l'étude des significations linguistiques, c'est-à-dire du sens des mots, de leur sens *lexical pratiquement invariable et surtout des rapports associatifs* du signifiant et du signifié. Au niveau sémantique la signification est engendrée par le discours. Le mot *chien* peut évoquer la fidélité, le mot *orient* les fastes de Babylone. Ainsi que le souligne J.-A. Greimas, « la structure minimale de toute signification se définit par la mise en présence de deux termes et par la relation qui les unit ». On vient de voir que cette définition est aussi bien celle du montage.

8. Ferdinand de Saussure, rénovateur de la linguistique au début de ce siècle (1857-1913).

Le *syntagme* est un groupe de mots ayant un sens univoque et que l'on peut situer entre le mot et la phrase. Une courte phrase telle que *Pierre marche* est un syntagme. Une phrase un peu longue peut en comprendre plusieurs. Au cinéma où un plan équivaut à une ou plusieurs phrases, le syntagme est entendu généralement comme un ensemble de plans entraînant une signification — ou une structure — globale.

Cette fragmentation amenée par la sémiologie facilite l'étude des films que l'on divisait jusque-là en segments très courts et insécables, les *plans*, et en parties ou *séquences*. Mais elle n'est utile qu'au niveau de l'analyse. La *synecdoque* est une figure de style qui donne (en général) la partie pour le tout = une *voile* pour un *navire*. Au cinéma elle équivaut à un gros plan de détail.

L'image

Parler d'*image filmique* c'est envisager une *image animée* et, donc, l'ensemble des photogrammes constitutifs d'un *plan*. En conséquence, dire *un* plan ou *une* image filmique, c'est dire exactement la même chose. A ceci près qu'un plan est caractérisé (plan moyen, gros plan, plan lointain, etc.), alors que l'image a un sens plus général, plus aisément maniable. Ce peut être n'importe quel plan, mais toujours une image *animée*.

Non seulement l'*image* est un signifiant complexe, mais elle est toujours individualisée, personnalisée, distincte. Ce ne sera jamais celle d'*un* chien mais de *ce* chien, vu en *ce* lieu, sous *cet* angle. Toute autre image le montrera en un autre lieu ou sous un autre angle, mais toujours dans un espace dont certains éléments seront compris dans le cadre : pas plus que d'unité discrète le cinéma n'a de signifiant unitaire, isolé — sauf en ce qui concerne le gros plan.

Christian Metz a précisé fort justement que l'on ne saurait assimiler la relation forme/contenu à la relation signifiant/signifié, associer ou identifier la forme au signifiant, le contenu au signifié[9].

Dans la suggestion latente d'une sorte de parenté privilégiée entre les faits de signifiant et les faits de forme d'une part, les faits de signifié et les faits de substance d'autre part, il y a, comme en suspens, l'idée que le signifiant a une forme — ou est forme ? — alors que le signifié n'en aurait pas ; et aussi que le

---

9. Si je m'oppose à la sémiologie de Christian Metz, qui cherche dans la linguistique des formes ou des structures *a priori*, je n'en ai pas moins la plus haute estime pour ses travaux. D'autant que c'est surtout chez ses épigones qu'on trouve le dogmatisme qui la fige.

signifié a une substance — ou est substance ? — alors que le signifiant n'en aurait pas.

On peut en effet définir la forme et la substance du signifiant et du signifié en schématisant ainsi.

Forme du signifiant : ensemble des configurations perceptives propres à un film ; structure globale des images et des sons ; organisation de leurs relations signifiantes.

Substance du signifiant : « matière » de l'image en tant que représentation de choses concrètes ; substance sonore (paroles, bruits, musique).

Forme du signifié : structure thématique ; structure des relations d'idées ou de sentiments ; combinatoire des éléments sémantiques du film.

Substance du signifié : contenu social du discours filmique ; ensemble des problèmes soulevés par le film à l'exclusion de la forme spécifique que donne à ces problèmes le film considéré, c'est-à-dire la :

Forme du contenu : style, manière, façon dont l'« histoire » (action dramatique, événements décrits) est exprimée, signifiée, formalisée par le film au moyen de procédés plus ou moins « spécifiques » qui distinguent cette histoire de ce qu'elle serait si elle était la matière d'un roman ou d'une pièce de théâtre.

Étudier la forme d'un film, ce serait en réalité étudier le tout de ce film en adoptant comme pertinence la recherche de son organisation, de sa structure : ce serait faire l'analyse structurale du film, cette structure étant aussi bien une structure d'images et de sons (forme du signifiant) qu'une structure de sentiments et d'idées (forme du signifié).

Inversement, lorsqu'on dit qu'on étudie le « contenu » d'un film, on désigne ainsi le plus souvent une étude portant pour l'essentiel sur la seule substance du contenu : énumération ou évocation plus ou moins informe des problèmes humains ou sociaux soulevés par le film, ainsi que de leur importance intrinsèque, sans examen sérieux de la forme spécifique que donne à ces problèmes le film à l'étude. La véritable *étude du contenu d'un film,* ce serait justement l'étude de la forme de son contenu : sinon, ce n'est plus du film que l'on parle, mais de divers problèmes plus généraux auxquels le film doit son matériau de départ, sans que son contenu propre se confonde en aucune façon avec eux, puisqu'il résiderait bien plutôt dans le coefficient de *transformation* qu'il fait subir à ces contenus[10].

10. Christian METZ, « Propositions méthodologiques pour l'analyse du film », in *Essais,* vol. II, p. 98-110.

La sémiologie du film ; ses raisons

Pour Ferdinand de Saussure la linguistique n'était qu'une province de la sémiologie. Or, à la suite des structuralistes, la plupart des linguistes en sont venus à ne plus considérer la sémiologie que comme un sous-chapitre de la linguistique, la notion de signe étant l'essentiel du langage. En conséquence de quoi il devint à peu près impossible de parler de sémiologie — même extra-linguistique — sans faire intervenir les structures langagières.

Dès 1965, après avoir suivi les travaux de Christian Metz consécutifs à son étude de base, j'écrivais dans le second volume de mon *Esthétique* :

> Il ne saurait y avoir de grammaire du film pour l'extrême raison que toute grammaire se fonde sur la fixité, l'unité et la conventionnalité des signes. Elle ne peut régir que des modalités se référant à cette fixité fondamentale. Toutes les tentatives faites dans ce sens se sont soldées par des échecs et le seul fait de prétendre à une grammaticalisation possible témoigne de la méconnaissance des conditions expressives de l'image animée. N'agissant pas avec des signes tout faits, le cinéma ne suppose aucune règle *a priori* qui soit d'ordre grammatical. Les règles syntaxiques elles-mêmes sont toujours sujettes à caution. Elles peuvent concerner une esthétique particulière, une stylistique, mais non le langage du film dans sa totalité.
>
> C'est pourquoi je demeure très sceptique quant à une éventuelle syntaxe du cinéma que Christian Metz paraît souhaiter et qui, dit-il, « reste à faire, et ne pourra l'être que sur des bases syntaxiques et non morphologiques ». La morphologie étant mise hors jeu de par l'absence de signes proprement dits, si toute syntaxe est syntagmatique (selon Saussure), il ne me paraît pas possible de régir avec quelque rigueur des structures qui se régissent elles-mêmes en raison de leur contenu et qui ne se justifient que par le sens — infiniment variable — qu'elles donnent aux choses qu'elles expriment[11].

Ce qui répondait d'une certaine façon à ce que j'avais déjà souligné deux ans auparavant, à savoir que :

> Les mêmes idées peuvent être signifiées de multiples façons mais aucune d'entre elles ne saurait être signifiée chaque fois par des images identiques. *Il n'y a aucun lien, aucun caractère de fixité entre le signifiant et le signifié,* faute de quoi celui-là deviendrait vite un signe abstrait dépourvu des qualités vivantes qui lui sont indispensables[12].

---

11. In *Esthétique et psychologie du cinéma*, vol. II, p. 445 et 450, 1965.
12. *Idem.*, vol. I, p. 51, 1963.

Il reste que dès 1966 — et après les événements de 1968 surtout — les théories de Christian Metz et de ses émules de plus en plus nombreux (Umberto Eco, Emilio Garroni, Pier Paolo Pasolini, Gianfranco Bettetini, en Italie ; Roger Odin, Jacques Aumont, Michel Marie, Dominique Chateau, Michel Colin, en France ; d'autres aux États-Unis et en Amérique latine) connurent un succès inattendu.

Or il se trouve que la chose coïncidait avec les débuts de l'enseignement du cinéma dans les universités et le développement des études relatives aux « communications de masse ». En 1968, les historiens et théoriciens susceptibles d'enseigner le cinéma au niveau universitaire se comptaient — à grand-peine — sur les doigts d'une seule main. Pour des raisons étroitement administratives, en l'absence — par la force des choses — de « docteurs ès cinéma », la plupart des enseignants vinrent de disciplines littéraires auxquelles ils devaient leur doctorat. Et comme ceux qui s'intéressaient réellement au cinéma se limitaient aux analyses de type stylistique ou socio-culturel, l'intervention de la sémiologie leur fut une ouverture inespérée. Roman Jakobson n'avait-il pas dit : « Le cinéma m'apparaît comme un système de signes particulièrement important. Je n'imagine pas qu'un travail sémiotique puisse ne pas s'occuper du cinéma... »

Le contre-coup fut que toute théorie, toute considération étrangère à cette seule discipline se vit rejetée comme nulle et non avenue, tout ce qui lui était antérieur comme dépassé ou sans intérêt. Aujourd'hui encore on peut remarquer que, dans leurs études sur le cinéma axées presque exclusivement sur la sémiotique, sur dix ouvrages cités huit sont des ouvrages de linguistique pure...

Par ailleurs, les théoriciens de la communication audiovisuelle crurent pouvoir transmettre au moyen des images animées — filmiques ou télévisuelles — des messages, des relations de faits évitant toute interprétation personnelle, tout qualia artistique en vertu d'une objectivité et d'une précision qui échappent au langage. A condition bien sûr de pouvoir donner un sens précis à l'ordonnancement des images, à leurs relations, conformément à certaines règles. Chose contraire à l'évidence mais qui leur fit envisager un instant une solution possible, à travers la syntagmatique metzienne.

Il est certain que Christian Metz n'a jamais eu l'intention de faire du cinéma un avatar de la linguistique. Sans ignorer tout ce qui sépare cinéma et langage, son propos était de voir comment et dans quelle mesure il était — ou devait être — possible d'appliquer au cinéma un système de codifications qui eussent été, pour le film, l'équivalent des règles du langage.

Bien qu'il ait dit tout le premier : « La sémiologie peut et doit s'appuyer fortement sur la linguistique, mais elle ne se confond pas avec elle[13] », son erreur — à mon sens —, et celle de tous les sémiologues qui se sont penchés sur la question (Garroni, Eco, Pasolini et autres), fut de partir de modèles linguistiques, de chercher des analogies en des fonctions différentes au lieu de partir d'une analyse des unités minimales du message filmique et d'en examiner le fonctionnement en faisant table rase de toute idée de code, de grammaire ou de syntaxe.

Les travaux de Christian Metz ont permis de remplacer les méthodes empiriques par une analyse rationnelle, de mettre en évidence les processus par lesquels (ou grâce auxquels) un film produit du sens, d'en dévoiler le fonctionnement. Mais si la sémiologie est capable de dire *comment ça signifie*, elle est incapable de dire *pourquoi ça signifie*. En linguistique, la question ne se pose pas mais, à l'inverse des mots, les images n'ont jamais été faites pour signifier. Il y a là une fonction curieuse qui fait du film une sorte de discours dont les structures superficiellement analogues aux structures linguistiques échappent cependant à toutes les règles du langage.

Opérante lorsqu'il s'agit d'analyser un film, de le « démonter », la sémiologie échoue lorsqu'il s'agit d'en tirer des lois, des codifications, des règles qui seraient applicables à tous les films. Ses systématisations sont toujours *a posteriori*. Metz devait en convenir lors du Colloque sur la recherche cinématographique de février 1977, déclarant le premier : « Je crois que la sémiologie, en tant qu'école, a fait son temps. Elle peut et même doit disparaître [...]. »

Après avoir occulté mes travaux, gênants sans doute pour ce qui devait être un dogme, une certaine panique s'ensuivit dans les rangs des thuriféraires aveuglés de convictions « établies ». Après le doute, les premières offensives osèrent se faire jour. On découvrait avec vingt ans de retard que le visuel ne pouvait pas être assimilé au verbal et que d'avoir fait de la linguistique le modèle de toute sémiologie était une erreur fondamentale :

> Il va de soi, dit G. Deledalle, que la notion de signe restreinte au signe linguistique qui peut à la limite convenir pour une sémiologie du texte est impropre ou, à tout le moins, n'est pas la plus propre à décrire un système de signes non linguistiques comme un film ou tout autre système à dominante iconique[14].

Après un article du critique américain Raymond Durgnat publié en mai 1980 dans la revue *Cinéaste* et intitulé « La mort de la ciné-

13. In *Essais sur la signification au cinéma*, vol. I, p. 48, cf. note en bas de page.

14. G. DELEDALLE, *Théorie et pratique du signe*, Payot, 1979, p. 196-197 (ouvrage consacré essentiellement à la logique et à la linguistique de Charles Sanders Peirce). Texte publié en français dans le numéro de mars 1982 de la revue *Jeune Cinéma*.

sémiologie », l'Anglais Lindsay Anderson écrivait dans *The Guardian*, en mars 1981 :

> L'assimilation du film au langage, l'essai d'examiner et d'interpréter l'œuvre d'art par des méthodes dérivées de l'analyse linguistique, sont liés à une tendance venue, comme si souvent, de France, et qui veut examiner l'œuvre d'art d'un point de vue scientifique et logique [...], en s'efforçant de substituer une Règle à la simple affinité, une Formule à l'intuition. [...] Le mouvement structuraliste dans la critique de cinéma est nocif [...] parce qu'il tente de substituer une analyse stylistique à une interprétation, à une recherche du sens et de sa portée humaine.

De son côté, avant de publier son remarquable ouvrage, *L'Image-Mouvement*, le philosophe Gilles Deleuze disait au cours d'un entretien :

> Les essais d'appliquer la linguistique au cinéma sont catastrophiques [...]. La référence au modèle linguistique finit toujours par montrer que le cinéma est autre chose, et que, si c'est un langage, c'est un langage analogique ou de modulation. On peut dès lors croire que la référence au modèle linguistique est un détour dont il est souhaitable de se passer[15].

Cependant, tandis que Christian Metz abandonnait la sémiologie structurale pour une recherche plus féconde dans le domaine de la psychanalyse, certains de ses épigones pensèrent que si les modèles taxinomiques s'étaient montrés impuissants, ce devait être en raison de leur « fixisme ». Les modèles génératifs de la grammaire transformationnelle leur semblaient plus aptes ou plus favorables. A cet égard des recherches comme celles de Dominique Chateau ne manquent pas d'intérêt. Il reste que les transformations opératoires de Chomsky sont centrées sur un système syntaxique qui engage leur genèse alors que les significations filmiques ne se soumettent à aucune fonction contraignante qui ne soit des faits concrets dont elles témoignent.

Conséquente d'implications diverses, de transferts symboliques ou autres qui relèvent de la logique, de la psychologie ou de la psychanalyse, la signification filmique est étrangère à la linguistique ou du moins à ses règles. Pas plus que le structuralisme de Hjelmslev, la grammaire générative de Chomsky ou la sémantique de Greimas ne sauraient lui prêter leurs lois.

Sans doute conviendrait-il d'en donner quelques raisons. C'est pourquoi, malgré la rédaction de l'*Histoire du cinéma* dont je pensais me délivrer plus tôt — et bien que la fièvre sémiotique se soit singulière-

15. In *Les Cahiers du Cinéma*, n° 352, octobre 1983. « Entretien » avec Gilles Deleuze par Pascal Bonitzer et Jean Narboni.

ment atténuée —, j'ai cru pouvoir exposer dans ce modeste ouvrage l'essentiel de la question. On n'y cherchera donc point des études exhaustives, mais plus simplement des considérations générales envisageant une sémiologie extra-linguistique pour laquelle le langage, sans être un modèle, restera un élément de comparaison fondamental. Une sémiologie « ouverte », c'est-à-dire sans code ou, du moins, sans codifications *a priori*, fondée sur les relations toujours fortuites et contingentes du fond et de la forme.

Il s'agit bien moins en effet de s'élever contre l'intrusion abusive — aujourd'hui dépassée — de la linguistique dans les formalisations du film que d'examiner pourquoi toutes les tentatives de syntaxalisation ont abouti et ne pouvaient aboutir qu'à un échec.

Aucune science on le sait ne peut s'expliciter par elle-même. Pas davantage on ne saurait expliquer le cinéma par le cinéma. Mais, s'il est langage, le cinéma ne l'est que dans la mesure où il est représentation, c'est-à-dire image du monde et des choses. Or cette représentation concrète implique certains qualias qui engagent la perception, la psychologie des formes *(Gestalt)* et autres conditions au moins aussi déterminantes que celles de la linguistique dont les structures ne regardent tout compte fait que la sémantique du film et la narrativité.

II

SIGNES ET SIGNIFICATION

Défendant le fait que le cinéma était un langage, je disais voici une vingtaine d'années :

C'est Victor Perrot qui, pour la première fois, dans un article publié en 1919, a parlé du cinéma comme d'une écriture, d'un langage.

La démarche mobile et changeante du moyen d'expression suggérant des idées, signifiant un peu à la manière d'un discours, il devint commun, depuis lors, de l'entendre comme tel. Mais d'une façon toute métaphorique.

La question ne fut abordée sérieusement — sous l'angle linguistique — que par G. Cohen-Séat, en 1945[1]. Toutefois, rapportant inconsidérément les formes filmiques aux formes verbales, posant *a priori* le langage verbal comme étant la *forme exclusive* de tout langage, l'auteur affirmait que, puisque ces formes *ne coïncidaient pas*, le cinéma n'était pas, ne pouvait pas être un langage.

« Ces problèmes, s'ils doivent un jour être résolus, disait-il en substance, ne le seront pas au moyen de vagues analogies grammaticales. »

On ne pouvait mieux dire. Car il n'y a, en fait, aucun rapport entre le filmique et le verbal si ce n'est justement qu'ils sont langage l'un et l'autre. *L'identité n'est pas dans les formes mais dans les structures.*

Toute pensée se forme dans la mesure où elle se formule. Comme le langage est l'expression la plus directe de la pensée, on peut dire que celle-ci se forme généralement dans les mots. Mais le langage est une réaction objective dont la nature ne diffère pas essentiellement de la plupart des réactions qui constituent le comportement humain et auxquelles il peut se substituer. La pensée informulée, réduite à des états de conscience, est à la fois antérieure et extérieure au langage et peut se traduire — à tout le moins se manifester — d'une autre manière. On sait que le langage primitif était une façon de traduire les états de conscience ou les attitudes mentales par des réactions de caractère purement physique.

1. G. Cohen-Séat, *Essai sur les principes d'une philosophie du cinéma*, Paris, P.U.F., 1945.

En conséquence, étant une manière de traduire ou d'exprimer les modalités de la pensée, *tout langage se réfère nécessairement* aux opérations de conscience qui consistent à concevoir, à juger, à raisonner, à ordonner selon des relations d'analogie, de différence ou de causalité.

On peut dire, de la sorte, qu'un langage est un moyen d'expression dont le caractère dynamique suppose le développement temporel d'un système quelconque de signes, d'images ou de sons, l'organisation de ce système ayant pour objet d'exprimer ou de signifier des idées, des émotions ou des sentiments compris dans une pensée mouvante dont ils constituent les modalités effectives.

Le langage suppose donc des systèmes différents ayant chacun une symbolique appropriée mais *tous se référant à l'idéation* dont ils ne sont que l'expression formelle ou formalisée. Langage verbal et langage filmique expriment et signifient en utilisant des éléments différents selon des systèmes organiques différents.

Il est évident qu'un film est tout autre chose qu'un système de signes et de symboles. Du moins ne se présente-t-il pas comme étant cela *seulement.*

Un film, ce sont *d'abord* des images et des images *de quelque chose.* C'est un ensemble d'images ayant pour objet de décrire, de développer, de narrer un événement ou une suite d'événements quelconques. Mais, au fil de la narration, ces images peuvent, *de surcroît*, devenir symboles. Elles ne sont pas *signe* comme les mots, mais objet, réalité concrète : un objet qui se charge (ou que l'on charge) d'une signification déterminée, fût-elle provisoire et contingente. C'est en cela que le cinéma est langage ; il *devient* langage dans la mesure où il est *d'abord* une représentation et à la faveur de cette représentation. C'est, si l'on veut, un langage au second degré. Il ne se donne pas comme une forme abstraite que l'on pourrait augmenter de certaines qualités esthétiques, mais comme cette qualité esthétique même augmentée des propriétés du langage [...].

La distinction *art* et *langage* ne joue pas pour le langage filmique car celui-ci se situe *toujours* au niveau de l'œuvre d'art. Que cette œuvre soit bonne ou mauvaise ne change rien à la chose ; ce n'est pas une question de *qualité* mais de *fait.* Le langage filmique relève, par principe, de la création esthétique : on ne trouve pas, comme les mots, les images toutes faites dans les pages d'un dictionnaire. Ce n'est pas un langage discursif mais un langage élaboré. Ce n'est pas celui de la conversation, de la communication directe, mais celui du poème ou du roman, et les images, quoique ordonnées en vue d'une signification déterminée, doivent laisser une marge d'indétermination à la chose exprimée, laquelle donne à penser plutôt qu'elle ne cerne et ne précise une pensée rationnellement définie[2].

Langage ou discours ?

Je crois donc avoir été le premier à soutenir contre Cohen-Séat, Dina Dreyfus et autres que le cinéma était un langage conformément à

2. *Esthétique et psychologie du cinéma*, vol. I, p. 54, Éditions universitaires, 1963.

l'acception linguistique du mot. En prenant toutefois certaines précautions comme de dire :

> C'est un langage poétique, un langage au second degré. Le film [...] devient langage dans la mesure où il se développe dans la durée à la manière d'un discours[3].

Mais, du fait que le langage est également parole, que le film ne se manifeste qu'au niveau de l'écriture et que je postule l'absence de toute grammaire, de toute syntaxe, de toute codification d'ordre général, j'en arrive à me demander si cette notion de « langage filmique » n'est pas à reconsidérer comme recouvrant plus de faux problèmes qu'elle ne permet d'en résoudre de vrais.

Il est évident que j'entends par « grammaire » un ensemble de règles applicables à *toutes* (sauf exceptions rarissimes) les constructions propres au langage, de quelque nature qu'il soit. Entendu dans le sens où l'entend Christian Metz pour qui « la libre originalité créatrice est *forcément* grammaticale du fait de son organisation même », il est certain que tout film procède d'une « grammaticalité » qui lui est propre, mais non d'une grammaire donnée *a priori*. Comme on le verra plus loin, les codifications propres à un film, déterminées presque toutes par son contenu (rapport forme / contenu), ne sont absolument pas généralisables.

Tout le champ de l'intelligibilité est constitué de significations, mais tous les modes d'articulation ne correspondent pas nécessairement à l'articulation linguistique. Si donc le film n'est langage que dans la mesure où il crée un enchaînement de relations signifiantes, peut-être vaudrait-il mieux parler de *discours* comme le faisait justement Cohen-Séat, en un moment où je ne supposais pas que le terme de langage, avancé comme *expression* et point du tout comme *structure*, entraînerait à des confrontations abusives. On peut appliquer les concepts linguistiques à d'autres systèmes de signes mais, une fois encore, le cinéma n'est pas un système de signes. Metz lui-même devait dire de son côté :

> Les lois proprement linguistiques s'arrêtent à l'instance ou rien n'est obligatoire, où l'agencement devient libre. Le film commence là. Il est d'emblée où se placent les rhétoriques et les poétiques.

Cette remarque aurait dû le mettre en garde contre un esprit de système un peu trop systématique car les sémiologues du film ont oublié un peu trop facilement que les images n'ont aucune fonction particulière qui leur soit dévolue par principe, alors que les unités verbales ont

3. *Id., ibid.*

une *fonction précise* qui permet d'organiser leurs combinaisons conformément à des règles strictes.

Dans une phrase toute simple telle que *Suzanne est blonde*, le sens est donné par la relation fonctionnelle d'un sujet, d'un verbe et d'un attribut. On peut changer à l'infini les éléments paradigmatiques et dire : *Pierre traverse la rue*, *Louise arrivera demain*, etc., le signifié est chaque fois différent mais la fonction signifiante est identique, formalisée par une structure « signifiante par elle-même ».

Au cinéma où il n'y a pas d'image-verbe, d'image-sujet, d'image-adjectif, où le moindre plan comporte toutes ces désignations, aucune signification ne saurait être distribuée par quelque structure que ce soit. C'est dire encore que le plan n'est en rien comparable à un mot. C'est une unité de *construction* mais une unité qui englobe tout un ensemble de relations ; une unité *signifiante*, nullement une unité *de* signification :

> Un plan n'est l'équivalent ni d'un mot ni d'une phrase mais de tout un ensemble de phrases. Il en faut plusieurs pour décrire le gros plan le plus simple, une quantité pour décrire un plan d'ensemble un peu complexe[4].

Si donc un plan est un énoncé, l'enchaînement des plans devrait être comparable à celui des phrases. Or aucune grammaire n'instruit leur ordonnancement, si ce n'est la grammaire générative de Chomsky. Mais celle-ci n'est pas sans soulever de nombreux paradoxes. Il arrive que pour établir des règles ordonnant les unités, il faut connaître le sens de ces unités. La sémantique qui, selon Chomsky, doit être fondée sur des règles syntaxiques en arrive à devoir déterminer les règles syntaxiques qui la fondent...

En fait l'enchaînement des phrases n'est conduit que par la logique du récit. D'où il serait plus normal de comparer les structures filmiques aux structures narratives plutôt qu'à celles du langage. Aucune unité filmique en effet n'est une unité discrète et toute modification se résorbe en une autre unité signifiante comme du passage d'une phrase à une autre phrase et non comme d'une transformation grammaticale.

Les valeurs signifiantes

Dans bien des cas pourtant, notamment dans les oppositions franches, les plans agissent comme des mots en raison de leur impact. Or, le sens des mots ne varie pas quelle que soit leur épaisseur sémantique alors que le dénoté filmique est toujours *autre* (ou *autrement*). Identiques à

4. *Esthétique*, *op. cit.*, vol. I, p. 141.

eux-mêmes les mots, en tant que signe lexical, sont *neutres* alors que les images, distinctes les unes des autres, ont toutes une valeur qui leur est propre, une qualité personnelle. Les mots n'ont de qualité distinctive qu'au niveau phonologique — ou phonétique. La prononciation, l'intonation, le jeu des syllabes donnent à la « matière verbale » valeur et sens, mais au niveau de la *parole*, non du signe écrit qui seul peut être opposé aux images en ce qu'il renvoie à un référent sans intermédiaire oral ou autre.

La valeur concrète des images leur donne un sens chaque fois différent. Aucune ne se répète. Si l'on évalue seulement à 500 000 les films de fiction de long métrage produits dans le monde depuis 1912, cela fait plus de 60 milliards d'images. Or aucune d'entre elles n'est semblable à aucune autre. Chacune a un contenu, un sens, une signification qui lui est propre. On en arrive par le biais à la *Fido Fide Theory* avancée par G. Ryle en manière de dérision linguistique : au chien Fido correspond le mot Fido.

> Si le mot devait désigner un objet individuel, dit à ce propos Adam Schaff, et si par là nous supprimions la possibilité de généraliser, nous devrions oublier tout le système de la pensée abstraite constituée au cours de l'histoire, ensuite nous souvenir d'une quantité infinie de mots correspondant à un nombre illimité de choses et de phénomènes[5].

Aucune règle grammaticale ne saurait dominer, régir une semblable dispersion. Or c'est un peu ce que fait le cinéma sans toutefois supprimer la possibilité de généraliser à partir de l'individuel ni d'« abstractiser » à partir du concret. Ayant à la fois le contenu d'une phrase (ou de plusieurs) et l'impact, le condensé d'un mot, agissant tantôt comme un énoncé complet, tantôt comme un signe, l'image filmique échappe — comme j'essaierai de le démontrer — à toute codification d'ordre génératif.

Chaque image est douée d'un contenu sémantique dont les significations sont conséquentes de tout un ensemble de conditions que l'on ne saurait analyser qu'en attribuant à chacune d'elles un caractère provisoirement distinctif, en divisant arbitrairement les fonctions signifiantes en plusieurs niveaux, à la manière de la tripartition des signes linguistiques[6].

---

5. Adam SCHAFF, « Sur la rigueur de l'expression », in *Diogène*, juillet 1961.

6. *N.B.* Tout objet concret chargé d'un sens qui n'est pas le sien faisant figure de symbole, il s'ensuit que — pour le film — parler de signe ou de symbole revient à dire la même chose. C'est dans ce sens que — sauf indications explicites — le terme de symbole doit être entendu dans cet ouvrage et non comme l'expression d'un symbolisme donné *a priori* ou comme genre esthétique.

A) Au premier chef, l'image entretient une relation bi-univoque avec ce qu'elle montre. Ce n'est pas un *signal*, ce qui supposerait tout un ensemble de conventions, mais un *duplicat*, une reproduction conforme dénommée *signe-gestalt* par les psychologues, *signe naturel* par les linguistes et *signe direct* par les sémiologues. N'ayant de signification que de ce qu'elle donne à voir, c'est le *degré zéro* de l'expression filmique.

B) Le premier degré dépend de la façon de faire voir les choses, de l'angle, du cadrage, de l'organisation spatiale du champ, en bref des structures internes de l'image. On dira cette signification *iconique* ou *imageante*.

C) Le second degré est du rapport formel des plans dans la continuité, des indications que peuvent donner, relativement au film, les choses dénotées, sans qu'elles soient pour autant symboliques ou métaphoriques mais simplement *indicielles*.

D) De beaucoup le plus important ou le plus caractéristique, le troisième degré n'est autre que l'*effet-montage* dont le sens connotatif dépend — en principe — du rapport de deux ou plusieurs plans. Mais il peut dépendre aussi bien d'événements rapportés entre eux dans la profondeur du champ. Symbolique, métaphorique ou allusive, cette signification est essentiellement *relationnelle*.

En examinant chacune de ces formes nous essaierons de voir dans quelle mesure elles se rapprochent ou s'éloignent des structures langagières, sur quoi elles se fondent qui assure leur originalité et leur spécificité, la mise en scène étant — avec la direction des comédiens — l'art d'utiliser, d'harmoniser, de confondre toutes ces significations en une seule qui est le *sens du film*.

III

LE SIGNE DIRECT OU L'IMAGE « NEUTRE »

Selon la définition linguistique, le signe direct (ou signe naturel, ou signe-gestalt) est une figure homologue, une sorte de duplicat où le signifiant est coextensif au signifié.

Aucune image ne saurait être neutre. La neutralité envisagée ici n'est qu'une supposition permettant de considérer la production de l'image — photographique ou filmique — hors de l'intention qui la fonde. Laquelle image, limitée et délimitée par la fenêtre de la caméra est nécessairement cadrée, le rendu étant, par le fait même des procédés mis en œuvre, une interprétation des choses photographiées.

Aucun objectif n'a un angle de vision comparable à celui du champ visuel. Les grands-angulaires ouvrent sur une étendue proche mais leur courte focale et leur forte courbure lenticulaire ont pour effet d'augmenter l'impression de profondeur et d'imprimer une légère courbure aux verticales situées aux extrémités latérales du champ. Inversement les longues focales « aplatissent » les distances. Seuls les objectifs « normaux » (du F.25 au F.75) ont un rendu spatial conforme à notre vision.

On sait que notre représentation du monde est conséquente de nos capacités sensorielles. Des représentations tout autres sont donc parfaitement concevables et peuvent être supposées aussi « vraies » que la réalité saisie par notre regard. Néanmoins, afin d'éviter pour l'instant toute considération épistémologique, on conviendra d'appeler « réel vrai » celui de notre perception commune, c'est-à-dire ce qui est réel *pour nous*. Auquel cas le donné des objectifs à long et court foyer peut être compris comme une déformation du réel ou comme une interprétation du champ spatial

D'un autre côté, les valeurs sont rendues d'une façon plus ou moins contrastée ou nuancée selon que l'image se forme sur une pellicule orthochromatique ou panchromatique. Il en est de même des couleurs.

Enregistrées au moyen de procédés optiques (dits additifs), les couleurs sont rapportées selon un rendu photographique parfait. Mais uniquement dans les plans rapprochés. Dans les plans éloignés — et d'autant plus qu'ils sont plus lointains — les différences axiales des objectifs déterminent tout un jeu de parallaxes et, par là, des franges inacceptables. Raison pour laquelle on a préféré les procédés soustractifs où les couleurs sont le fait des réactions photochimiques de trois couches sensibles superposées. Mais le rendu n'est plus que d'un artifice technique qui donne une *équivalence* des couleurs naturelles en place de leur enregistrement direct.

Toutes ces modifications sont à la base des interprétations du cinéaste qui peut les accentuer ou les modifier à sa guise. Toutefois, parler de « transformations » qui seraient dues aux seuls procédés d'enregistrement comme l'avancent certains techniciens me paraît singulièrement exagéré. En effet, la couleur d'un paysage changeant selon les heures, les jours, l'incidence de la lumière, la densité de l'atmosphère et autres conditions physiques, on peut se demander quelle est la couleur « réelle » — ou naturelle — des choses. De telle sorte que le rendu impersonnel, purement technique, d'un enregistrement photographique peut être aussi vrai que les apparences de la réalité perçue.

Cela dit, il me semble que l'on n'a pas insisté suffisamment sur la différence considérable qu'il y a entre la photographie et l'image filmique, différence qui n'est pas seulement de la reproduction du mouvement.

Photo et photogramme

La photo est assurément le signe « direct » de ce qu'elle représente. En elle le signe n'est pas seulement coextensif au signifié, il coexiste comme une chose distincte à la fois différente et semblable. La photographie d'un individu garde l'empreinte de sa présence. Il peut incessamment s'y référer. S'il disparaît, cette image en est d'autant mieux le signe qu'elle reste le seul témoignage de ce qu'il fut sous ses dehors physiques en un moment donné de son existence.

Il en est ainsi de chacun des photogrammes du film. Tous peuvent — éventuellement — être confrontés à ce dont ils sont l'image, mais il en va tout autrement de l'image filmique qui n'est jamais qu'un jeu d'ombres et de lumières projetées sur un écran. Sans support elle est insaisissable. Elle n'existe que du fait de la continuelle et régulière substitution des photogrammes : *il faut que ceux-ci disparaissent pour qu'elle soit.* Dès que la projection cesse, elle s'évanouit.

Bien que les photogrammes soient les éléments constitutifs de l'image animée, on ne saurait les considérer comme autant de « parties » (ou le mot n'a plus de sens), car dès l'instant que ces parties sont distinctes les unes des autres, il n'y a plus d'image animée. Ce ne sont pas davantage des unités de mouvement puisqu'ils en sont dépourvus, mais des unités d'articulation dynamique que l'on peut considérer comme autant d'unités *cinématographiques* mais nullement comme des unités *filmiques*.

C'est pourquoi il est aberrant de voir dans le photogramme l'équivalent de la seconde articulation du langage, ainsi que l'ont fait certains sémiologues trop pressés d'assimiler le langage filmique au langage proprement dit en lui attribuant arbitrairement des structures analogues. Le simple fait que la seconde articulation puisse être mise en regard de la première nous sera — pour l'instant — une distinction suffisante : on peut toujours mettre côte à côte le mot et les syllabes (ou les phonèmes) qui le constituent quand on serait bien empêché de considérer conjointement les photogrammes et l'image animée qui en est fonction.

Par son état statique la photographie se désigne d'elle-même comme *signe* tandis que l'image animée, en raison de son mouvement, de sa transformation continuelle, ne peut pas être considérée comme le signe des choses qu'elle représente. A moins d'envisager chaque instant des choses représentées en chaque instant de la représentation, ce qui reviendrait aux photogrammes et à nier l'image animée en son animation même.

L'image filmique n'est pas plus le signe du réel filmé que le reflet que me renvoie le miroir n'est le signe de ma personne, s'il est toutefois le signe (fugitif) de ma présence. C'est moi qui *me* signifie en cette image en me voyant me voir. Pareillement les choses *se signifient* en se projetant sur l'écran ; elles se donnent à voir en un double qui en formalise le sens sans en être jamais le signe figé mais l'expression vivante.

Où le réel s'énonce en son image

Dans la mesure où l'image filmique est « neutre », c'est-à-dire non manipulée ; dans la mesure où elle ne signifie rien d'autre que ce que peut signifier ce dont elle est l'image ; dans la mesure où elle *reproduit* sans produire un sens qui lui soit propre, on peut suivre Bazin et son idée de transparence et dire avec Roger Munier :

> Dans le cinéma [...] la feuille réellement tremble : elle s'énonce elle-même comme feuille tremblant au vent. C'est une feuille telle qu'on en rencontre dans la nature et c'est en même temps beaucoup plus dès le moment qu'étant cette feuille réelle, elle est aussi, elle est d'abord, réalité représentée. Si elle n'était que feuille réelle, elle attendrait d'être signifiée par mon regard. Parce

que représentée, dédoublée par l'image, elle s'est déjà signifiée, proférée en elle-même comme feuille tremblant au vent. Ce qui fascinait les spectateurs des projections Lumière c'était, beaucoup plus que l'exacte répétition d'un rythme naturel, cet auto-énoncé du mouvement dans l'image. La feuille ainsi projetée était, par la force de cet autolangage, plus « réelle » et chargée de sens dans son tremblement sous la brise que la feuille d'arbre signifiable. Ce qui fascinait, c'était moins le spectacle du double que la puissance photogénique de l'énoncé, par la vertu du double. Une chose était dite ici qui n'avait pas, qui ne pouvait avoir d'équivalent dans la nature. [...]
La photographie, dit-il encore, est le réel-devenu-énoncé. Quelque chose comme un mot du monde. En elle le monde, en tant que monde, se nomme avant même toute abstraction ou choix, en son être indifférencié. Elle est pur dévoilement[1].

De son côté, Bazin rappelle que, dans la photographie,

pour la première fois, entre l'objet initial et sa représentation, rien ne s'interpose qu'un autre objet. Pour la première fois, une image du monde extérieur se forme automatiquement sans intervention créatrice de l'homme, selon un déterminisme rigoureux [...]. La photographie bénéficie d'un transfert de réalité de la chose sur sa reproduction[2].

Un énoncé cependant acquis par artifice

Dire cependant que les choses *se* signifient en *se* projetant sur l'écran n'est qu'une façon de parler. C'est envisager un sens qu'elles *acquièrent* comme malgré elles par le fait de la représentation filmique car s'il est vrai que la lumière imprime d'elle-même l'image des choses sur la pellicule, cette image projetée sur un écran n'est pas seulement « image du réel » comme d'une photographie mais *cette réalité donnée en images animées* telle qu'en un double augmenté des qualités spécifiques de ce qui est une véritable *re-production.*

La caméra, en effet, n'est pas sans effet sur ce qu'elle donne à voir. Hormis le cadrage, l'angle de prise de vue, l'éclairage, la simple qualité photographique est déjà une interprétation. Par ailleurs, le point de vue de la caméra étant nécessairement *situé*, l'image ne présente jamais qu'un *aspect* du monde, et un aspect qui s'impose à notre regard. Nous voyons à l'écran ce qu'un œil a déjà vu qui modifie automatiquement les données du réel directement perçu. Le monde n'est plus disponible :

1. Roger MUNIER, « L'image fascinante », in *Contre l'image*, Nrf, 1961.
2. André BAZIN, « Ontologie de l'image animée », in *Qu'est-ce que le cinéma*, vol. 1. Éd. du Cerf, 1958.

cette chaise, vue sous *cet* angle, se substitue, *hic et nunc*, à toutes les chaises — à tous les « aspects-chaise » — imaginables. Par là l'image renvoie au concept. Elle suggère l'idée à travers une forme en même temps qu'elle « irréalise » l'objet en rejetant le réel dont elle est l'image pour se donner à voir en tant qu'image. Autrement dit elle se situe moins entre le réel et l'imaginaire qu'entre l'essence et l'existence. Elle en appelle à une essence à travers une existence tout comme elle en appelle à une absence à travers une présence : elle souligne la présence de la chaise qu'elle donne à voir mais, *en tant qu'image*, elle affirme l'absence de cette chaise que pourtant je vise à travers elle. Elle affirme un donné réel dans son irréalité même ne gardant que les formes et les apparences d'un univers « désubstantialisé ».

Réel « vierge » ou signification « seconde » ?

En conséquence, dire que l'image est « dévoilement », c'est dire d'un réel plus intensément perçu, saisi dans ses significations profondes, nullement d'un réel « transcendant » tel que Bazin le laisse entendre. Encore qu'il faille préciser dans quel sens. La réalité du monde physique est de toute évidence transcendante au réel perçu puisque celui-ci n'en est qu'une apparence. L'idéalisme est dans la mesure où l'on suppose un *en-soi* évoquant les Idées platoniciennes ; un En-soi dont « le réel-pour-nous » serait l'expression concrète et dont la caméra révélerait la pureté existentielle par le simple fait de son objectivité.

Il est évident que la caméra qui n'est qu'une machine sans mémoire ni conscience peut enregistrer ce que Bazin appelle un réel « vierge » :

> Seule, dit-il, l'impassibilité de l'objectif, en dépouillant l'objet des habitudes et des préjugés, de toute la crasse spirituelle dont l'enrobait ma perception, pouvait le rendre vierge à mon attention et, partant, à mon amour[3].

Mais ce n'est là qu'une vérité toute conceptuelle. Ce que j'ajoute aux choses de sens convenu, codifié, de signification utilitaire, culturelle ou sociale, je le retrouve en leur image — ou l'y ajoute — de telle sorte que, fût-il exempt de toute subjectivité, le réel enregistré par la caméra perd sa virginité supposée dans l'instant même où il se donne à mon regard.

Tout ce que l'image animée exprime de *facto* n'a rien à voir bien entendu avec la signification filmique, c'est-à-dire avec le sens arbitraire que l'on attribue aux choses par le fait de la composition des images, de

3. *Id., ibid.*

L'image réorganise les apparences :
Les Raisins de la colère, John Ford, 1940

l'organisation des structures narratives et autres. Il s'agit, comme on l'a dit, du *degré zéro* de l'expression filmique. Mais il est nécessaire de préciser certaines définitions pour éviter les confusions et les contradictions.

S'il n'y a pas d'expression, de signification *intentionnelle*, il y a du moins une valeur objective qui n'est pas seulement des choses filmées, de leur sens « chosal » mais de leur duplication. Une signification seconde qui dépend de la manière dont ces choses sont enregistrées et formalisées. Laquelle signification seconde ne s'*ajoute pas* à la signification première comme on le dit parfois mais l'englobe et la modifie, car il est évident que *la représentation modifie le représenté.* Nécessairement et fondamentalement subjectif, le message — fût-il un simple compte rendu — ne communique jamais qu'un *réel médiatisé.*

L'impersonnel, la généralisation abstraite ne peuvent être que des mots. Je défie qui que ce soit de traduire en audiovisuel : « Tous les jours à la même heure la marquise allait faire sa promenade au bois », car l'image ne saurait traduire l'article indéfini. Je ne verrai jamais *la* marquise ni *une* marquise, mais *cette* marquise. Et sous un certain angle, dans un certain monde. Il faudra lui donner un corps, préciser l'heure. Elle sortira d'un immeuble ou d'un hôtel particulier, se promènera à pied ou en voiture, en Citroën ou en Rolls. On la verra de près ou de loin, en travelling ou en plans fixes, etc. Autant de manières qui diront la même chose, certes, mais qui, en formalisant cette action *différemment*, lui donneront un *sens particulier*, un tour allusif ou analytique, informatif ou dramatique, selon un rythme lent ou rapide. Ce qui devient à dire que l'information, même la plus banale, devient *par force* une sorte de discours personnel. Le moindre documentaire, la moindre bande d'actualités sont déjà une *œuvre d'art*, prennent — bonne ou mauvaise — le tour d'une œuvre d'art.

L'image animée ne sera jamais, ne peut pas être un langage utilitaire qui, éventuellement, pourrait s'organiser selon des finalités esthétiques. C'est tout au contraire une expression artistique qui se développe selon des modalités analogues à celles du langage. On pourrait presque dire que le langage verbal n'exprime que dans la mesure où il signifie, tandis que le langage filmique ne signifie que dans la mesure où il exprime.

IV

L'IMAGE ET LE RÉEL PERÇU

Jusqu'à présent la sémiologie, emprisonnée dans ses données plus ou moins linguistiques, s'est fort peu souciée de l'image en tant que telle, c'est-à-dire en tant que donnée perceptive. Or, à mon sens, c'est par là qu'il fallait commencer. A savoir quels sont les rapports que l'image entretient avec le réel dont elle est l'image et qu'entend-on par *réalité* ?

Avant de se demander si l'on a ou non une « impression de réalité » devant l'image filmique il convient de se mettre d'accord sur ce qu'est la réalité. Or comment la définir sinon par ce qui fait obstacle à nos sens ?

Existe-t-il une réalité concrète indépendamment de la conscience que nous en avons[1] ? Sans doute, mais cela a-t-il valeur d'absolu ? Autrement dit cette réalité existe-t-elle « telle quelle », antérieurement à la conscience que nous en avons ou est-ce une construction subjective, un « fait de conscience » ? La réponse diffère selon que l'on est idéaliste, matérialiste, spiritualiste ou positiviste.

Pour l'idéalisme kantien, si les phénomènes ne sont que de simples représentations, il devient évident qu'ils sont représentations d'une réalité qui les transcende, une réalité qui est donnée à chaque esprit individuel, qu'il est impossible d'isoler en fait mais qui reste en principe la véritable « chose-en-soi ». De telle sorte que Kant en vient à opposer à la réalité sensible — ou *phénomène* — une réalité intelligible, objet de la raison et, par suite, réalité absolue qu'il baptise *Noumène.*

De la sorte, le Noumène se substitue purement et simplement aux Idées platoniciennes avec la mystique en moins. Bien que les concepts

1. Question cruciale posée encore tout récemment au cours du colloque de Washington de septembre 1984 consacré aux rapports entre l'esprit et la science et auquel participaient physiciens, biologistes, psychologues et philosophes de toutes nationalités autour du physicien français Jean Charron.

soient différents, les modes de relation aussi, la « chose-en-soi » n'en est pas moins rejetée dans l'« en-soi » de la chose. On ne refuse ce qui est insaisissable par les sens que pour l'affirmer dans un idéal « essentiel » postulé *a priori.*

L'idéalisme, cependant, a trouvé son expression psychologique — et non plus seulement métaphysique — dans la pensée de Berkeley qui postule l'impossibilité *pour l'individu* de sortir de sa conscience *individuelle.*

L'idéalisme, pris en général, dit Pierre Janet, doit être défini : tout système qui réduit l'objet de la connaissance au sujet de la connaissance. Il a été formulé de cette manière : *Esse est percipi ;* l'être des choses consiste à être perçu par le sujet pensant[2].

De là à soutenir que les choses ne sont que des constructions de l'esprit, il n'y avait qu'un pas, dangereux à franchir, mais qui fut allègrement franchi. Pourtant Berkeley était bien loin d'en demeurer au solipsisme et sa philosophie, qui apparaît aujourd'hui comme la plus moderne peut-être des philosophies classiques, ne méritait point la situation dérisoire dans laquelle ses disciples l'ont malheureusement conduit. Berkeley, en effet, n'a jamais nié la *réalité* du monde extérieur ; il s'est contenté d'affirmer qu'il était inconnaissable autrement que par la représentation que nous en avons : « Il n'y a proprement dans l'esprit d'*idées* (ou d'objets passifs) que celles qui sont venues des sens[3]. » Autrement dit l'*Esse est percipi* ne doit pas être traduit par « l'être des choses consiste à être perçu par le sujet pensant », mais « *pour le sujet pensant, l'être des choses consiste à être perçu* », ce qui a, on en conviendra, un tout autre sens.

En règle absolument universelle, dit Husserl, une *chose* ne peut pas être donnée dans aucune perception possible, c'est-à-dire dans aucune conscience possible en général comme un immanent réel[4].

Toute conscience, dit-il encore, est conscience *de...*

Autrement dit la conscience n'existe pas « en soi » ; ce n'est pas une forme substantielle de la réalité. Cet objet *dont* j'ai conscience n'existe pas *dans* ma conscience ; c'est un donné *de* ma conscience, laquelle n'est autre que la perception elle-même, achevée, réalisée : une perception qui se « connaît » par ce qui est perçu. La conscience *de* l'objet se

2. Pierre JANET, *Traité élémentaire de philosophie,* 1920/31.
3. George BERKELEY, *Siris ou Recherches sur les vertus de l'eau de goudron,* 1744.
4. Edmund HUSSERL, *Idées directrices pour une phénoménologie,* 1913.

confond avec l'objet *dont* on a conscience. L'objet est corrélatif au réel perçu et à la perception.

La science et la philosophie contemporaines nous incitent à penser que ce que nous désignons comme *réel* n'est qu'une structuration, une organisation de nos données sensorielles formalisées par ce dont nous avons conscience, par quoi aussi bien nous avons conscience de notre conscience sans toutefois pouvoir rien discerner des fonctions organisatrices par lesquelles cette conscience se constitue comme telle en nous faisant percevoir ce que nous appelons *réalité*. Laquelle réalité n'est pas une illusion, mais n'est *réelle*, n'est *vraie que pour nous*. Autrement dit, si nos capacités sensorielles, nos seuils perceptifs étaient différents, il est fort probable que notre monde le serait du même coup. Le réel n'est pas un « en soi », mais l'un des multiples aspects que peuvent prendre à travers une conscience quelconque les phénomènes dont nous ne connaîtrons jamais que la surface ; c'est un monde « chosal » construit par nos sens.

La réalité physique qui transcende le percept est peut-être illusoire. Pour le physicien c'est une manifestation de l'*Énergie*. Pour le métaphysicien c'est une manifestation de l'*Esprit*. Or l'un et l'autre ne sont peut-être bien que deux aspects complémentaires d'un même *Absolu*, la distinction n'étant que des catégories de l'entendement.

Cela posé, voyons les choses sous l'angle de la perception. On sait que la lumière visible n'est qu'une infime partie des ondes électromagnétiques dont la fréquence va de quelques cycles à plusieurs milliards de milliards de kilocycles, depuis les ondes hertziennes jusqu'à la fréquence propre du proton. Située entre 380 et 770 milliards de kilocycles, la lumière visible s'étend du rouge extrême (limite de l'infrarouge) au violet extrême (limite de l'ultraviolet). Il y a, de part et d'autre, un *seuil* au-delà et en deçà duquel l'œil ne perçoit plus les vibrations.

Si, par simple commodité de langage, nous appelons *niveau sensoriel* l'étendue comprise entre ce seuil minimal et ce seuil maximal, nous nous apercevrons très vite que toutes nos perceptions, qu'il s'agisse de données spatiales ou temporelles, de relations d'intensités ou de mouvements, d'impressions visuelles, sonores, tactiles ou autres, supposent un semblable niveau sensoriel, limitées qu'elles sont par deux seuils extrêmes. Or ce niveau sensoriel fait office de *cadre*. Agissant comme une *grille*, il nous permet d'enregistrer certains événements, que nous appelons les phénomènes ou les choses, et demeure insensible à une quantité d'autres qui passent « entre les mailles du filet ».

Néanmoins, il serait tout à fait inexact d'imaginer que ces « choses » existeraient « en elles-mêmes » telles que nous les percevons, qu'elles seraient simplement extraites d'un ensemble qui nous demeurerait étranger, car c'est *nous* qui structurons les formes au travers desquelles elles nous apparaissent, qui les déterminons « en tant que choses ».

Forme et substance

Imaginons un personnage qui, muni d'une pipette, plonge celle-ci dans la mer pour en extraire un peu d'eau. Ceci fait, il en déverse le contenu *goutte à goutte* : les gouttes ainsi *créées* sont bien issues de l'océan mais elles n'existent pas *en tant que gouttes* dans cet océan car l'océan n'est pas une collection de gouttes d'eau. Elles sont corrélatives à l'océan qui en a fourni la *substance* et au compte-gouttes qui en a structuré la *forme.*

Souvenons-nous de ce que Bergson disait du coureur :

> Mille positions successives se contractent en une seule attitude symbolique, que notre œil perçoit, que l'art reproduit et qui devient, pour tout le monde, l'image d'un homme qui court[5].

Nous savons qu'une lueur rouge persistant une seconde enveloppe un si grand nombre de pulsations élémentaires synthétiquement saisies qu'il faudrait 25 000 ans de vie humaine pour que nous puissions en percevoir le défilé distinct ; que certaines vibrations, proches de l'ultraviolet, supposent, pour la particule émettrice, plus de périodes en une seconde qu'il ne s'est écoulé de secondes depuis l'apparition de l'homme sur la terre.

Or, si nous supposons seulement quelque mobile ne se déplaçant d'une façon discontinue et désordonnée qu'à raison de 200 bonds par seconde, il est évident que l'acuité de notre regard ne nous permettra pas de distinguer ces 200 positions successives. Nous n'en retiendrons que quelques-unes qui seront comme « saisies au vol » (en supposant une analyse quasi cinématographique du mouvement). Mais notre esprit, aussitôt, reliera ces différents points suivant une ligne plus ou moins brisée qui, *pour nous,* représentera le cheminement du mobile au cours de cette seconde. Cette représentation ne sera ni vraie ni fausse ; le mobile aura bien occupé pendant un certain temps chacune des positions retenues mais, entre-temps, il en aura occupé beaucoup d'autres. Autrement dit, le tracé ne sera qu'une figure *abstraite,* une forme structurée par notre conscience qui aura relié arbitrairement les positions perçues en « sautant » par-dessus les autres.

---

5. Henri BERGSON, *Matière et Mémoire,* 1896.

On peut donc dire que la perception est conséquente des niveaux sensoriels, *lesquels ne délimitent les choses que dans la mesure où ils limitent les données de nos sens.*

Ce morceau de fer doux qui est devant moi et qui m'est donné comme une « chose » correspond sans doute à un certain « état » de la matière dont l'équilibre organique est indépendant de mon percept et de la conscience que j'en ai. Mais cet état n'exclut pas d'autres états dont l'ensemble constitue l'exacte réalité physique de l'objet. Ainsi, sous cette apparence immobile, le mouvement incessant des électrons, ce perpétuel échange d'énergies qui se répondent, se correspondent et s'équilibrent, me demeure inaccessible. Il n'en existe pas moins « dans le même temps et dans le même espace », à tel point qu'il *est* ce morceau de fer doux que je perçois comme un corps à la surface duquel la lumière visible bute et se réfléchit, qui résiste à mon toucher comme à mon regard, et qui se donne comme un objet, comme une chose, en raison de cette résistance qu'il offre à toutes mes appréhensions et de ce que ma conscience relie, en l'espèce d'une forme lisse et homogène, les points ténus de son impénétrabilité. Cet « état » existe donc bien, en vérité, mais pas « en soi », pas indépendamment d'une quantité d'autres qui lui sont solidaires et sans lesquels il ne serait pas. Or c'est uniquement cet état que je perçois à l'exclusion de tous les autres et qui, seul, isolé, « abstrait », constitue le « morceau-de-fer-pour-moi ». Ce morceau de fer n'est donc pas une partie qui existerait comme telle au sein d'un ensemble, mais une réalité structurée par la réunion de quelques-uns seulement des phénomènes — ou des réalités physiques — qui le constituent.

La conscience, par force, efface le non-perçu et construit une image en reliant de proche en proche les éléments qui lui sont parvenus par la voie des sens. Mais les éléments non perçus sont partie intégrante du réel au même titre que les éléments perçus ; la « chose » n'est donc qu'une coupe pratiquée dans la totalité du monde physique, mais réorganisée et structurée en un tout cohérent par la conscience même. Corrélative à ce monde et à ce fait de conscience, elle ne suppose aucun « en-soi ». Nulle « essence » en effet ne saurait la transcender puisque les phénomènes dont elle est issue sont distincts de ce qu'elle est et qu'elle n'existe comme chose qu'en raison du fait de conscience qui la « réalise en objet » telle qu'une construction logique de données sensibles.

Réel et réalité

Le réel perçu est bien réel au sens le plus concret et le plus tangible du mot, mais c'est un réel *pour nous*, relatif aux conditions de notre existence, à notre constitution physique.

Sans doute les choses sont-elles l'expression de quelque phénomène qui leur est à la fois antérieur et extérieur ; mais ce phénomène, étranger à leur existence « chosale », n'est point une « essence » dont elles ne seraient que l'apparence. Aucune forme « idéale » ne précède leur représentation et les stimuli n'ont d'autres relations avec l'objet perçu que celles d'un édifice avec les matériaux qui ont servi à le construire : il y faut un constructeur. Ce constructeur, c'est la perception, laquelle ne construit cependant et ne peut le faire que *dans les limites* qui lui sont assignées par nos sens.

Plongée au sein d'une réalité qui dépasse les limites de l'appréhension humaine, notre conscience organise avec les moyens qui lui sont propres une réalité qu'elle peut d'autant mieux dominer qu'elle est conséquente de ses efforts. Autrement dit, les données immédiates de la conscience sont l'effet d'une constante et perpétuelle *médiation*. Cette réalité arbitraire est *pour nous* la seule réalité *vraie* ; elle ne nous semble *immédiate* que parce que cette médiation, conséquente de notre niveau sensoriel, constitue l'acte même de percevoir. Instantanément structuré par cette opération, notre réel est vrai *pour nous*, immédiat *pour nous*.

Pour des êtres dotés d'un niveau sensoriel assez éloigné du nôtre, la réalité du monde physique apparaîtrait sous des dehors totalement étrangers, à tel point que leur « univers » serait sans commune mesure avec le nôtre. L'« objet » structuré par leur conscience à partir d'événements physiques de même nature mais dont les données sensibles seraient alors tout autres n'aurait que bien peu de rapports avec celui que nous-mêmes en retirons. De quel droit le tiendrait-on pour moins réel « en soi » ? Cet irréel « pour nous » serait de toute évidence le réel *pour eux*. Ni plus vrai ni moins vrai que le nôtre, l'objet de leur conscience ne serait qu'un aspect du « monde physique », lequel suppose autant d'aspects différents que de niveaux sensoriels possibles.

Les données sensorielles (les sensations, les stimuli) sont une « matière » à laquelle une forme confère un sens. Mais ce sens n'a de sens que dans la mesure où une conscience peut en avoir conscience. Or cette conscience n'en prend conscience que dans la mesure où elle prend conscience de cette forme : Forme et sens sont la « manière » dont le perçu *apparaît à la conscience*. Le sens est donc indissociable de la forme, mais la forme n'est pas un *a priori* auquel se soumettraient les données sensorielles : ce sont ces données au contraire qui la *déterminent*.

Dire que ces données sont « immédiatement informées » (c'est-à-dire douées de sens) revient donc à dire (comme nous venons de le faire) que la structure et le sens qui en découle sont antérieurs à la conscience, laquelle se borne à « constater » un fait conséquent de l'acte perceptif. Mais, quoique préconscient, cet acte est *déjà un acte créateur*, car si la « structure spontanée » est « ce qui apparaît à la conscience », cette structure n'est pas *donnée à* la perception ; elle est au contraire *construite par elle* si, toutefois, elle est préparée par les sensations en cela que ces dernières sont *limitées*. Constituant, du fait de cette limitation, un « champ » nettement défini, les stimuli offrent un ensemble que la perception formalise en un « tout » organique. La perception assemble, relie, *structure*.

Le réel perçu est la forme de notre perception, laquelle est *déterminée*, c'est-à-dire « cadrée et limitée », par notre niveau sensoriel. Percevoir, c'est *construire un monde* ; en avoir conscience, c'est se donner ce monde *en objet*.

La perception visuelle

La vision nous intéresse tout particulièrement. Tout d'abord au niveau des images immédiates dites encore images « réelles » ou, fort improprement, images rétiniennes afin de les distinguer d'avec les images mentales et les autres — photographie, peinture, etc.

> Du point de vue physique, note Bertrand Russell, tout ce que je vois est dans ma tête. Je ne vois pas d'objet physique. Je vois les effets qu'ils produisent dans la région où se trouve mon cerveau[6].

Il est évident que l'image qui se forme dans les couches optiques est intérieure à l'organisme. Du point de vue physiologique, le processus neural qui correspond au sujet perçu occupe une partie de cet organisme ; à commencer par le fond de la rétine où cette image se constitue. Mais cette image n'est pas ce que je vois : c'est ce qui est *vu*. Je ne vois pas les effets produits dans mon cerveau par l'acte de voir, je les *subis*. Je ne vois pas ma vision, elle m'est *donnée*. Ce que je vois, c'est le résultat de cette vision, résultat qui *apparaît* à ma conscience et qui s'extériorise aussitôt parce que la rétine, qui présente les propriétés du tissu cérébral, entre autres celle de l'extériorisation des perceptions, ne me donne pas les formes comme étant infra ou même juxta-oculaires mais *extérieures* à elle. Or, dans le même temps, parce que je ne peux

---

6. Bertrand RUSSEL, *Méthode scientifique en philosophie*, 1929.

pas rapporter au « moi » ce donné que je subis et qui me vient « de l'extérieur », je le reporte « intentionnellement » sur la cause qui a provoqué ce « voir ». Ce qui est *vu*, et qui est une image, devient alors *ce que je vois*, dont je fais l'objet regardé. Le sujet de ma vision devient l'« objet » de mon regard. Il s'objective en cette « chose » située hors de moi, selon des notions encore assez vagues mais que les perceptions tactiles viendront parfaire et préciser.

Nous ne saurions dire que la conscience « se transcende *vers* l'objet » car ce serait poser celui-ci comme existant *déjà* sous les formes que lui assigne la perception. La conscience, simplement, se « connaît » *dans* l'objet — et *par* l'objet.

Lorsque je vois la couleur rouge du buvard qui est là, devant moi, ce rouge n'est pas objectif au sens physique du mot. C'est une construction subjective *donnée* à ma conscience (puisque la « médiation » du percept lui est *antérieure*). En conséquence ce rouge est objectif « pour moi ». Ne pouvant le rapporter comme une création de ma volonté, je ne puis le recevoir qu'à une cause extérieure. Il est donc spontanément et inéluctablement perçu comme une qualité de l'objet. Et ce qui est vrai pour cette qualité est également vrai pour l'objet.

Cette couleur en effet n'existe pas comme telle dans le monde physique. C'est une vibration d'une certaine fréquence qui s'étale (se réfléchit) sur une certaine surface. Les stimuli qui s'ensuivent sont interprétés comme « couleur rouge », mais c'est une « représentation » du réel et non le réel lui-même. Cette couleur rouge n'est vraie (réelle) pour nous que parce qu'elle nous est immédiatement donnée. Le physicien est fondé à dire qu'il n'y a pas plus de rapports entre cette vibration lumineuse et cette couleur qu'entre cette couleur et le terme « couleur rouge » par lequel nous la désignons — lequel terme n'est à son tour qu'une « mise en signes » de ses qualités sensibles.

Néanmoins, si la conscience n'est que le résultat d'une opération structurante et non cette opération elle-même, on peut se demander comment les effets produits dans le cerveau par l'acte de voir apparaissent à la conscience.

Pour tenter d'y répondre, il convient d'examiner cet acte même. N'oublions pas que la rétine comporte plus de cent millions de cellules dont les messages aboutissent, dans le cerveau, à une aire visuelle qui, dix fois par seconde, est explorée par les mécanismes d'une aire associative, elle-même doublée d'une aire psychique, le tout bénéficiant du secours d'un extraordinaire réseau qui comporte environ treize millions de neurones. C'est grâce à cette « machine à voir » que les stimuli se constituent en images.

Ainsi qu'on vient de le dire il n'y a pas d'image rétinienne si l'on entend par là — comme on l'entendait encore il y a une trentaine d'années — une image qui se produirait sur le fond de la rétine comme sur la surface d'un miroir.

Les travaux de Henschen et Wildbrand ont démontré qu'il y a « projection » de la rétine sur le cerveau. A mieux dire, il y a deux rétines, la première, périphérique, qui reçoit l'impression des rayons lumineux ; l'autre, située dans la scissure calcarine du lobe occipital, qui lui est symétrique et qui constitue la rétine cérébrale. Et chacune des deux rétines cérébrales est en relation avec les deux yeux : *là les impressions deviennent conscientes.* Établissant les liaisons formelles du donné imagé et constituant cette image en un tout organique, en une *forme*, le cortex achève la perception.

Ainsi la conscience se définit dans ce qui lui apparaît. Et s'il faut l'assimiler à *ce* à quoi l'image apparaît, autant dire que c'est le cerveau lui-même, c'est-à-dire tout l'étage supérieur de l'appareil sensori-moteur qui se contrôle en s'observant.

En d'autres termes, si l'on se réfère aux récents travaux de David H. Hubel et Torsten N. Wiesel[7], la rétine qui comprend quelque cent millions de bâtonnets et vingt millions de cônes transmet au cerveau par le nerf optique des signaux plus ou moins intenses selon le nombre de photons reçus. Lequel nerf optique effectue un premier traitement du fait que ses fibres évaluées à un million environ regroupent les impulsions de plusieurs centaines de récepteurs. Un second traitement intervient au niveau du chiasma, c'est-à-dire là où les nerfs optiques venant des deux yeux se rencontrent et se croisent de telle sorte que chaque hémisphère cérébral reçoit les influx des deux yeux. Ce qui explique la simultanéité de la vision binoculaire et rend possible la vision tridimensionnelle.

En bref, c'est l'image cérébrale formée dans le cortex (cortex strié ou aire 17) qui sert de support à l'image visuelle. Laquelle est construite à partir des impulsions reçues et où interviennent la mémoire et les corrections relatives aux données des autres sens.

Image réelle et image filmique : mouvement et illusion

Si l'image perceptive qui est la perception visuelle « objectivée » ne se détache point des choses perçues, l'image immédiate (que l'on continuera d'appeler image rétinienne par habitude et par commodité — et qui est « plane ») se distingue des choses qui sont imagées. Autrement

7. Tous deux professeurs à Harvard et prix Nobel de médecine 1981. Cf. *Journal of Physiologie*, n° 160, 1962, et A. DOROZINSKI, « C'est notre cerveau qui voit », in *Science et Vie*, avril 1985.

dit le paysage qui s'offre à mon regard se présente à lui tout comme une image à deux dimensions bien que ce soit celle d'une réalité à trois dimensions. Si l'on préfère, je pourrais mettre une vitre entre ce paysage et moi ; il m'apparaîtrait au travers de cette vitre tout comme s'il était projeté sur elle à la manière d'une image filmique projetée sur un écran.

Inversement, dès l'instant que nous ne mobilisons que la perception visuelle, nous percevons l'image filmique comme nous percevons les choses. L'image d'un paysage se donne à mon regard semblablement au paysage réel qui s'étend devant mes yeux. Bien entendu je ne peux pas m'asseoir sur l'image d'une chaise ; mais pas davantage sur une chaise réelle qui serait située de l'autre côté d'une fenêtre. Tout se passe donc *comme si* le monde projeté sur l'écran était un monde réel vu à travers une vitre. A cette différence près que l'image détermine entre les éléments qu'elle englobe un ensemble de rapports qui n'existent pas dans la réalité où aucun cadre ne découpe un fragment d'espace retranché du monde et considéré isolément.

Mais devant les images filmiques on parle toujours d'« illusion de mouvement ». Sans doute parce que cette perception le doit à l'enchaînement discontinu d'une série d'images dont on *sait* qu'elles sont fixes et dont le temps de substitution est inférieur à la durée de la persistance rétinienne = un seizième de seconde au temps du muet, un vingt-quatrième depuis le parlant.

Si le mouvement était décomposé en un plus grand nombre d'images — 50 à 100 par seconde —, on éviterait le filage dans le rendu des gestes rapides et des panoramiques un peu brusqués mais on parlerait tout aussi bien d'un mouvement « reconstitué », c'est-à-dire d'un artifice, d'une illusion. Or le mouvement ne se donne pas en image : il est ou n'est pas. Il y a perception d'un mouvement réel dans l'image des choses en mouvement.

> Le mouvement ne s'additionne pas à l'image, dit justement René Zazzo. Il la supprime en tant qu'image, il la métamorphose en réel, immédiatement. A ce niveau le sentiment de réalité n'est pas une construction de l'esprit ou un fruit de l'imagination, c'est une réaction immédiate[8].

On peut ajouter que la perception d'un mouvement à travers une discontinuité rapide est moins le fait de la persistance rétinienne que d'une relative inertie du cortex dénommée « effet phi » par Wertheimer, en 1912[9].

---

8. René ZAZZO, in *Revue de Filmologie*, n° 5, P.U.F., 1948.

9. *Effet phi :* par exemple, lorsque deux lampes électriques voisines d'une dizaine de centimètres sont allumées alternativement, on perçoit l'une puis l'autre, mais lorsque

La perception des mouvements réels est analogue. Sans entrer dans des considérations scientifiques hors de propos, on peut dire d'une façon très générale que le continu n'existe pas dans la réalité du monde physique, la continuité d'un mouvement ondulatoire n'étant jamais que la continuité d'une alternance. Autrement dit ce que nous appelons le continu — ce qui est continu *pour nous* — n'est jamais que du discontinu non perçu.

La constitution de l'image télévisée peut servir d'exemple : on sait que cette image n'est pas le fait d'une projection qui entraîne la totalité du photogramme mais de la transmission d'une série de points successifs. L'iconoscope comprenant 816 lignes (ou 625 selon les systèmes) et chacune de ces lignes mille points contigus, c'est la succession de ces 816 000 points en un vingt-cinquième de seconde qui reconstitue l'image dans toute sa superficie. Encore visible lors de l'apparition du dernier point en raison d'une inertie calculée du récepteur, le premier point de la première image est alors remplacé par le premier point de l'image suivante et ainsi de suite. Or, incapables que nous sommes de percevoir des discontinuités de l'ordre du vingt millionième de seconde, tous ces points sont perçus comme une unité globale remplacée par une autre à raison de 25 par seconde[10].

A côté de cette impression de mouvement, l'« impression de réalité » n'a pas manqué de susciter les commentaires les plus divers et les plus contradictoires.

Perspective et « impression de réalité »

On sait que c'est à partir des données de la *camera obscura* que les théoriciens de la peinture, tels Piero della Francesca et Alberti, définirent les lois de la perspective en partant de la situation du peintre devant le monde, de son point d'observation, c'est-à-dire d'un point de vue unique qui permettait une interprétation géométrique du phénomène. Munie d'une lentille depuis 1550 par Jérôme Cardan puis d'un système optique, la *camera obscura*, dont l'usage fut répandu au XVIIIe siècle par les graveurs, fit penser que peut-être on pourrait fixer l'image ainsi obtenue en utilisant les sels d'argent dont on savait depuis Fabricius (1565), Glaubero (1658) et Homberg (1694), qu'ils noircissaient à la lumière.

---

cette alternance devient très rapide (dépasse un certain seuil au-delà duquel il y a une sorte de court-circuit dans les réactions cérébrales) on ne perçoit plus les deux points successifs, mais une ligne lumineuse qui les réunit selon un va-et-vient continu.

10. 25 images au lieu de 24 pour des raisons techniques, le vingt cinquième de seconde correspondant à une demi-phase du courant alternatif.

Mais bien avant de pouvoir prêter à une éventuelle reproduction photographique, les lois de la perspective furent appliquées par les peintres du Quattrocento pour représenter les objets et les personnages conformément à la vision dont il convient de dire cependant qu'elle ne *traduit pas* le phénomène mais l'*enregistre directement*, la lumière renvoyée par les choses venant frapper la rétine après avoir été focalisée par le cristallin.

Ainsi qu'on l'a vu, nous percevons l'étagement des choses dans l'espace parce que cette perception suppose des réactions cérébrales relatives à la coordination de tout un ensemble de données sensorielles mémorisées. Ainsi que le rappelle Merleau Ponty, « la perspective vécue, celle de notre perception n'est pas la perspective géométrique ». Elle ne se réduit pas à cette seule donnée et suppose des accommodations mentales et sensorielles sur lesquelles nous ne pouvons nous étendre ici mais que l'on peut ramener aux expériences vécues dès la première enfance : déplacements dans l'espace, évaluation des distances par rapport au sujet, sensations tactiles, etc. Toutes choses grâce auxquelles les *stimuli* qui organisent l'image rétinienne sont « situés », mis en place par une habitude contrôlée.

A ce propos on peut rappeler les sensations éprouvées par certains aveugles de naissance à qui une opération a rendu la vue. L'image de l'espace leur étant donnée « à plat », ils se heurtent de tous côtés au monde extérieur et ne prennent conscience de la réalité spatiale qu'à la suite d'une série de tâtonnements, d'expériences tactiles et psychomotrices qui permettent d'équilibrer le regard : l'un d'eux disait devoir fermer les yeux (au moins durant les premiers jours) afin de pouvoir mieux se diriger.

Contrairement donc à ce que pensent certains critiques, il n'y a aucun rapport immédiat entre la transcription picturale des lois de la perspective et l'enregistrement direct du phénomène. Le schéma d'Alberti n'a jamais été autre chose qu'une *réduction* de la perception visuelle à des données géométriques permettant de rapporter d'une façon aussi objective et concrète que possible la profondeur de l'espace sur une surface plane. C'est une *figuration* qui n'a jamais prétendu se substituer aux données réelles de la perspective.

Le cheminement de la lumière et sa réception visuelle ne se conforment pas aux lois de l'optique. Ce sont ces lois qui se conforment aux conditions du phénomène. Le point de départ de la « triangulation perspective » n'est pas arbitraire. Il s'identifie au point de vue de tout individu regardant le monde qui s'étale devant lui. Ce que nous voyons est déterminé par le lieu que nous occupons et limité par notre champ visuel. Mais, où que nous soyons, nous sommes toujours au sommet de ce qui est, par rapport à nous, le « triangle perspectif ». Assigné à un individu qui n'occuperait pas la place du « spectateur » (au sommet de ce triangle), le point de vue ne porterait sur rien qui puisse être vu puisqu'il n'y aurait personne pour le voir. Aussi bien comprend-on mal les allégations de certains selon qui la perspective devrait « avoir pour effet un recentrement, un déplacement du centre venant se fixer sur l'œil, c'est-à-dire assumant la mise en place du sujet », car il n'y a d'autre centre que de l'individu regardant ou de ce qui lui en tient lieu (la caméra). Ce serait plutôt le regardant qui assurerait la mise en place de l'effet perspectif et, donc, du point de vue, car il n'est point de spectateur qui ne soit sujet de ce qu'il voit.

En photographie la perspective s'inscrit sur la pellicule tout comme elle s'inscrit sur la rétine. A cette différence près que le faisceau lumineux traverse un système optique construit sur le modèle de l'œil humain et que l'image ne va pas plus loin que son inscription sur la couche sensible. La caméra ne perçoit rien, elle enregistre mécaniquement mais, saisie par le regard, la photographie provoque une image rétinienne devant laquelle le cerveau réagit comme dans la perception normale. Toutefois, la photo étant inerte, la fuite des lignes, les relations dimensionnelles des choses font que si l'on *reconnaît* l'effet perspectif, on ne l'*éprouve* pas. L'espace est comme « mis à plat » dans une image où les données, au lieu d'être figurées comme en peinture, sont inscrites par la lumière mais stratifiées, figées.

Mais dès que la projection donne naissance à une image animée, le mouvement fait que, tout aussitôt, *la profondeur est ressentie, éprouvée comme dans la perception immédiate.*

Et l'image aussitôt semble se détacher de son support et s'en détache en effet : ce n'est plus une photographie projetée sur une surface plane, c'est un « espace » que je perçois. L'image filmique se donne à mon regard comme une « image spatiale », semblablement à l'espace réel qui s'étend devant mes yeux.

Les remarques de M. Michotte, consécutives à de nombreuses expériences de psychologie expérimentale, confirment cette notion.

En effet, dit-il, dès que l'on parvient par un procédé quelconque, à séparer les traits constitutifs de l'objet du plan qui lui sert de support, le volume prend immédiatement un caractère de réalité évident et parfois même tout à fait surprenant. On peut atteindre ce résultat par différentes méthodes dont l'une, particulièrement intéressante à notre point de vue, consiste à mettre en mouvement les traits constitutifs de l'objet les uns par rapport aux autres. L'opposition entre le mouvement de la figure et l'immobilité de l'écran agit alors comme facteur de ségrégation, et libère l'objet du plan dans lequel il était intégré. Il se « substantialise » en quelque sorte et prend une existence autonome, il devient une « chose corporelle ».

Un essai très simple dont l'origine est déjà lointaine (on le trouve indiqué dans d'anciens travaux de Von Recklinghausen, datant de 1859) permet d'en faire la démonstration. On projette sur un écran l'ombre d'un solide, d'un parallélépipède ou d'un cube par exemple, construit en fils métalliques. Observée à petite distance, cette ombre donne une impression analogue à celle d'un simple dessin perspectif tracé sur l'écran ; mais il suffit d'imprimer un mouvement de rotation à l'objet pour que celui-ci devienne « réel » au point qu'il soit impossible, dans certaines conditions d'observation, de différencier l'ombre mouvante de l'objet métallique lui-même.

Cette expérience est capitale ; elle réalise en effet précisément ce qui se passe au cinéma où la marche des personnages, leurs gestes, les modifications d'expression de leur visage, et même la simple translation d'objets inanimés doit évidemment aboutir à un résultat semblable.

M. Michotte ajoute

qu'il est facile de reconnaître l'exactitude du fait en arrêtant brusquement le déroulement du film au cours de sa projection. On voit alors le relief s'affaisser soudain, perdre sa réalité, et faire place au volume irréel d'une simple image perspective plane[11].

Dans une certaine mesure on peut comparer l'image filmique à celle que renvoie le miroir. Bien que celui-ci soit une surface plane, l'image est de la perspective directement saisie, inversée dans la virtualité de son reflet mais perçue comme dans la réalité immédiate. A l'écran l'image apparaît comme si la perspective se *re-produisait* dans et par le mouvement enregistré. Tout se passe comme si le monde filmé se décalquait sur l'écran tout en semblant se produire dans un espace réel situé de l'autre côté de cet écran.

Ajoutons que, le mouvement étant toujours « actuel » (on ne perçoit que du présent), le monde donné en image est non seulement spatialisé par le fait de la troisième dimension re-produite, mais *présentifié* en raison du mouvement perçu. Comme le note Christian Metz, « au cinéma l'impression de réalité c'est aussi la réalité de l'impression, la présence réelle du mouvement ».

Dans cette acception, l'enregistrement monoculaire dont certains nous ont rebattu les oreilles (en parlant des lois géométriques et de leur application en peinture) n'a qu'une importance tout à fait secondaire. La vision binoculaire ne joue que pour le relief et n'a d'effet sensible que pour les plans rapprochés. Au-delà d'une vingtaine de mètres elle se confond avec la perspective qu'un borgne saisit tout aussi bien qu'un observateur normal. Pour s'en convaincre il suffit de regarder le monde

11. D. MICHOTTE VAN DEN BERK, « Le caractère de réalité des projections cinématographiques », in *Revue de Filmologie*, n°s 3 et 4, 1948.

en fermant un œil. Si l'axe de vision est distinct selon qu'on regarde avec l'un ou l'autre des deux yeux et si le champ visuel est de toute évidence plus restreint, la fuite des lignes est exactement la même.

Perspective et... idéologie

Cela dit sans vouloir reprendre les polémiques qui opposèrent un moment *Cinéthique* et *Les Cahiers du cinéma* dans la mise en cause de l'« impression de réalité », il est surprenant de voir à quel point des critiques aussi avertis que Marcelin Pleynet, Jean-Paul Fargier, Jean-Louis Baudry, Pascal Bonitzer, Jean-Louis Comolli et autres ont pu — si ce n'était à des fins idéologiques — rapporter l'enregistrement photographique de la perspective au code du Quattrocento, les associer au point de les confondre en inversant le problème comme si la caméra, construite conformément aux lois de l'optique pour capter la lumière et recevoir l'image des choses, était établie d'après les conventions picturales tirées de ces lois pour en représenter artificiellement les effets.

Sous prétexte que le film reproduit ou reflète les idéologies existantes, les collaborateurs de *Cinéthique* en sont venus à soutenir puis à affirmer que l'impression de réalité était l'expression obligée de l'idéologie dominante, laquelle aurait construit la caméra selon les principes de la *camera obscura* pour « déguiser le réel aux masses » et lui inculquer à travers une fiction les idées et sentiments qui conviennent. En bref, pour lui faire prendre des vessies pour des lanternes :

> L'appareil cinématographique, dit Marcelin Pleynet, est un appareil purement idéologique. Il produit un code perspectif directement hérité, construit sur le modèle de la perspective scientifique du Quattrocento[12].

Cette idée qui se réfère aux travaux de Francastel et de Panofsky relève déjà d'une interprétation erronée, car ni Panofsky ni Francastel n'ont parlé — du moins dans ce sens — d'espace *réel* mais d'espace *figuratif* dû aux pinceaux et aux couleurs du peintre. Il s'agissait pour eux d'une *représentation* et non d'un enregistrement objectif.

Or, ajoutent Jean-Louis Comolli et Jean Narboni :

> Ce n'est pas le monde dans sa réalité concrète qui est saisi par un instrument non interventionniste, mais le monde vague, informulé, non théorisé, impensé, de l'idéologie dominante [...]. Ainsi le cinéma est-il obéré d'emblée, au premier mètre de pellicule impressionnée, par cette fatalité de la reproduc-

12. Marcelin PLEYNET, in *Cinéthique*, n° 9.

tion non des choses dans leur réalité concrète mais telles que réfractées par l'idéologie[13].

Autrement dit, de par sa nature même, la caméra « produirait une idéologie spécifique » qui renverrait directement à l'idéologie dominante, laquelle, bien sûr, ne saurait être que l'idéologie bourgeoise. On veut bien croire que par « caméra » nos théoriciens n'entendent pas seulement l'appareil de prise de vues, mais l'ensemble des procédés techniques qui ont pour but d'enregistrer et de reproduire mécaniquement la réalité en mettant en pratique les lois de propagation de la lumière. Mais si on laisse de côté ce « monde vague, informulé » dont on ne sait trop ce qu'il peut être sauf qu'il témoigne d'un idéalisme assez surprenant dans une pensée soi-disant marxiste, on est en droit de se demander comment les caméras et les procédés utilisés par les cinéastes soviétiques, qui sont exactement les mêmes que les nôtres, sont capables de produire aussi indifféremment, aussi passivement et sans aucun changement organique, des idéologies aussi contraires.

Confondant l'utilisation du cinéma qui est faite par l'idéologie dominante avec une tare « naturelle » de celui-ci, on inverse l'effet et la cause et on fait du cinéma un instrument idéologique « en soi ». Si l'on n'y prend garde, l'idéologie devient finalement, selon ce processus, l'essence métaphysique du cinéma [dit justement Jean-Patrick Lebel, qui ajoute :] Cette croyance en la « nature idéologique » de l'instrument cinéma se révèle elle-même comme idéaliste lorsque Marcelin Pleynet, poussant le postulat jusqu'au bout en voulant « l'historiciser », nous suggère que le cinéma a littéralement été inventé par l'idéologie dominante, que c'est elle qui a en quelque sorte « poussé » à sa découverte[14].

Idée que j'ai quelque peu caricaturée en disant :

A lire certains articles où, presque toujours, la charrue est mise avant les bœufs, on en arriverait à croire que découvertes et inventions ne virent le jour qu'en vertu d'une idéologie qui les aurait suscitées, d'un intérêt qui les aurait fait naître au moment opportun. Tel si, jouant le rôle dévolu jadis à la baguette magique, la société capitaliste du XIXe siècle, estimant peu rentable l'éclairage au gaz, fit que, tout aussitôt, on « inventa » l'électricité[15].

Lorsque Pleynet affirme que « la caméra est dans l'impossibilité d'entretenir un rapport objectif avec le réel », il énonce une demi-vérité

13. J.-L. COMOLLI et J. NARBONI, « Cinéma, idéologie, critique » , in *Les Cahiers du cinéma*, n°s 229 à 232.
14. J.-P. LEBEL, *Cinéma et Idéologie*, Éd. sociales, 1971.
15. In *Cinématographe*, n° 82.

en ce sens qu'il attribue à la caméra un rôle qui ne dépend pas d'elle. Compte tenu en effet des légères différences précédemment signalées, la caméra rapporte objectivement le réel visé. Si l'image n'était pas semblable à ce dont elle est l'image, c'est-à-dire à notre vision des choses, nous la rejetterions comme fausse.

La confusion vient, semble-t-il, de ce que sous le même vocable Pleynet envisage tantôt l'image, tantôt le film. A mieux dire il confond (ou identifie) l'*effet de réel* et l'*impression de réalité* qui, tout en étant complémentaires, sont deux choses fort distinctes. Une chose en effet est du rapport de l'image avec ce qu'elle montre, une autre du rapport du film avec ce qu'il raconte.

L'*effet de réel* est un fait purement cinématographique conséquent de la simple duplication des choses en mouvement. Exempt de toute intentionnalité et donc de toute idéologie, il est le propre de l'image animée, laquelle ne signifie rien de plus que ce que peuvent signifier les choses filmées. A quoi il convient — impérieusement — d'ajouter que si la caméra enregistre objectivement un réel donné, elle n'enregistre jamais que ce qu'on lui somme d'enregistrer. D'où il est évident que la caméra ne peut pas entretenir un rapport immédiat avec le réel, mais d'où il est non moins évident que la subjectivité est du cinéaste et non d'une caméra qui n'en peut mais...

Or, selon Pleynet, du fait que la lumière n'impressionne la pellicule qu'après avoir traversé un système optique construit sur le modèle de l'œil humain (ou des données du Quattrocento...), la *production même* de l'image ne saurait être objective. Dans ces conditions, puisque rien ne peut atteindre notre esprit qui ne soit passé par nos sens, rien ne saurait être objectif. Tant vaudrait supprimer le mot...

Cela dit, l'image filmique ne se produit pas *sur* une surface plane comme il en est de la peinture — ou de la photographie —, mais *contre* une surface plane qui la renvoie dans un espace fictif où ses formes en mouvement prennent une figure tridimensionnelle. D'où l'« effet de réel ».

Quant à l'*impression de réalité*, c'est un fait esthétique qui accrédite une fiction en donnant au spectateur l'impression que les données de cette fiction n'ont pas été imaginées mais coulent de source, le devant à des éléments dont l'« effet de réel » laisse supposer qu'ils reproduisent une réalité « vraie ». Mais il y a, entre les matériaux du film et le film lui-même, un rapport analogue à celui qu'il y a entre des briques et le monument qui résulte de leur agencement.

Cela étant, il est certain que le film qui est l'expression d'un auteur témoigne d'une idéologie. Mais c'est un problème tout autre que ceux qui sont envisagés dans ce chapitre. Il reste que, du fait de la projection qui « objective » tout ce qui est projeté, les connotations apparaissent souvent comme une forme immédiate ou une qualité particulière des choses dénotées. D'où l'idéologie qui émane « insidieusement » de cette manipulation évidente mais insensible. N'en sont dupes cependant que ceux qui le veulent bien et quelques critiques un peu égarés...

De critique en Critias

Par ailleurs, à force de pousser certaines vérités hors de leurs limites, on en arrive à des sophismes dignes de Critias. C'est ainsi que, prenant à son compte les remarques assez puériles de Godard selon lesquelles « le cinéma n'est pas une image juste mais juste une image[16] », Clément Rosset en arrive à dire que :

> Le domaine (des images justes) est d'un cinéma où l'on ne recherche l'expression cinématographique du réel que dans la mesure où l'on a déjà, au sujet de la réalité, des idées préformées, une pré-représentation toute prête à se donner à filmer. La justesse de l'image est alors à proportion de la nature de ses propres fantasmes quant au réel[17].

Je ne sais si ma « représentation du réel » est un fantasme conséquent d'une idée préformée. Je crois plutôt que c'est la formation d'un concept. Si l'image d'un arbre est formellement identique à l'arbre qu'elle représente (dont la réalité bien sûr est aux limites de ma perception, conditionnée par elle), si je reconnais l'un à travers l'autre, alors je dirai que l'image est juste. Et elle le sera en effet sans quoi je ne reconnaîtrais pas cet arbre.

> L'image, poursuit Rosset, est l'expression non du réel mais de la signification qui lui est présupposée [...].

Je ne vois pas au nom de quoi cette signification serait présupposée. Elle serait plutôt « surajoutée » ou « modifiée », l'image étant duplication avant d'être — et pour être — signification : ou bien je connais le réel en question, auquel cas je n'ai pas à en supposer ou présupposer le sens ; ou bien je l'ignore, auquel cas je puis m'en faire une idée — un fantasme — que ma perception ultérieure viendra corriger...

---

16. « Juste une image », c'est-à-dire rien de plus qu'une image. Or cette image ne saurait être — en regard de ce qu'elle montre — que juste ou fausse. Il est préférable qu'elle soit juste. Auquel cas le cinéma qui « n'est pas une image juste » serait *juste une image juste*... merveilleuse tautologie !

17. Clément ROSSET, *L'Objet singulier*, Éd. de Minuit, 1983.

Comme toujours, conclut-il, le réel apparaît du côté du singulier (juste une image), le fantasme du côté du double (l'image « juste » n'offrant que l'illusion selon laquelle existerait la réalité qu'elle prétend « justement » évoquer).

Si cette réalité n'existait pas, la caméra serait bien en peine de m'en donner — juste ou fausse — une image. Laquelle image, bien sûr, n'est jamais que d'un aspect du réel, non d'un « en soi » purement conceptuel. Mais, où que je sois, je ne perçois jamais, moi non plus, autre chose qu'un aspect du monde.

Sans doute ces sophismes ne le doivent-ils qu'à des mots. Sous prétexte que le cinéma « ne peut rendre du réel que des duplications sans originalité et des représentations sans surprise » (ce qui est reconnaître implicitement leur exactitude par rapport à ce réel), il serait « tout à fait impropre à évoquer ce réel en tant que tel ». Or le terme est équivoque. L'image n'a pas à « évoquer » puisqu'elle représente (re-présente). Évoquer suppose une distanciation, une différence. Seuls seraient susceptibles d'évoquer un objet le mot qui le désigne ou la peinture qui l'interprète.

La « carence ontologique » du cinéma serait donc de n'être pas le réel qu'il duplicate mais seulement sa duplication... On en arrive à une lapalissade du genre (déjà citée) : « Le cinéma n'est pas le réel dont il est l'image sans quoi il n'en serait pas l'image [...]. »

Autre sophisme : pour démontrer l'irréalisme, ou la non-réalité, du « film dans le film », Jacques Petat dit, à propos de *Fury* (de Fritz Lang) :

> Le cinéma n'est pas ici introduit dans le film [...] pour attester de la réalité des faits. La composition des plans, les angles de prise de vues, l'arrêt sur image, tout atteste au contraire qu'il s'agit d'une preuve fabriquée de toutes pièces par Joe[18].

Or comment Joe aurait-il pu fabriquer ces images de la foule déchaînée alors qu'elles ont été enregistrées tandis qu'il était en prison ? Sans doute a-t-il pu les choisir, les assembler, les monter en vue de constituer une preuve plus accablante, mais il ne les a pas créées...

> Les images, poursuit Jacques Petat, ne renvoient pas à la réalité mais aux personnages eux-mêmes, aux images que Lang nous propose de ses personnages.

Parbleu ! Elles renvoient à la réalité de la fiction, la seule qui soit en cause. Il se trouve simplement que la représentation (dans le film) des

18. Jacques PETAT, in *Cinéma 82*.

événements filmés au cours de l'action donne à ces événements une valeur de réalité vraie : le film repousse dans le réel la réalité filmée mais l'image ne peut renvoyer qu'à l'image puisque le réel filmé — vrai ou faux, authentique ou imaginaire — est donné en images.

Le rapport « images-fiction » et « images de ces images » n'exclut pas plus la réalité que les images de n'importe quel film — ou que, par exemple, le rapport des actualités filmées et de la réalité filmique dans *Citizen Kane*. Que les images représentent le réel vrai ou un réel fictif ou, dans cette fiction, un aspect de celle-ci, la dualité représenté/représentation est la même. Sauf que dans le dernier cas la représentation est au second degré. Elle est représentation d'une représentation donnée pour la représentation du réel vrai.

Que la preuve ait été « fabriquée de toutes pièces » par Fritz Lang pour donner crédibilité à son histoire et aux accusations de Joe c'est hors de doute. Mais à suivre Jacques Petat on est en plein sophisme. Comme de dire que les conversations qu'entretiennent les personnages d'un roman ne sont pas de ces personnages mais du romancier et d'en tirer une philosophie du réel en opposant l'irréalité du réel fictif à la réalité de la fiction.

Autre sophisme encore : après avoir tout accordé au metteur en scène, voici qu'on en arrive à tout lui refuser. Ce n'est pas le metteur en scène qui fait le film : c'est le studio. Loin de moi l'idée de minimiser l'influence du producteur et de l'équipe technique. Mais elle dépend, cette influence, des films, des genres, des hommes surtout et du rôle qu'ils ont à jouer. Il y a des films où le travail de l'opérateur est primordial, beaucoup plus important que celui du décorateur ou du scénariste. D'autres où c'est l'inverse. Tantôt le metteur en scène est tout puissant, tantôt ce n'est que l'exécutant d'un programme réglé jusqu'en ses moindres détails par le producteur ou par le scénariste. Toute généralisation est absurde. Il reste néanmoins que lorsque le film est autre chose qu'un produit bien huilé et qui tourne rond, lorsqu'il a un style reconnaissable quels qu'en soient le producteur et les collaborateurs, ce style, cette forme, cette écriture sont du metteur en scène. Le fait est difficilement contestable.

Un film n'est jamais l'œuvre d'un seul, c'est évident. Mais les cathédrales non plus. Sans avoir jamais posé les pierres les unes sur les autres, Hardouin-Mansart n'en est pas moins le créateur de Versailles comme Lescot de la cour du Louvre.

Mais cette toute nouvelle mise en question vient, elle aussi, tout droit de la littérature. A mieux dire d'un esprit littéraire à la mode.

A la suite de certaines études fort pertinentes de Michel Foucault et de Lacan, il fut de bon ton, dans les parages de la « nouvelle critique », de nier le rôle créateur individuel de l'écrivain. Faisant de quelques aphorismes une règle de conduite, passant comme à l'habitude du particulier au général, il convenait de ne plus dire « il écrit » mais « ça » écrit. Et comme beaucoup parmi ceux qui parlent de cinéma se croiraient en retard d'une paye s'ils n'adoptaient au plus vite les positions les plus avancées de la linguistique ou de la psychanalyse, il leur fallait bien sûr, pour être « dans le vent » ou le paraître, entonner le même refrain en lui trouvant d'autres couplets...

Or, dire *ça* écrit est absurde dans la mesure où l'on en fait un système qui prétend définir les ambiguïtés du *moi* ou les cerner. Il est évident que l'individualité de tout être pensant et agissant n'est pas une entité et qu'elle est conséquente d'une quantité d'influences diverses. Qu'il s'agisse de la personnalité innée, héréditaire de dispositions caractérielles ou de la personnalité acquise en fonction d'une éducation, d'une culture, de tout un environnement social, il reste que ces influences, infiniment mobiles et changeantes, sont assimilées par quelqu'un qui est moi. Et d'une façon particulière qui fait justement que je suis moi, différent des autres.

Le *Ça* n'est autre que ce qui est *en moi* et le désigne comme *moi*. Nullement un « en soi » idéaliste dont je ne serais que le jouet inconscient. Je ne suis pas — écrivain, cinéaste, peintre ou compositeur — un somnambule agissant sous la conduite d'un *Ça* impersonnel perdu dans les nuées de l'inconscient. Je suis conscient au contraire de l'inconscient qui est en moi, qui me guide et fait que je suis *moi*. Mais à débusquer tous les sophismes qui fourmillent dans la littérature cinématographique, on n'en finirait pas...

V

LE PLAN

Ainsi qu'on l'a dit précédemment, le plan est constitué par l'ensemble des photogrammes comprenant une courte scène filmée d'un seul tenant, formant de la sorte un segment insecable situé entre deux collures. C'est une unité de *construction* qui englobe un ensemble plus ou moins grand d'individus, d'actes, d'événements, une unité complexe, globalement signifiante, nullement une unité *de* signification. Il faut une phrase au moins pour décrire le gros plan le plus simple, tout un paragraphe pour un plan d'ensemble un peu chargé.

Or, parmi les termes en usage, celui de plan est — tout au moins depuis les bouleversements formels des années cinquante — l'un de ceux dont la polysémie prête à toutes les confusions :

> La *notion*, dit Pascal Bonitzer, en apparaît curieusement flottante, mal assurée, birfurquant sans cesse entre plusieurs sens qui ne se recoupent ni ne se complètent nécessairement. Le terme de plan varie avec ses prédicats : selon qu'on parle de gros plan, plan-séquence, de plan fixe, par exemple, on ne parle pas du même objet « plan »[1].

Les contestations autour du sens qu'il convient de donner à ce mot viennent en effet de ce que la nature du plan a évolué. Ses significations se sont singularisées, diversifiées tandis que le procédé technique qui les fonde a conservé les mêmes statuts.

Voici une vingtaine d'années, ayant à donner une définition aussi précise que possible du plan, je disais :

> Lorsque après les premières tentatives de D.W. Griffith, le cinéma commença à prendre conscience de ses moyens, c'est-à-dire lorsque, d'une façon

---

1. Pascal BONITZER, « Voici », in *Les Cahiers du cinéma*, n° 273, janvier 1977. Repris dans *Le Champ aveugle*, Gallimard, 1982.

Ensemble rapproché : *La Chevauchée fantastique*, de John Ford, 1939 ;
premier plan large : *Le Dernier des hommes*, de Frederich W. Murnau, 1924

Premier plan : Lilian Gish dans *Naissance d'une nation*, de D.W. Griffith, 1914 ;

générale, on enregistra les scènes selon des points de vue multiples, les techniciens durent qualifier ces différentes prises afin de les distinguer entre elles. Pour cela on se référa à la situation des personnages principaux en divisant l'espace selon des plans perpendiculaires à l'axe de la caméra. D'où le nom de *plans*. C'était en quelque sorte la distance privilégiée d'après laquelle on réglait la mise au point[2].

En fait, les seuls objectifs utilisés avant 1915 (F 25, 35 et 50) étant au point sur un champ profond, les problèmes de mise au point ne vinrent qu'avec les objectifs à grande ouverture dont le peu de profondeur permettait de cerner davantage la fragmentation du champ. Quoi qu'il en soit, chaque fois qu'on voulait prendre la scène sous un autre angle, un autre cadrage, on était obligé de déplacer la caméra. La plupart des plans étant des plans fixes, chacun d'eux supposait une prise de vues

2. In *Esthétique et psychologie du cinéma*, vol. I, p. 149-153. Éd. universitaires, 1963.

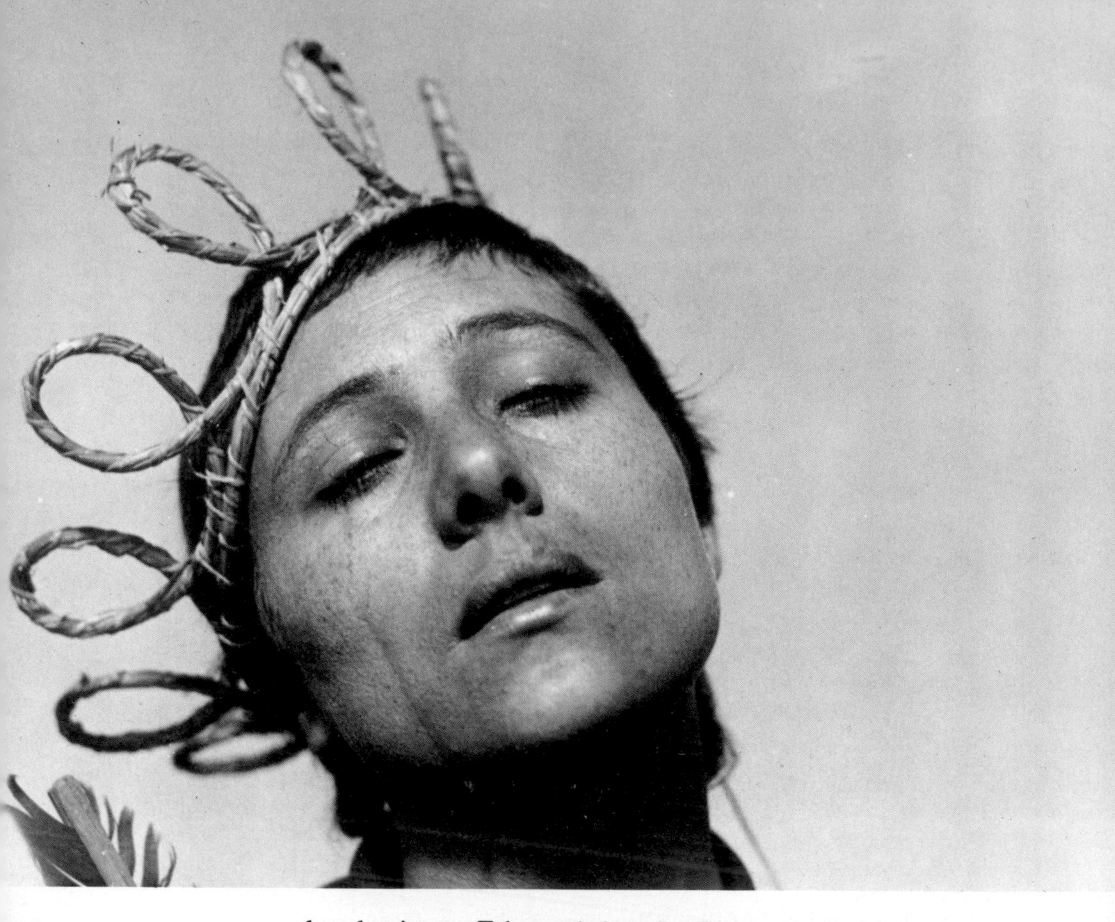

gros plan de visage : Falconetti dans *La Passion de Jeanne d'Arc*, de Carl Th. Dreyer, 1928

distincte ; en conséquence, parler de plan ou de prise de vues, c'était dire ou désigner la même chose. Seuls les *travellings* qui, dans leur déplacement, pouvaient enregistrer toute une suite de champs, d'angles et de plans divers, brisaient cette identité. Mais ils ne représentaient guère que le dixième des scènes tournées. On pouvait donc définir le plan tel qu'une courte scène filmée sous un certain angle et à une certaine distance de la caméra ; ou bien tel qu'un fragment autonome inséré entre deux collures, c'est-à-dire tel qu'une unité de montage. La division scalaire — du gros plan au plan lointain — n'ayant jamais été qu'une commodité de travail, on pouvait supposer autant de plans distincts que de points sur l'axe optique de la caméra.

Après 1940, l'accroissement considérable des prises de vues mobiles, l'apparition surtout du plan-séquence, vinrent rompre l'homothétie du plan et de la prise de vues en prêtant à des définitions contradictoires comme de dire, à propos de *La Corde* tourné en 12 prises de vues con-

Profondeur de champ et plan-séquence :
Citizen Kane, d'Orson Welles, 1941

tinues (chacune d'elles comprenant une bonne vingtaine de plans), qu'il « s'agit d'un film ne comportant que 12 plans »...

A l'époque « bazinienne » je me suis élevé contre la dénomination de « plan-séquence », avancée bien imprudemment, parce qu'elle contrevenait tout à la fois à la définition du *plan* fondée sur des notions optiques et géométriques indiscutables et à la définition de la *séquence* constituée, en principe, d'un ensemble de plans successifs répondant à des significations diverses.

Considérant un plan-séquence de *Citizen Kane*, je disais alors :

> Lorsque dans une même image on voit un visage en *gros plan* et que, dans le reste du cadre, on aperçoit des personnages, en *plan moyen*, d'autres en *plan d'ensemble* et, à *l'arrière plan*, quelqu'un qui entre dans la pièce, il me paraît bien difficile de désigner ce plan selon les normes établies. Comment le dira-t-on ? Plan général, ensemble rapproché, ou quoi ?
>
> Il me semblerait convenable de le nommer *plan d'ensemble*, mais il devient

nécessaire de décrire très précisément (sur le *script*) les positions relatives des personnages, d'autant qu'ils sont tous (à l'exception d'Orson Welles au tout premier plan) d'égale importance et que *le plus important* est peut-être bien celui qui entre tout au fond et dont l'arrivée inopinée suscite des réactions diverses[3].

Dans l'échelle habituelle des plans, la désignation précise le lieu visé par le cadre mais, dès l'instant que la mise en scène utilise toute la profondeur du champ, c'est le contenu de ce champ tout entier qu'il convient de définir et plus du tout un lieu quelconque de celui-ci. Ainsi que Bonitzer le soulignait de son côté,

> la notion de plan-séquence est paradoxale puisqu'elle désigne un plan, qui peut contenir *plusieurs plans*. Évidemment, il ne s'agit pas, du contenant au contenu, de la même notion du plan [...][4].

Or c'est bien là où la difficulté commence — et l'ambiguïté. Car le même terme se trouve chargé de désigner tout à la fois *le* ou *les* lieux géométriques où se situe l'action à l'intérieur du champ visé par la caméra et l'unité de prise de vue qui englobe ce champ. Ce qui était jadis homothétique devient antithétique. Or un même mot ne peut pas désigner à la fois deux choses absolument distinctes. Il faut choisir.

Tant qu'il s'agit d'un plan fixe comme il en est de la plupart des plans-séquences de *Citizen Kane* ou des *Amberson*, la difficulté est contournable. En effet, tous les plans qui s'étagent dans la profondeur du champ participent de la même « focalisation » puisque les grands-angulaires utilisés sont au point de 0,75 m à l'infini. Dans ce sens, le plan-séquence peut être entendu tel qu'un plan unique puisque aucune différenciation optique n'intervient à l'intérieur de sa géométrie globalisante.

Il en va de même du plan d'*Ivan le Terrible* cité par Bonitzer où l'on voit, dans le même cadre, deux motifs en opposition :

> La file serpentine du peuple qui vient solliciter Ivan dans sa retraite et, au premier plan, le profil aigu du tzar avec le pointu de sa barbiche.

Selon Bonitzer, la profondeur est « mise à plat » dans le sens où Eisenstein insiste sur la relation formelle des graphismes linéaires davantage que sur la spatialité du champ. Sans doute. Mais cette spatialité n'en existe pas moins.

---

3. *Id., ibid.*
4. Pascal BONITZER, *op. cit.*

La file serpentine du peuple et Ivan au premier plan
dans *Ivan le Terrible*, de S.M. Eisenstein, 1944

S'agit-il d'un gros plan d'Ivan ou d'un plan lointain du peuple ?, se demande-t-il, les deux sans doute. Mais faut-il y voir, en suivant Mitry, pour autant deux plans ? Non, l'image constitue bien un plan, construit ainsi, en opposition rythmique à un prédécesseur, un successeur, ou en harmonie[5].

Je suis bien d'accord — sauf que Bonitzer généralise abusivement mes propos. Comme pour les exemples précédents, en effet, il s'agit d'*un seul plan global*. C'est comme de dire, en regardant un paysage : tel arbre est au premier plan, tel autre en arrière-plan sans que, pour autant, la pupille se soit dilatée ou contractée pour saisir l'un ou l'autre séparément. Auquel cas on peut dire que le plan envisage une action simple ou complexe située dans un espace non différencié, non divisé par un système optique quelconque. La division scalaire est frappée de caducité mais le terme de plan n'en garde pas moins sa double désigna-

5. Pascal BONITZER, *op. cit.*

tion qui définit à la fois le fragment, l'unité de prise de vue et son contenu.

Où il n'en va plus de même, c'est lorsque le plan-séquence est d'une prise de vues mobile qui entraîne, dans une même unité spatio-temporelle, dans un même glissement continu au cours d'une même prise de vues, tout un ensemble de lieux, d'angles et de plans en place des petits morceaux d'espace-temps raccordés arbitrairement par montage. Dès lors :

> L'unité filmique se casse en deux, se divise en deux, dit justement Bonitzer : le plan et la prise de vues, et il n'est plus possible d'en recoller les morceaux[6].

En fait c'est le mot qui se divise et désigne deux choses qui ne sont plus superposables. Sauf pour ce qui est des plans fixes, avec ou sans profondeur de champ, l'unité filmique n'est plus le *plan* mais la *prise de vues* puisque aussi longue et chantournée soit-elle, cette prise de vues constitue un fragment insecable, tout comme *un* plan. Mais continuer d'appeler *plans* ces fragments incessamment diversifiés en se référant à une désignation jadis homothétique n'a plus aucun sens. Pas plus que de désigner pareillement un zoom qui n'est ni un plan ni une séquence puisqu'on y passe continûment du premier plan au plan lointain (ou l'inverse), et que cet objectif ne vise jamais qu'un détail ou un fait bref.

La question n'est pas simplement d'une terminologie adéquate mais de ce qu'il y a derrière les mots. Le terme importe peu et s'il en faut un pour désigner les unités fixes ou mobiles jusqu'alors dénommées plan, pourquoi pas *segment*, le terme de plan retournant à la pure fonction technique d'où il est sorti et ne portant plus que sur une désignation interne ou sur la description analytique des lieux pertinents compris dans les différents espaces visés par la caméra.

Gros plan

Tous les plans un peu larges (du plan moyen aux plans d'ensembles) comprennent une quantité de détails dont le sens reporté sur les plans suivants assure le développement de l'action, son dynamisme, tout en maintenant l'attention du spectateur en éveil par tout ce que les éléments de la chaîne signifiante ont d'inachevé, d'incomplet, par tout ce qui sollicite un sens complémentaire. Chaque plan, en effet, est un ensemble plus ou moins complexe de signifiants et de signifiés dont les

6. Pascal BONITZER, *op. cit.*

rapports avec les significations antérieures suscitent ou provoquent des idées ou des sentiments qui explicitent les événements décrits.

Il y a beaucoup trop de choses entendues et sous-entendues dans un plan pour que l'on puisse rapporter comme on le fait trop souvent le sens des relations de plans à celui des relations de mots.

L'investissement du sens étant conséquent de la formalisation du fragment d'espace-temps représenté, on voit bien que le plan isolé est déjà, de par le rapport forme/contenu, un *énoncé* équivalent à une ou plusieurs phrases. On chercherait donc vainement, comme l'ont tenté divers sémiologues, une « plus petite unité de signification ».

Le moindre gros plan d'un objet suppose au moins une phrase pour être décrit parce que cet objet, nécessairement *situé*, ne peut être isolé totalement comme le mot dans un vocabulaire. Néanmoins, étant l'unique signifiant visé, il peut être rapporté au mot qui le désigne et, de la sorte, *agir* — contrairement à tous les autres plans — *à la manière d'une unité linguistique.*

A une différence près toutefois : si le mot « revolver », par exemple, désigne un objet concret et signifie le concept auquel il se rapporte (ou qui s'y rapporte), le gros plan n'a pas la fonction dénominative ou démonstrative que lui octroie Christian Metz. Le gros plan d'un revolver ne dit pas « voici un revolver » ou « ceci est un revolver ». Simplement *il fait voir* qu'un revolver *est là* : *celui-ci* et nul autre. Comme tout autre plan, quoique d'une façon plus prégnante, le gros plan ne prend un caractère particulier que dans un contexte déterminant. Mais s'il s'efface derrière ce qu'il montre, il ne démontre rien. S'il signifie, c'est tout de suite l'idée suggérée par les rapports que ce revolver entretient avec les événements décrits par la séquence dont il fait partie.

On voit par là que si le gros plan agit à la manière d'un signe, il saute par-dessus les significations proprement linguistiques pour accéder d'emblée aux significations narratives ou discursives, là où les rapports du signe et du signifié sont toujours contingents. Sans doute en est-il ainsi de la plupart des plans, mais les significations du gros plan ont un caractère symbolique qui le distingue d'avec tous les autres plans dont le caractère est plus généralement allusif, indiciel ou simplement descriptif.

En attendant, c'est cette faculté d'être constamment « en puissance de signe » qui a surpris, enthousiasmé les premiers théoriciens.

Qui plus est, en dehors des idées, des sentiments dont il est le signe momentané, l'objet donné en gros plan attire nécessairement l'attention sur ses qualités sensibles, sur tout ce qui le *distingue*. Il en appelle à une affectivité qui ne peut être que ressentie, éprouvée par le regard porté sur lui. Isolé, il devient un « tout » relatif au cadre qui le délimite

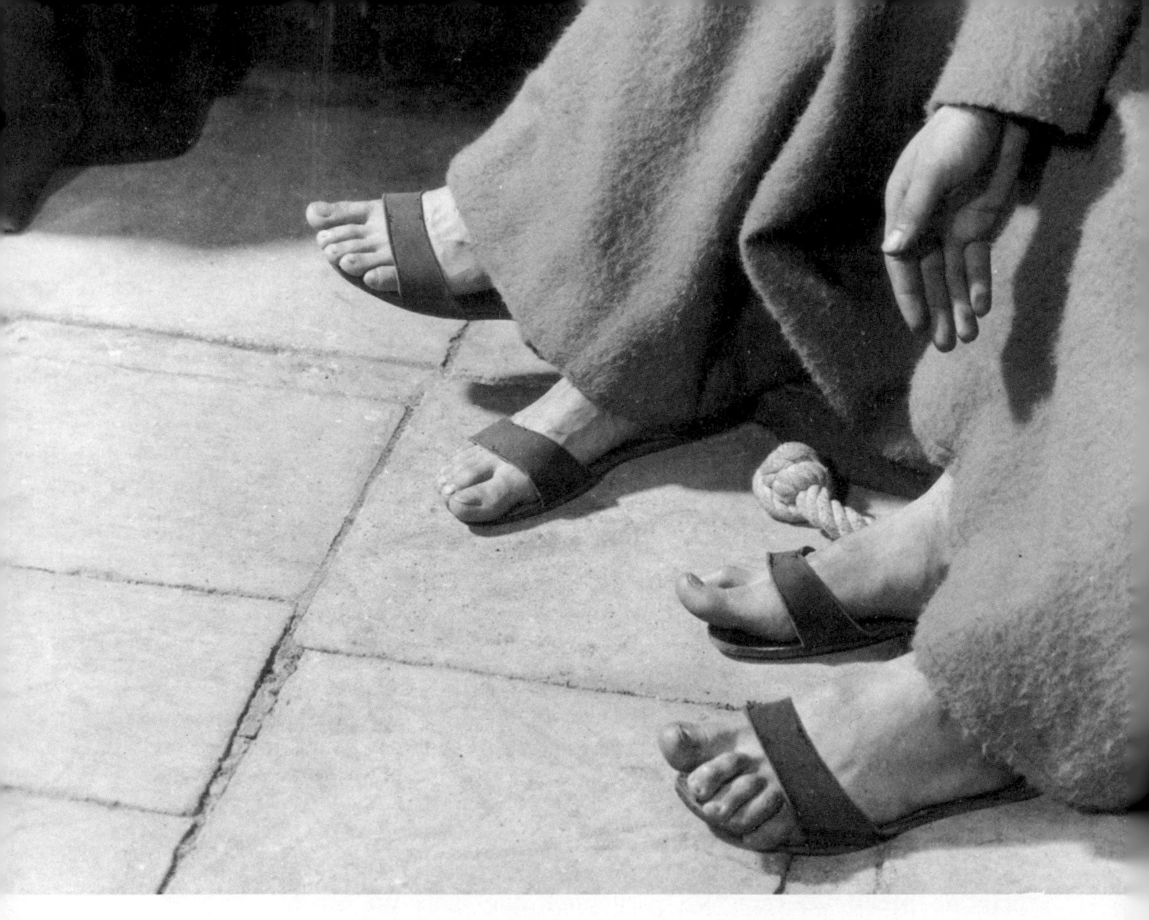

Plongée sur détails vus en premier plan :
La Passion de Jeanne d'Arc, de Carl Dreyer, 1928

et à ses propres parties, à ses composantes internes qui le subdivisent, alors que, dans les plans larges, il était noyé dans les multiples relations que tout objet entretient avec l'ensemble dont il fait partie.

De ce fait le gros plan donne d'abord une impression tactile, sensuelle des choses. Il concentre sur l'objet, sur ses formes, toutes les opérations recognitives et dynamogènes qui sont relatives à la connaissance que nous en avons ; et ce, avant de faire appel à l'intellect. C'est de tous les plans, le plus concret, le plus objectif par ce qu'il montre, le plus abstrait, le plus subjectif par ce qu'il signifie. L'émotion est à la fois dans la chose représentée, dans les formes de la représentation et dans les idées suggérées comme dans tous les autres plans sans doute, mais d'une façon beaucoup plus pertinente et surtout beaucoup plus prégnante. C'est ainsi que, dans *Le Cuirassé Potemkine*, le lorgnon retenu par un filin d'acier donne, sur le plan émotionnel, l'impression d'un désastre ; mais d'un désastre dérisoire. Non seulement il « figure » le médecin flanqué par-dessus bord (ou son absence) en donnant la partie pour le tout, mais encore il symbolise, non sans ironie, la faillite du régime représenté par cet officier.

Rien au cinéma n'étant intelligible qui ne soit passé par les sens (la perception visuelle rappelant toutes les sensations, tactiles et autres, relatives à un objet donné), le principal reproche que l'on peut faire à la sémiologie structurale en dehors des voies sans issue auxquelles elle conduit souvent, c'est de n'envisager jamais les significations qu'au niveau de l'intelligible et de négliger totalement le sensible, le rythme par exemple dont il y aurait beaucoup à dire et dont l'analyse structurale ne dit jamais rien. A croire que les relations temporelles ne sont pas l'un des éléments fondamentaux de la structure filmique. D'autant qu'en matière d'art où il ne s'agit pas de simple communication, les valeurs affectives sont un aspect non négligeable des significations, le signifié y étant presque toujours filtré, amplifié par l'émotion, par l'inexprimable autant que par l'exprimé.

Les plans ne témoignent pas seulement d'une différence scalaire ou d'un champ spatial plus ou moins étendu. Constituant avec les choses représentées une *forme* qui leur est propre, un « qualia spécifique », chacun d'eux agit différemment sur le percept et, donc, sur la conscience, sur l'émotion, sur l'entendement. Un même scénario qui serait tourné une première fois en plans larges et une autre fois en gros plans donnerait lieu à deux films fort différents, même s'ils suivaient le même développement dramatique, la même suite séquentielle. L'histoire serait la même mais les impressions, les idées et les sentiments exprimés seraient tout autres, auraient une autre valeur, un autre sens. A plus forte raison si l'on changeait de rythme.

Que l'on imagine simplement *La Passion de Jeanne d'Arc*, de Dreyer, tourné en plans d'ensembles plutôt qu'en gros plans et plans rapprochés : rien n'aurait plus le même sens.

Cette incise permet d'ouvrir une parenthèse sur les gros plans de visage qui ne sont — en principe — que pour souligner une réaction imperceptible mais révélatrice de l'état psychique du personnage, tels le frémissement des lèvres ou des paupières, un rapide mouvement de regard, etc. Ces gros plans viennent toujours après divers plans larges. Ce n'est que le *grossissement* d'une expression amorcée le plus souvent dans le plan qui précède.

Les gros plans de visage

Vers 1915, lorsque l'emploi des premiers plans (d'acteurs et non d'objets) fut à peu près généralisé, leur intégration dans la continuité fut fort différente de ce qu'elle est aujourd'hui. Dans les œuvres domi-

Un gros plan « expressionniste » dans *Le Long Voyage*, de John Ford, 1940

nantes (Griffith, Ince et une vingtaine de réalisateurs de haut niveau), le passage au premier plan se faisait par coupes franches. L'action commencée dans un plan se poursuivait dans le suivant. Les raccords dans le mouvement n'existant pas encore, il y avait changement d'axe afin d'éviter les sautes et les chevauchements mais la continuité dynamique était assurée. Dans les films médiocres la solution était toute simple : un sous-titre intercalaire amortissait le passage d'un plan à un autre de telle sorte qu'il eut été bien difficile de parler d'effet relationnel ou de montage « signifiant ». Il en allait tout autrement du cinéma standard. Dans ces films, faits pour une grande diffusion populaire, il n'y avait pas continuité du mouvement d'un plan d'ensemble au premier plan mais *répétition des mêmes gestes* enregistrés dans *le même axe* et le même temps.

S'il s'agissait par exemple d'une scène de tribunal au cours de laquelle une femme venait faire une déposition importante, la scène était enregistrée par deux caméras placées côte à côte. Tandis que l'une filmait l'ensemble, l'autre prenait *simultanément* la femme en premier plan.

Ce qui donnait :

A. La femme arrive devant la barre, lève la main droite pour prêter serment, jette un regard furtif en direction du prévenu (off), se trouble puis se reprend. Fondu enchaîné et fermeture/ouverture à l'iris sur :

B. Premier plan. La femme accomplit *les mêmes gestes*. Fondu enchaîné et fermeture/ouverture à l'iris sur :

C. (même que A). Suite du mouvement : la femme se reprend. Le juge lui pose une question.

D. Sous-titre exposant la question ; etc.

Le premier plan (ou le gros plan selon le cas) n'était donc qu'une façon de faire voir de plus près ce qui venait d'être vu, de souligner ce qui aurait pu échapper à la sagacité du spectateur. Ce n'était qu'un supplément incorporé *en tant que plan* dans le corpus du film mais non incorporé *en tant que mouvement* dans la continuité dynamique de l'action. D'où le piétinement continuel insupportable aujourd'hui lorsqu'on revoit ces anciens films et une répétition temporelle inacceptable.

Le visage « miroir de l'âme » fut un instant le dada de quelques théoriciens vers la fin du muet : « Le visage est psycho-analytique », disait Jean Epstein. Et Béla Balázs : « C'est un miroir où apparaît la racine de l'âme, son fondement. » Or cet « état d'âme », le visage ne le reflète effectivement que lorsque ses expressions peuvent être rapportées par le spectateur à un événement, à des passions dont on devine qu'elles en traduisent les effets. Ce n'est, comme partout ailleurs, qu'une question de rapports.

Autrefois le *close up* était (d'où son nom) entouré d'un cache circulaire : l'iris extérieur à la caméra et dont l'usage fut abandonné vers 1920. Les visages furent alors enregistrés « plein cadre » et, plus tard, cadrés conjointement à un détail significatif. Dans le film de Dreyer qui fut presque entièrement tourné en gros plans, on peut constater que le visage de Jeanne est situé la plupart du temps entre des visages cadrés en amorce (à demi coupés par le cadre) ou devant des personnages (moines ou soldats) vus en plan moyen. Hormis la séquence où elle est seule dans sa geôle, il y a peu de plans où son visage est totalement isolé. Il s'oppose alors à d'autres gros plans semblables (Cauchon, Massieu ou autres), car le film est une confrontation de visages. Ce ne sont jamais des grossissements introduits dans une continuité quelconque à seule fin de mettre en valeur le talent des comédiens dont les gros plans sont alors insupportables en ce qu'ils viennent rompre la coulée narrative pour ne rien donner de plus qu'un surcroît d'expression inutile. Au contraire, les ruptures provoquées par les gros plans d'objets sont des *ruptures dynamiques*. Elles ne sont pas ressenties comme rupture en cela qu'elles *produisent du sens*. Un plan de visage en effet ne *signifie pas* : il *exprime* et n'acquiert presque jamais ce caractère de signe que prend un objet isolé. Sauf précisément dans *La Passion de Jeanne d'Arc* : opposés et juxtaposés dans une sorte de figuration abstraite, les gros plans de visages y deviennent comme *le signe de ce qu'ils expriment*. C'est ce qui caractérise si singulièrement le film de Dreyer et, parfois, certains films de Bresson ou de Bergman.

Panoramiques, travellings

Parmi les mouvements de caméra, le plus simple et le plus ancien (1896) est évidemment le *panoramique* qui s'identifie à la vision d'un homme immobile tournant la tête à gauche ou à droite ou encore regardant progressivement vers le haut ou vers le bas. La caméra demeure fixe et pivote sur son axe.

Le *travelling* peut être entendu de différentes manières : ou bien il s'agit d'une prise de vues « en mouvement », c'est-à-dire filmant un paysage depuis un train, une voiture, un téléférique, etc. La caméra reste fixe et se déplace avec le mobile sur lequel elle est située. Ce genre de travelling est aussi vieux que le cinéma lui-même (*Le Grand Canal à Venise*, tourné par Promio en 1897).

Plus généralement on entend par là le « chariotage » de la caméra sur une plate-forme montée sur rails ou sur roues caoutchoutées. Ainsi la caméra avance de concert avec un ou plusieurs personnages, les précède ou les suit, gagne sur eux ou se laisse distancer, etc. Ce travelling, accordé au déplacement des acteurs ou de quelque mobile indépendant de la caméra, fut utilisé pour la première fois — semble-t-il — par Griffith en 1909.

Le travelling accompli parmi des gens immobiles (un restaurant, une salle de théâtre), la caméra saisissant le comportement de quelques-uns des personnages du drame ou figurant le déplacement de l'un d'entre eux, est beaucoup plus récent. Il fut employé pour la première fois par Murnau dans *Le Dernier des hommes*, en 1925.

Depuis le parlant, non seulement la grue américaine (1929) et les petites grues dites « Dollies » (1935) ont permis de combiner tous les mouvements dans l'espace, mais la généralisation des caméras portatives au cours des années soixante (grâce à l'équilibrage giroscopique) a modifié sensiblement l'écriture des films en donnant aux prises de vues une aisance et une liberté jusqu'alors inconcevables. Une aisance pourtant qui a permis certains effets aussi insupportables qu'inadéquats.

Faits pour traduire la rapidité du « volte-face », les panoramiques « filés » vont à l'encontre de leurs intentions. En effet, lorsqu'on tourne rapidement la tête et que notre regard, portant sur un champ proche de

2 ou 3 mètres, passe en 1/6 de seconde d'un point de vision à un autre distant de 7 mètres, les choses parcourues par l'œil ne sont pas vues selon des images « filées ». Tout au plus, si le champ est très proche — de 50 cm à 1 m —, les objets sont-ils démultipliés, laissant derrière eux comme une trace. Mais ils ne sont pas flous.

D'abord parce que, n'étant limité par aucun cadre, le champ visuel ne connaît pas l'effet de ségrégation de celui-ci, non plus que la structure qui s'y réfère. Ensuite et surtout parce que la rapidité du mouvement corporel (ou oculaire) n'excède pas le temps de perception visuel minimal, c'est-à-dire le seuil perceptif qui varie selon l'éclairage du champ entre 1/50 et 1/100 de seconde (rien à voir avec la persistance rétinienne qui s'y rapporte d'une autre manière et se réfère à un court-circuitage du cortex dénommé « effet phi »). Autrement dit, pour percevoir des images filées, il nous faudrait pivoter sur nous-mêmes à quelque chose comme 20 ou 40 tours par seconde.

La caméra, au contraire, qui enregistre à la cadence de 24 images par seconde, n'aura enregistré, dans le même temps (7 m en 1/6 de seconde), que 4 images. Le temps d'ouverture de l'objectif étant trop grand par rapport à la vitesse de déplacement de la caméra, chacun de ces 4 photogrammes sera flou, balayé, d'où un panoramique filé.

Je n'apprends rien à personne. Tous les techniciens savent cela. Et pourtant les opérateurs qui continuent d'imprimer à la caméra des mouvements calqués sur la vitesse du mouvement corporel sont légion. Voulant faire vrai, ils font résolument faux — qui plus est, ils choquent le regard et donnent la nausée au spectateur le plus docile. Une semblable vitesse serait concevable si l'on pouvait enregistrer un plus grand nombre d'images dans le même temps. Huit images en 1/6 de seconde pour la distance considérée rendraient pour le moins supportables des panoramiques rapides. Il faudrait donc filmer — et projeter — à 50 images par seconde, ce qui de toute façon serait bénéfique, la reproduction du mouvement étant d'autant plus souple que le mouvement est décomposé en un plus grand nombre d'images. Cette cadence, permise par la mécanique des caméras, fut d'ailleurs proposée par de nombreux techniciens aux débuts du parlant. Elle ne fut rejetée que par raison d'économie, le métrage devant alors passer du simple au double. Elle eut permis en tout cas de projeter « normalement » des films muets en triplant chaque image sur des copies nouvelles...

Montage contre mouvement de caméra

Par ailleurs, l'évolution de l'écriture filmique faite au cours des vingt premières années du siècle à partir du montage bien plutôt qu'à partir des mouvements de caméra a surpris bon nombre de critiques et de théoriciens peu familiarisés avec l'histoire non pas du cinéma, c'est-à-dire des films, mais des conditions de travail — production, mise en scène, prise de vues — de cette époque révolue. Écoutons plutôt Christian Metz :

L'histoire du cinéma entre 1900 et 1915 invite à une constatation très frappante : le procédé indirect — plus improbable en quelque sorte, moins immédiat — a joué un rôle beaucoup plus central que l'autre ; c'est le montage et son corollaire, le découpage, qui ont contribué, de façon plus décisive que les mouvements d'appareil, à libérer la caméra. Les travellings et les panoramiques n'étaient certes pas dédaignés, mais l'essentiel se jouait ailleurs. Il n'y a pas tellement de mouvements de caméra dans les films de Griffith, bien que certains d'entre eux y soient magnifiquement utilisés. Les grands événements de ces quinze années ne sont pas la première apparition du panoramique à valeur dramatique (*The Great Train Robbery*, de E.S. Porter, 1903), ni tel célèbre « déboîtement » de caméra dans *Naissance d'une nation*, mais le premier recours au montage alterné (*Attaque d'une mission en Chine*, de F. Williamson, 1901), au montage parallèle (*The Ex-convict*, de E.S. Porter, 1905), aux variations angulaires (dans les films de Porter), ou encore l'idée d'insérer un gros plan au milieu de plans plus éloignés (*Le Petit Docteur*, de A.G. Smith, 1900), puis d'utiliser le gros plan à des fins expressives et non plus comme simple « étude de détail » (*Judith de Béthulie*, de Griffith, 1913 ; *Le Fugitif*, de Thomas Ince, 1914) : bref, *des faits de montage*[7]. Il n'y a donc nul hasard si, chez André Malraux et Albert Laffay, c'est le découpage qui est donné comme corollaire de la libération de la caméra[8], chez Béla Balázs[9] et chez Jean Mitry[10] le montage. Ces auteurs ne signalent pas qu'il y a là quelque chose de paradoxal : ce ne sont pas les mouvements d'appareil qui ont le plus contribué à mobiliser l'appareil. Tout se passe comme si la transformation du cinématographe en cinéma s'était jouée autour des problèmes de *succession de plusieurs images*, beaucoup plus qu'autour d'une *modalité supplémentaire de l'image elle-même*, comme l'est le « mouvement d'appareil »[11].

Sans doute était-ce « aller plus vite au centre du problème » comme le dit Christian Metz mais, à ce moment-là, nul ne pouvait le savoir... La vérité est plus simple. Aussi paradoxal que cela puisse paraître aujourd'hui, on a utilisé le montage de préférence aux mouvements d'appareil *parce que c'était plus facile*. Pour des raisons qu'il convient d'expliquer, avant les années vingt les travellings ne représentaient pas

7. Renseignements historiques tirés de Jean MITRY, *op. cit.*, p. 269-279, t. I.
8. Pour André MALRAUX, *op. cit.*, même passage. Pour Albert LAFFAY, *Logique du cinéma*, Paris, 1964, p. 11.
9. *Loc. cit.*
10. *Loc. cit.*
11. Christian METZ, « Montage et discours », in *Essais*, vol. I, p. 90-96.

Un « champ profond » : la grande entrée de Babylone dans *Intolérance*, de David W. Griffith, 1916

— en moyenne — 10 % des prises de vues. Tous les plans (ou presque) étaient des plans fixes. Comme chacun supposait une prise de vue distincte, un fragment distinct, il était normal de les coller bout à bout selon l'ordre requis par l'action dramatique. Sans supposer — avant 1906 — une signification quelconque due à la particularité de cet ordonnancement. C'est en l'exécutant que l'on s'aperçut que cette « mise en relation » des plans entraînait un sens, une signification inattendue. Laquelle fut aussitôt mise à profit, développée, affinée, tant par Griffith que par une dizaine d'autres au cours des années 1910-1914, et permit aux critiques de découvrir le rythme et le montage.

Pourquoi donc si peu de travellings ? Il n'était pas bien compliqué d'installer une caméra sur un chariot. Mais qui dit déplacement dit changement de mise au point. Or les opérateurs qui tournaient à la manivelle (de la main droite) ne pouvaient que fort maladroitement agir dans le même temps de la main gauche, selon un tout autre mouvement, pour régler la mise au point. Qui plus est, cette surveillance nécessitait la visée à travers la pellicule. Or, à cette époque, l'œilleton était fait uniquement pour « faire le champ ». Il devait être fermé pendant la prise de vues sous peine de voiler la pellicule. Une « visée claire », parallèle à l'axe d'enregistrement, permettait de contrôler le mouvement des acteurs, mais point de maintenir le cadrage ni de suivre la mise au point. Ce qui était sans importance puisque les prises de vues étaient fixes. Aussi bien, à l'exception de très rares et très courts mouvements « en profondeur », la caméra ne se déplaçait (plans moyens ou grands ensembles) qu'en maintenant une distance égale entre elle et son objet.

A partir de 1915 (dès 1912 chez Ince, Griffith et quelques autres), l'opérateur fut flanqué d'un assistant chargé de modifier la mise au point en suivant des repères inscrits à la craie sur le sol au cours des répétitions. Vers 1923-1924, les nouvelles caméras furent pourvues d'un œilleton adaptable hermétiquement (par coussinet caoutchouté) à l'œil du cameraman, permettant ainsi de maintenir la visée sur pellicule en cours de tournage et, dès 1926-1927, la généralisation des caméras automatiques, en supprimant la manivelle, rendit l'opérateur libre de ses mouvements. Dès lors les travellings se multiplièrent. Les grues, les Dollies et, bien sûr, la caméra portative firent le reste. Comme quoi, qu'on le veuille ou non, l'esthétique du film est tributaire de la technique — elle-même conséquente de recherches suscitées par des intentions que l'on peut bien qualifier d'idéologiques si ça peut faire plaisir. Il en fut de même de la *profondeur de champ*.

Profondeur de champ et champ profond

Il faut se garder de confondre ce qu'on appelle la *profondeur de champ* (ou jeu dans la profondeur du champ spatial), qui est une interprétation de l'espace, avec le *champ profond* simplement relatif à l'étendue.

La *profondeur de champ* est un moyen d'expression qui apparut en 1942 avec les nouveaux objectifs à court foyer dits « grands-angulaires » (F. 18 et F. 16), utilisés pour la première fois et mis au point par l'opérateur Greg Toland dans *Citizen Kane* d'Orson Welles.

Le *champ profond* le doit aux objectifs F. 50 employés depuis les débuts du cinéma comme en photographie. Montés sur les plus élémentaires Kodaks, ils permettent une mise au point « sur champ total », c'est-à-dire depuis 3 mètres (personnages vus en pieds) jusqu'à l'infini.

Si l'on juge un moyen à la mesure de sa complexité ou de ses effets, le plus extraordinaire mouvement en « champ profond » fut réalisé par Griffith, en 1916, dans *Intolérance* lorsque les armées de Cyrus pénè-

Effets de profondeur de champ dans
Les Rapaces, d'Eric von Stroheim, 1923 ;
prise de vue et diagonale dans
La Nuit de San Lorenzo.

trent dans Babylone et dispersent la foule. Mais on voit bien qu'il ne s'agit que d'une simultanéité *descriptive*. Les individus n'ont d'autre lien que d'être là et de participer, malgré eux, à un événement global. Or, dans *Citizen Kane*, il ne s'agit plus de nous faire voir seulement deux ou plusieurs individus agissant simultanément, mais *réagissant différemment à partir d'une même cause*.

Toutefois, si l'étendue embrassée de la sorte correspond à peu près au champ visuel, son image n'est pas conforme à la vision normale. En effet, le grand-angulaire déforme les perspectives (d'où l'on peut tirer des effets significatifs) et la mise au point totale est artificielle. Si l'on fixe un objet que l'on met devant ses yeux, il apparaît net mais tout ce qui se trouve au-delà est flou ; si l'on fixe ensuite l'arrière-plan, celui-ci devient net mais l'objet est alors « dédoublé » du fait de la vision binoculaire.

Certains cameramen tentèrent de traduire cette modification de l'œil par le film. En changeant graduellement la mise au point, les arrière-plans, d'abord flous, se définissaient à mesure que le premier plan se brouillait — et inversement (sans dédoublement des objets, la caméra étant monoculaire). Ce procédé, lui aussi, devint une mode (vers 1935-1940), mais une mode insupportable. En effet, dans la réalité, cette opération qui nous est propre est rendue à peu près insensible par le fait du point de fixation choisi tandis que l'image, qui nous impose *en même temps* les deux points, l'un flou, l'autre net, la souligne fâcheusement.

Au contraire, la photo « en profondeur de champ » embrasse un ensemble que l'œil voit selon deux niveaux perceptifs distincts et en donne une image *uniformément au point*. Autrement dit, nous voyons une *représentation* qui rapporte avec la même netteté des choses qui ne sont saisies comme proches ou lointaines que par le jeu des perspectives. Ce qui revient à dire que le rendu inexact et interprétatif de la mise au point sur champ total donne un équivalent « corrigé » de la perception normale quand la traduction conforme aboutit à une représentation fausse. Infligé comme un supplice aux yeux des spectateurs, ce jeu des nets et des flous finit fort heureusement par disparaître à son tour — sauf à la télévision dont les caméras électroniques retrouvent à peu près l'instantanéité de l'accommodation visuelle.

Dans une image inscrivant la profondeur du champ, tout se passe comme si l'espace était rapporté selon deux plans distincts réimposés dans le même cadre. D'où une sorte de *césure* qui détermine un effet relationnel analogue à celui du montage ; une sorte de montage *dans le plan*, car si la mise au point sur champ total souligne l'homogénéité de l'espace, le 18,5 accuse la distinction des étendues qui le composent (premier plan plus proche/arrière-plan plus lointain) et permet de combiner ce qu'on aurait normalement montré en deux plans successifs.

Champ et hors-champ

La plupart du temps les propos tenus sur le hors-champ, les interminables discussions sur les notions de continuité et de discontinuité relèvent de lieux communs épistémologiques. N'est-ce pas un lieu commun en effet que de dire comme Pascal Bonitzer :

> Le cinéma joue autant de ce qu'il ne montre pas que de ce qu'il montre [et que] l'espace cinématographique s'articule d'un espace-champ et d'un espace hors champ, d'un vu et d'un non-vu[12].

Il est évident que, de par ses limites, le champ implique et définit un hors-champ ; mais le hors-champ n'est pas exclu. Ce n'est pas une terre étrangère, un autre monde ; simplement un « non-vu » qui peut être vu au plan suivant, qui est toujours disponible, en dehors mais *à-côté*. Et pas neutre comme une non-présence mais agissant plus ou moins directement sur les événements cadrés ; soit par les faits que découvrent les regards « off » et dont la nature peut être décisive sur le comportement des personnages « in » ; soit par les bruits qui nous renseignent sur l'entourage immédiat et créent une ambiance significative. Déjà, en 1927, Béla Balázs parlait de « vision indirecte » à propos des faits situés hors champ, perceptibles par leurs effets et d'autant plus significatifs que simplement suggérés. Rappelons parmi les exemples les plus célèbres : le massage d'Edna dans *L'Opinion publique*, la jeune femme entièrement nue étant hors champ, au bas de l'écran, tandis que les mains et les gestes de la masseuse moulent les formes de son corps. L'arrivée du train, dans le même film, dont on ne voit à la nuit tombante que le reflet des vitres éclairées glissant sur le quai de la gare puis repartant après qu'Edna, sortie du champ, soit virtuellement « montée dans le train ». L'assassinat du trapéziste dans *Variétés*, le meurtre étant accompli hors champ tandis qu'on ne voit (raison symbolique) que le lit conjugal. L'avion abattu dans *Charlot soldat* où l'on voit Charlot épauler puis viser un Fokker tandis que l'on suit sur son visage, sur son regard la chute de l'aéroplane[13]. Mais les exemples sont innombrables. Tant dans les films de Chaplin (l'un des premiers à avoir utilisé dès 1914 le pouvoir suggestif du hors-champ) que dans beaucoup d'autres dont le *Nana* de Jean Renoir abondamment cité par Noël Burch, mais dont les effets étaient déjà monnaie courante en 1926. On ne les compte plus aujourd'hui.

---

12. Pascal BONITZER, *Le Regard et la voix*, Ed. 10/18, 1976.
13. Dans certaines copies, on voit effectivement un avion tomber en flammes, le distributeur français ayant cru bon d'ajouter cet intercalaire pris dans les actualités de guerre, ce qui évidemment détruit totalement l'effet suggestif.

Le « hors-champ » intégré dans le champ par « effet miroir »
dans *Toute la ville en parle*, de John Ford, 1935,
et dans *The Servant*, de Joseph Losey, 1963

Burch souligne qu'il n'y a pas seulement quatre hors-champ possibles situés au-delà des quatre bords de l'image, mais encore celui qui fait face à la caméra — ou au peintre s'il s'agit d'un tableau. Ce hors-champ cependant n'agit comme tel que dans un espace restreint qui permet à ce qui est « off » d'être ramené dans le champ. L'exemple le plus célèbre à cet égard est celui des *Ménines* de Velázquez où, à l'intérieur de la pièce, le miroir fait voir le souverain qui regarde les enfants depuis l'encadrement de la porte.

Les miroirs permettent d'intégrer de la même manière une action située dans l'axe de la caméra, laquelle action devient image d'image en étant reflétée par le miroir situé dans le champ. Un exemple saisissant du « off/in » a été donné par John Ford dans *Je n'ai pas tué Lincoln*. On voit, dans un plan rapproché, un garde militaire qui vient épingler dans une vitrine, à la porte de la prison, les noms des condamnés parmi lesquels figure le docteur Mudd. Après avoir disposé la feuille, le soldat referme la vitre dans laquelle se reflète aussitôt le visage angoissé de Mrs Mudd, introduite de la sorte dans le champ comme si elle était « captée » par lui bien qu'elle soit toujours, physiquement, hors champ.

Au-delà d'une certaine distance toutefois, l'espace qui se trouve à la place occupée par le spectateur (ou par la caméra) ne peut pas être considéré comme un hors-champ. C'est le lieu du regard qui suppose une certaine distance sans laquelle le regardant deviendrait lui-même regardé. Ce qui revient à la définition du cadre sans lequel l'image serait incontournable. Bien que ses limites ne soient pas comparables au champ visuel, le cadre opère à la manière de notre corps qui effectue, dans la réalité, la distinction matérielle entre le moi et le non-moi.

Imaginons en effet que, par un souci de réalisme délirant, un peintre paysagiste veuille reproduire tout ce qui est compris dans son champ visuel. Il devra s'aviser alors que, devant lui, au premier plan, se trouvent sa toile et son chevalet. Il devra donc les inclure dans sa toile. Mais, sur le tableau représenté à l'intérieur de sa propre toile, il devra encore reproduire cette toile qu'il se représente en train de peindre. Et sur le tableau représenté dans son tableau, un autre tableau représentant ce tableau. Et ainsi de suite, dans une régression à l'infini, comme de ces affiches où l'on voit un Noir tenant une boîte de cacao sur laquelle on voit un Noir tenant une boîte de cacao, sur laquelle on voit..., etc.

Pour en terminer avec les évidences on dira avec Noël Burch qu'« il est évident que n'importe quel mouvement d'appareil suscite des transformations d'espace hors champ en espace du champ et inversement[14] ».

Ce qui n'est pas moins évident mais n'a guère suscité d'études com-

14. Noël BURCH, *Praxis du cinéma*, Éd. Gallimard, 1969.

parables, c'est ce qui correspond au hors-champ au niveau temporel. Les ellipses équivalent pour le moins à la « vision indirecte » évoquée par Béla Balázs.

Ainsi que Pascal Bonitzer le fait remarquer, il est évident que l'espace hors champ n'est pas du tout *imaginaire* sous prétexte qu'on ne le voit pas, mais simplement *imaginé* ; les personnages du film ne cessent pas d'exister lorsqu'ils sont sortis du champ, leur existence n'étant à considérer, bien sûr, qu'au niveau de la fiction. Il est vrai aussi que « l'image cinématographique est hantée par ce qui ne s'y trouve pas » et que le hors-champ « est un lieu d'incertitude, voire d'angoisse, qui le dote d'un pouvoir dramatique considérable ». Parler cependant de l'« incomplétude de l'image filmique » dépend de la façon dont on l'envisage. Filmique ou non, l'image est toujours incomplète puisqu'elle n'est jamais que la représentation *particulière* d'un fragment *particulier* du monde. Du moins si, dans le film, elle souffre d'un manque, le plan suivant la complète d'une incomplétude complétée à son tour et ainsi de suite dans une continuité qui ne sera jamais qu'un regard porté sur un aspect du monde. Il reste qu'au niveau de cette continuité, l'image, considérée non plus comme fragment devant l'espace représenté, mais comme élément de la chaîne signifiante, assure son autonomie sémantique devant le sens qu'elle contribue à produire.

Par ailleurs, de bons esprits affirment que — champ ou hors-champ — le cinéma est « mystifiant ». Sans doute l'illusion y est-elle plus formelle, plus insidieusement « réaliste » du fait de la duplication du réel, mais parce que le film nous montre ce qui n'est plus là et le semble, affirme l'absence des choses derrière leur présence formelle, c'est, ce doit être un *leurre*. Mais ceux qui parlent de leurre auraient-ils la naïveté de croire que seule l'image filmique est illusion ? Je n'irai pas jusqu'à mettre en doute la réalité du monde mais, ainsi que je l'ai déjà laissé entendre, cette réalité n'est jamais que le donné de nos sens qui saisissent des fragments de phénomènes dont notre conscience fait une réalité qui n'est « effectivement réelle » que pour nous.

Regardons plutôt le ciel. On sait mais on oublie de savoir qu'aucune étoile n'est là où nous la voyons à l'exception des quelques milliers dont la lumière met de dix ans (Sirius) à quatre siècles (l'étoile polaire) pour parvenir jusqu'à nous. Les autres — des centaines de milliards — sont beaucoup plus lointaines. A raison de 300 000 kilomètres par seconde, il faut cent mille ans à la lumière pour s'en venir du fond de notre voie lactée et plus de deux millions d'années pour franchir la distance qui nous sépare de la galaxie d'Andromède proche de la nôtre. Plus loin, les galaxies s'étagent de 50 millions à 15 milliards d'années lumière. Lorsque nous regardons la nébuleuse d'Andromède, nous ne la voyons donc pas « telle qu'elle est » mais telle qu'elle était il y a deux millions deux cent mille ans. Où est-elle, comment est-elle aujourd'hui ? Nous n'en savons rien ni même si elle existe encore. Nous ne le saurons — si l'on peut dire — que dans deux millions d'années...

En regardant le ciel, nous ne voyons donc que du passé, un lointain passé. La voûte céleste est peuplée de fantômes : un leurre un peu plus consistant que le leurre filmique !... Mais étendre la notion de présent à l'univers tout entier, n'est-ce pas encore un leurre ? L'illusion se cache au plus profond du réel...

Regards à la caméra

Ainsi que je le disais plus haut, « l'espace qui se trouve à la place occupée par la caméra suppose une certaine distance sans laquelle le regardant (le spectateur) deviendrait lui-même du regardé ». Ce hors-champ qui équivaut au « quatrième mur » de la scène marque une séparation infranchissable entre deux univers. Aucune communication n'est et « ne doit » être possible sauf que de nier la fiction en la dénonçant comme telle. A peine admissible au théâtre — dans les vaudevilles mais pas dans les tragédies —, le « clin d'œil au public » est insupportable au cinéma où rien ne doit sembler avoir été fait « pour » le spectateur, témoin d'un événement supposé vrai bien davantage que spectateur avoué d'une aventure imaginaire.

Déjà, en 1909, Frank Woods (l'un des premiers théoriciens valables) disait en substance :

> Un bon metteur en scène insiste constamment auprès de ses acteurs pour qu'ils détournent les yeux de la caméra, et les bons acteurs essayent de le faire. Nombreux sont ceux qui y réussissent ; mais le simple fait de ne pas regarder la caméra est-il suffisant ? Ne devrait-il pas y avoir une indifférence absolue à la présence de la caméra ?
> En tournant le visage vers la caméra, l'acteur trahit le fait qu'il est en train de jouer, montre qu'il y a quelqu'un en face de lui, caché au spectateur et auquel l'acteur s'adresse. Immédiatement l'impression de réalité disparaît et l'illusion hypnotique qui s'était emparée de l'esprit du spectateur s'évanouit[15].

Il en était ainsi des *Rigadin* (1909-1914) où l'acteur, peu soucieux de préserver l'impression de réalité, soulignait plutôt la facticité de l'histoire en faisant du spectateur une sorte de complice « mis dans le secret de la chose »...

Ce genre de clin d'œil, encore fréquent dans les films comiques anté-

15. Frank WOODS, *New York Dramatic Mirror*, 10 juillet 1909.

rieurs à 1915, a disparu depuis longtemps. Mais il a fait place à ce qu'on appelle aujourd'hui — assez maladroitement — *le regard à la caméra*. Lequel regard suppose des conditions diverses.

Quand peut-on parler de regard à la caméra ?, se demande Marc Vernet. La question déclenche en effet toute une série d'hésitations quant à l'évaluation des directions de regard et à leur mise en scène. L'expression « regard à la caméra » est bien mal fagotée puisqu'elle veut rendre compte en termes de *tournage* d'un effet produit à la *projection* du film, à savoir que le *spectateur* a l'impression que le *personnage*, dans la diégèse, le regarde directement, à sa place, dans la salle de cinéma. Ainsi se trouvent alignés trois espaces différents : le tournage, l'univers diégétique et la salle de cinéma. Rien d'étonnant, dira-t-on, puisque le « regard à la caméra » a justement pour effet de produire cet alignement. Mais alors on confond la cause et l'effet. Et puis : cet alignement se produit-il réellement, ne serait-ce que pour le spectateur ?

Tenons-nous en d'abord au tournage. Pour obtenir un « regard à la caméra », il faut que l'acteur regarde l'objectif sans qu'un autre acteur ou objet s'interpose entre lui et la caméra. Il lui faut être assez près de cette dernière afin qu'à l'image, on puisse juger de la direction de son regard : il faut donc qu'il soit filmé en gros plan (à tout le moins en plan américain) dans la position la plus frontale possible. Il faut aussi que le regard de l'acteur soit focalisé au plan de l'objectif ou de la caméra (que l'acteur « accommode » à ce niveau) pour donner l'impression de regarder avec attention quelque chose ou quelqu'un. Sinon son regard apparaîtra vide, sans destinataire ou sans objet, perdu dans le vague. [...] Il faut d'ailleurs noter que ce qu'on appelle « regard à la caméra » est la conjonction d'une donnée visuelle (le regard « dans l'objectif ») et d'une donnée sonore (une interpellation, une allocution). La tentation aura sans doute été grande de rabattre sur le regard ce qui relevait de la voix et de la syntaxe, voire du geste (bras tendu vers la caméra). On voit ici comment se dessine un parallèle entre le regard et la « voix off », qui est une adresse purement vocale au spectateur[16].

Mais un tel regard est exceptionnel au cinéma. Il est fréquent à la télévision où, sans tricherie, un narrateur, en rapportant des événements illustrés, s'adresse à des auditeurs bien davantage qu'à des spectateurs. Tel Alain Decaux dont le regard cependant *n'est pas* focalisé au niveau de la caméra pour, justement, ne pas donner l'impression qu'il regarde quelqu'un *en particulier* mais n'importe qui — celui, au contraire, qui le fixe.

En fait, le seul regard à la caméra qui soit acceptable, c'est celui du comédien (pas nécessairement en gros plan) qui, au cours du film, s'adresse au public pour démystifier, par dérision, le film qu'il est en

16. Marc VERNET, « Le regard à la caméra : figures de l'absence », in *Iris*, vol. 2, n° 2, Analeph, 1984.

train d'interpréter. Ou encore lorsque le sujet est d'un film que l'on est en train de tourner (comme dans *La Nuit américaine*, de François Truffaut) et que le réalisateur et son équipe veulent donner l'impression d'appartenir au même monde que le public, rejetant de la sorte dans une fiction manifeste le drame qu'ils sont en train de filmer.

Il est un autre regard que les metteurs en scène ont presque toujours évité parce qu'ils le confondent avec le regard *à la caméra*, c'est le regard *vers la caméra*, c'est-à-dire vers cet espace situé « du côté des spectateurs » et vers lequel il est tout aussi plausible de porter son regard que vers les hors-champ situés à droite ou à gauche du champ. Dans ce cas, ou bien le personnage s'adresse à quelqu'un que l'on ne voit pas et doit donner l'impression de le regarder sans toutefois jamais focaliser au niveau de la caméra ; ou bien il regarde simplement ce qui s'offre à son regard, individus, maisons, paysage, tandis qu'il monologue à la manière de Belmondo dans *A bout de souffle*. Lequel film, en fait de bouleversement, a tout simplement montré avec raison que le regard dirigé *vers* la caméra n'était pas du tout, n'était pas forcément le regard *à la caméra*.

Dans le cas où (pour reprendre un exemple cité par Jim Collins et repris par Marc Vernet) il s'agit d'un chanteur s'adressant directement à la caméra comme dans les comédies musicales américaines, dès l'instant que l'on a vu « quelques plans où figure un public diégétique », ce n'est rien de plus que l'équivalent du champ/contrechamp. La caméra occupe la place du public au lieu d'occuper celle de l'un des partenaires dans une scène à deux personnages.

Technique et idéologie

La polémique n'est pas l'objet de cet ouvrage et je n'ai pas le moins du monde l'intention de nier l'influence de l'idéologie — des idéologies — sur l'évolution du cinéma. Mais, comme je l'ai dit à propos de la perspective, il ne faudrait tout de même pas mettre constamment la charrue avant les bœufs, exercice en lequel Jean-Louis Comolli était passé maître du temps qu'il théorisait dans *Les Cahiers du cinéma*[17].

Selon lui, en effet, le relatif abandon de la « profondeur de champ » en 1928-1942 aurait eu pour cause non pas du tout des raisons techniques ou esthétiques mais économico-idéologiques « dictées par les intérêts et le pouvoir des classes dominantes ».

17. « Caméra, perspective, profondeur de champ », in *Les Cahiers du cinéma*, n°s 230 à 234, 1972.

Que les conditions techniques n'aient pas été seules en cause, c'est évident, la technique étant soumise comme le reste aux conditions d'existence d'une société donnée. Mais il devient nécessaire de mettre les choses au point, tant on a égrené de sottises à propos des gros plans, de la perspective et de la profondeur de champ.

Précisons pour commencer qu'il n'y a jamais eu « éclipse de la profondeur de champ » si l'on entend par là de larges plans d'ensemble embrassant toute la profondeur de l'espace. Au cours des années trente, les exemples se chiffrent par centaines. Si, tout au contraire, on envisage les conditions esthétiques développées dans les films d'Orson Welles alors, effectivement, il y a eu « éclipse » puisque la plupart de ces conditions étaient irréalisables avant la construction des objectifs à court foyer, c'est-à-dire, précisément, avant 1942[18]...

La vérité est qu'une mode a sévi au cours des années 1928-1940, qui tendait à enregistrer la plupart des scènes tournées en studio avec des objectifs à grande ouverture et, donc, à peu de profondeur de champ. La raison en est tout d'abord de la généralisation de la panchromatique en 1927-1928. Peu sensible à la lumière violette, cette pellicule imposa le remplacement des arcs par des lampes à incandescence dont le spectre tirait sur le jaune mais qui dégageaient une chaleur intense. Leur puissance étant plus faible que celle des arcs, il fallut : ou bien les multiplier en interrompant les prises de vues toutes les heures pour aérer le studio dont la température n'était plus supportable (le maquillage fondait...). Ou bien « ouvrir » l'objectif au maximum pour absorber plus de lumière sous un éclairage plus faible. Ce que l'on fit le plus souvent. En conséquence de quoi les plans moyens se détachaient sur des arrière-plans cotonneux.

Le parlant imposa lui aussi l'abandon des arcs qui « crachotaient » et rendaient l'enregistrement des sons impossible. Toutefois, dès 1932, des arcs silencieux à lumière jaune (utilisant des charbons traités au tungstène) permirent de retrouver des conditions normales. Mais les opérateurs — et les metteurs en scène —, ayant pris l'habitude de faire des images « vaporeuses » et de multiplier les plans rapprochés en comptant sur le montage, continuèrent dans cette voie « parce que ça faisait bien », et aussi parce que ça permettait d'accentuer le rythme et les contrastes de plan à plan.

Aucune obligation donc de caractère strictement technique, sauf pour

18. Pour éviter les contestations, je précise qu'elle fut obtenue partiellement par Von Stroheim dans *Greed* (1923), son opérateur William Daniels utilisant des F. 25 et diaphragmant au maximum. Mais l'ortho permettait un éclairage intense avec des arcs, et la déformation optique (fondamentale) due aux courts foyers n'existait pas. William Wyler fit de même dans *La Vipère* en 1942.

une courte période. Et encore moins idéologique... Il en fut de même pour les gros plans. Pourquoi (sauf exceptions rarissimes) aucun gros plan dans aucun film avant 1912 ? Il n'était pourtant pas difficile de rapprocher la caméra ni de se servir d'objectifs « à portrait » analogues à ceux dont se servaient les photographes. Or, tout comme au théâtre, il *fallait* que les personnages fussent en pieds. Henri Fescourt qui tournait chez Gaumont dès avant 1914 rapporte, dans son ouvrage *La Foi et les montagnes*, que Léon Gaumont faisait recommencer les plans qui, par hasard, montraient des acteurs coupés à mi-corps ou à hauteur du buste : « Sachez, disait-il dans un accès de fureur, que les têtes ne marchent pas toutes seules[19]... »

Le climat était à peu près le même dans tous les pays du monde. Idéologie ? Tout comme pour la succession des plans selon des points de vue distincts dès les premières années du siècle, il s'agit bien plutôt d'une habitude culturelle, l'idéologie supposant des attendus économico-politiques qui n'ont rien à voir dans la question.

Comme pour le travelling, les raisons et les conditions qui présidèrent à l'évolution du cinéma sont souvent beaucoup plus simples — et plus complexes — qu'on ne l'imagine.

Note relative au gros plan

Il est curieux de voir combien certains critiques, même parmi les plus avertis, peuvent être amenés parfois à débattre sur d'invraisemblables contresens. C'est ainsi que dans un article de la revue belge *Gros Plan*, Philippe Dubois, en reprenant un texte assez ambigu de Sadoul relatif à *L'Arrivée d'un train en gare de La Ciotat*, remarque que :

> Ce train, qui surgit de la profondeur et traverse sans discontinuer tout l'espace du champ, nous fait littéralement éprouver des *forces singulières*, liées non pas tant aux différentes « grosseurs » qui scanderaient son parcours, comme les cases d'une structure vide qu'il remplirait progressivement, mais liées au *passage* perpétuel de l'une à l'autre, au franchissement, à la traversée du système. Par son mouvement continu, *L'Entrée du train* glisse sous toute structure articulatoire, échappe à l'imposition d'une « échelle des plans » conçue comme système optico-technique *a priori*, avec ses « degrés », ses critères distinctifs, ses découpages établis.

Ce qui est le fait même de la « profondeur de champ ». D'où il s'élève contre

19. Henri FESCOURT, *La Foi et les montagnes*, Éd. Paul-Montel, 1959.

un plan exhibé comme tel, clairement identifiable, isolé, séparé, discret au sens linguistique du terme, c'est-à-dire coupé des autres par une barre qui en marquerait le seuil distinctif — et qui instituerait du même coup un *système*, établi, rigoureux, structural : celui de « l'échelle des plans ».

Mais cette « échelle » n'a jamais existé que dans les « grammaires du cinéma », échafaudées au cours des années trente par des théoriciens en mal de classifications. Ainsi que je l'ai cent fois répété, ces distinctions arbitraires, ces divisions en tranches n'ont jamais été que des commodités de travail. Il y a autant de plans possibles que de points entre l'objectif et l'infini, la distinction réelle étant marquée par la marge spatiale « au point » en raison de la distance focale, de l'éclairement du sujet et de l'ouverture du diaphragme.

S'il y a bien, dit encore Philippe Dubois, un *effet* propre au dispositif du film de Lumière, un effet sur lequel tous les chroniqueurs ont insisté, c'est bien celui-là, qui est *l'effet gros plan* même : *frapper* le spectateur, d'étonnement, ou de stupéfaction, ou même de terreur, jusqu'à le faire se dresser sur son siège et fuir hors de portée de cette image grossissante, écrasante, dévorante. Sadoul encore : « Dans *L'Arrivée d'un train*, la locomotive arrivait du fond de l'écran, fonçait sur les spectateurs et les faisait sursauter : ils craignaient d'être écrasés. »

Or il n'y a pas de *gros plans* dans le film en question. La locomotive arrive au plus près en plan rapproché (premier plan si l'on veut) puis s'éloigne hors-champ sur la gauche. Et les voyageurs les plus proches sont en « plan américain ». Ce qui a effrayé, ce n'est point du tout le grossissement des plans mais le mouvement, le rapprochement de la locomotive. Et ça n'a jamais effrayé que le public des premiers jours. Il ne faut pas oublier qu'avant l'existence du cinématographe on n'avait jamais enregistré le mouvement — le véritable mouvement des choses réelles. Leur reproduction avait de quoi surprendre, surtout dans les conditions de ce train. Mais la chose fut vite connue et cette « peur collective » relève de la mythologie.

Ce qui peut surprendre en cette occasion c'est de lire sous la plume de Bonitzer que :

Le gros plan détruit, en l'absorbant, l'échelle des plans ; dans la transgression des distances qu'il impose à l'œil, il en défait la hiérarchie.

Et encore que :

Le gros plan tend à annuler la profondeur de champ (c'est-à-dire l'alignement des plans selon la perspective) et avec elle le « réalisme » perspectif. Ce réalisme est comme emporté, par une pente naturelle du regard, vers un point de consistance : de plaisir, d'horreur ou de terreur, incarné par le gros plan.

Or, que ce soit d'un visage ou d'un objet, le gros plan occupe, par définition, la quasi-totalité de l'écran. Il ne saurait donc annuler ce qui est hors champ ou simplement caché par lui. Et s'il s'agit d'un premier plan qui laisse du champ libre, le film de Lumière démontre justement que l'objectif le plus courant, non seulement n'annule pas la profondeur, mais souligne l'alignement des plans et jusqu'aux plus lointains.

On ne voit donc pas pourquoi, ni comment le gros plan ne serait que « surface pure »... pour reprendre l'expression de Bonitzer.

Pour en finir avec ces « grammaires du cinéma » citées une fois de plus, et dont on ne saurait mésestimer les intentions, on peut dire que toutes les règles qu'elles énoncent concernant le montage, le cadrage, les angles, les contrechamps et le reste sont *vraies*. Mais on peut les prendre à l'envers : *le contraire* (selon le cas bien entendu) *est également vrai*. Ce n'est donc pas à dire qu'il n'y a pas de règles au cinéma mais qu'aucune n'est pertinente, qu'aucune n'a force de loi.

VI

LES SIGNIFICATIONS ICONIQUES

Si, au niveau du plan, l'image filmique peut être considérée comme une sorte de *signe-gestalt* où signifiant et signifié ne font qu'un, il reste que les significations proprement filmiques ne commencent qu'avec la façon de faire voir les choses, de les organiser relativement entre elles, là où, comme pour le signe linguistique, le signifiant est sans commune mesure avec la nature du signifié. Mais avant d'envisager l'organisation des plans dans la continuité filmique, c'est-à-dire le montage, il convient d'envisager l'organisation — ou la réorganisation — de l'espace à l'intérieur du champ, c'est-à-dire les significations de l'image *elle-même*.

Si j'ai dit par ailleurs que le réel était en son image « tel qu'en un double augmenté des qualités spécifiques de la reproduction », il n'y faut voir qu'une métaphore, car l'image n'est en rien le « double » du réel comme d'aucuns parfois le laissent entendre. Le double d'un objet ne saurait être qu'un *autre objet*, analogue mais distinct, alors que l'image d'un fauteuil n'est pas un autre fauteuil mais *le même* donné en image. L'image est d'une autre nature que l'objet réel mais, *en tant que forme et figure*, elle est cet objet et nul autre.

Parler de signifié ou de référent c'est donc, à ce niveau, dire la même chose. Dans le langage verbal le référent est étranger au mot qui le désigne. Au cinéma, au contraire, il est *dans* l'image ; il est *cette image même* qui n'existerait pas sans lui. Le représenté n'a d'autre référent que sa propre représentation : l'image du fauteuil ne se réfère pas à un *autre fauteuil* mais à celui dont elle est l'image. Il n'y a pas à chercher une autre réalité que celle donnée par le film si ce n'est par comparaison ou par opposition avec un réel concret qui peut servir de référentiel mais non de référent.

Dans mon *Esthétique* j'avais avancé le terme d'*analogon* pour marquer l'analogie et la différence du réel et de sa représentation. Or l'image filmique n'est pas un analogon. Le terme en effet ne saurait se rapporter qu'à la peinture. Dans la toile de Van Gogh qui représente sa chambre à coucher, la chaise paillée est l'analogon de celle qu'on peut supposer lui avoir servi de modèle ou qu'on imagine à travers elle. Mais la chaise peinte n'existe qu'en vertu et à la faveur du tableau. Tout analogue qu'elle soit, elle est distincte et autonome. Au cinéma on n'imagine pas un objet à la fois distinct et semblable : *on voit la chaise réelle dans le même temps que l'image affirme, en tant qu'image, l'absence de cet objet cependant perçu comme présent.*

Le fait de signifier n'a pas nécessairement pour objet de charger une chose d'un sens qu'elle n'aurait pas. Cela peut se limiter à gommer les significations dont on n'a pas besoin pour mettre en valeur celles qui sont momentanément nécessaires. Il s'agirait alors d'une *soustraction* bien plutôt que d'une *addition.* Néanmoins, par le fait du *cadre* qui ne se contente pas de donner avantage ou pertinence à certains personnages, à certains objets, à certaines formes, non plus qu'à limiter l'image, mais qui en délimite les structures internes et provoque une véritable *recentration du champ,* l'image acquiert un sens qui ne *s'ajoute pas* au sens premier mais simplement le modifie, créant de la sorte une signification nouvelle *par quoi commencent les significations proprement filmiques,* car — il est bon de le préciser — il n'existe pas de signification filmique qui ne soit fondée sur la signification des choses filmées : *au cinéma on parle des choses avec les choses dont on parle.*

Le cinéma en effet est essentiellement un art du concret, de la mise en signes — ou en signification — des choses concrètes. Un art de structures et de structuration nullement assimilable au structuralisme, aucune structure filmique n'étant signifiante par elle-même, la forme signifiante y étant toujours fondée sur — ou avec — les formes du contenu.

Autrement dit on peut, en jouant sur les rapports de choses, de formes, de position, composer une image expressive, donner un sens particulier au monde représenté. Le réel donné en images qui nous apparaît comme immédiat est toujours, par force — et par raison — un réel médiatisé.

Les éléments saisis par l'objectif sont ré-organisés, structurés en fonction (et par la fonction même) du cadre auquel ils se rapportent. L'image devient une *forme.* Et comme ce qu'elle dénote est toujours vu sous un certain angle, la représentation est déjà, par elle-même, une manière de *connotation.* Une connotation que l'on dira *iconique* pour la distinguer des connotations « discursives » qui relèvent de l'ordonnance des plans. L'image n'est donc pas, comme le mot, une simple dénotation. Elle témoigne au premier chef des significations qui sont propres à l'objet représenté, mais *par elle* et à travers elle cet objet prend un sens nouveau. L'image est donc plus riche, plus signifiante que la somme de ses parties. D'où l'on peut déduire que *tout objet donné en images animées acquiert un sens — un ensemble de significations — qu'il ne possède pas* en réalité, *c'est-à-dire en présence réelle.* Comme on l'a dit, *la représentation modifie le représenté.* L'image fait *comparaître* les choses. C'est une sommation du réel qui nous donne toujours à penser *sur* les choses en même temps qu'elle nous donne à penser *avec* elles.

Assurément, l'image filmique retient rarement l'attention sur ses seules structures. Sauf dans l'expressionnisme où les valeurs plastiques ramènent toutes les significations à une symbolique formelle.

En quoi il convient de distinguer le *cadrage* qui découpe un fragment d'espace tel que les éléments compris dans le cadre s'équilibrent relativement entre eux et la composition d'un monde faite à *partir d'un cadre* agissant, comme en peinture classique, à la manière d'un paramètre compositionnel.

Dans ce cas les stylisations concernent le décor et sont *antérieures* à la prise de vues. Les modalités signifiantes sont dans le jeu des lumières et des ombres, dans les relations de volumes, lignes, surfaces que la caméra enregistre selon l'axialisation symétrique ou asymétrique d'un espace limité et contraint.

Les données du cadrage ne prenant généralement leur sens qu'en regard d'un contexte, il est évident que les significations iconiques ont trouvé leur aboutissement là où l'image agit comme une unité distincte et autonome, c'est-à-dire dans l'expressionnisme où les relations formelles sont soulignées par la permanence du cadre. Les prises de vues mobiles, en effet, les font oublier quelque peu, mais comme les modifications de l'image se rapportent à ce même cadre, ce sont alors les transformations plastiques qui sont ressenties par le spectateur ; d'une façon moins pertinente sans doute mais guère moins efficiente.

Représenté et représentation

L'image est donc fondamentalement attachée à son cadre. Toutes les significations plastiques en dépendent. Et pourtant l'écran apparaît bien comme une fenêtre ouverte sur un monde. La frontière qui limite le réel représenté n'appartient qu'à cette fenêtre. Le monde se continue de part et d'autre. Mais alors que l'image offerte par la photo donne une impression de profondeur tout en demeurant confinée dans le plan, l'image filmique, de par le mouvement qu'elle reproduit, accuse cette impression qui devient une véritable *sensation.* Par là, elle *tend à se détacher du plan sur lequel elle se produit.* Le relief, la profondeur, perçus comme dans la réalité, font apparaître l'écran tel qu'une ouverture donnant sur un espace qui serait situé *de l'autre côté* de cet écran et plus du tout tel qu'une surface plane.

Toutefois, au niveau de la représentation, les choses *données en images* n'en sont pas moins *liées phénoménalement* au cadre qui les englobe : alors que dans la réalité, je puis me rapprocher de la fenêtre pour découvrir un champ plus étendu ou me placer sur le côté pour voir par une vue médiane l'espace qui m'était caché, lorsque je suis au cinéma j'aurai beau me placer à l'extrême droite ou à l'extrême gauche de l'écran, c'est la même image qui me sera donnée. J'y gagnerai seulement de la voir déformée...

Autrement dit : *en tant que représenté*, les images filmiques sont analogues aux « images immédiates » de la conscience mais, *en tant que représentation*, ce sont des *formes* esthétiquement structurées. D'où un double niveau perceptif qui constitue, avec d'autres phénomènes que nous examinerons plus loin, l'essentiel de la fascination filmique, de son envoûtement.

Consciemment ou non, en effet, nous subissons l'« effet cadre » selon que les composantes plastiques sont plus ou moins recherchées. Mais nous ne voyons pas le donné filmique tel qu'une image : je ne vois pas l'image d'un cow-boy monter sur l'image d'un cheval, mais un cow-boy monter à cheval. *Je vise l'objet réel à travers l'image qui m'en est donnée.* Ce qui suppose :

A. Un plan perceptif *immédiat* qui nous donne une *forme* délimitée par un cadre dont les effets, de caractère pictural ou plastique, affectent notre sensibilité.

B. Un plan perceptif se référant à l'expérience, au *jugement*. Les choses représentées sont saisies comme un *donné réel* à travers une formalisation instantanément déchiffrée. Nous savons que l'espace entrevu, *limité* par le cadre, n'est nullement *délimité* par lui.

L'erreur de bien des théoriciens est de n'avoir jamais considéré que l'un seulement de ces deux aspects. L'un ou l'autre, mais l'un à l'exclusion de l'autre en raison de leur apparence contradictoire. Néanmoins, le *représenté* n'est jamais perçu qu'à travers sa *représentation*. Il s'ensuit que, du fait de leur analogie formelle, la perception filmique agit à un double niveau. L'image, immédiatement perçue, impose ses structures à la réalité filmée de qui cependant elle les tient. *L'effet-lucarne se superpose à l'effet-cadre*. Mais en des degrés divers qui permettent toutes les stylistiques possibles selon qu'on met l'accent sur l'image (à la limite, l'expressionnisme) ou sur le réel enregistré (à la limite, le néoréalisme ou le « cinéma direct »).

Quoi qu'il en soit, bien que le réel soit « irréalisé », bien qu'il soit situé dans un « autre espace », nous *participons* à cette réalité, nous nous introduisons dans cet espace, tandis que nous ne participons jamais que par le fait d'une convention ou d'un agrément volontaire à la réalité « figurée » de la scène dont l'action se déroule pourtant dans le même monde physique que le nôtre.

Cette participation est due à plusieurs faits mais en particulier à la mobilité de la caméra et aux changements de plans. Du fait que tout se passe comme si nous nous déplacions dans l'espace représenté, nous lui accordons une « réalité » évidente et nous nous y « intégrons ».

Le cadre pose objectivement le réel et fait de chacun de nous, spectateur, un observateur attentif mais « extérieur » au drame. Il établit une sorte de distanciation entre les personnages et nous, distanciation accusée par l'impossibilité de tout contact, de toute communication : un homme vient du fond du décor et arrive au premier plan. Il s'approche de moi — semble-t-il — mais, à peine est-il là, tout près, qu'il disparaît hors champ. Il ne m'atteindra jamais. Il ne peut pas franchir son espace ; un espace auquel il est attaché, dont il dépend, et hors duquel il n'est rien. Un monde nous sépare...

Dans le même temps, grâce à la mobilité de la caméra, à la multiplicité des plans, je suis partout à la fois. Il me suffit d'être intéressé, d'entrer dans le jeu, de me laisser aller. Je suis « pris ». Non plus seulement captivé mais littéralement « capté », absorbé par l'espace étrange et fascinant sur lequel un écran s'est ouvert. Les héros du film sont tout d'un coup plus près de moi que ne l'est mon voisin, et tellement qu'ils me frôlent. J'épouse les mouvements, les déplacements de l'un, de l'autre, je vais, je vois, j'agis avec eux, comme eux, en même temps qu'eux ; je participe à leur drame qui devient momentanément « le mien ». Je ne suis plus spectateur mais bel et bien « acteur ». Je me *sais* dans la salle mais je me *sens* dans le monde offert à mon regard ; un monde que j'éprouve « physiquement » en m'identifiant à l'un ou à l'autre des personnages du drame — à tous, alternativement.

Ce qui revient à dire qu'au cinéma je suis à la fois *dans* cette action et *en dehors* d'elle, *dans cet espace et hors de cet espace*. Ayant le don d'ubiquité je suis partout et nulle part.

Effets absurdes

La relative ignorance de l'« effet-cadre » permit d'échafauder, au cours des années vingt, des théories — et des pratiques — extravagantes. C'est ainsi qu'une extrapolation voulait que l'on inclinât la caméra à l'horizontale pour représenter ce que voyait — ou devait voir — un individu couché. En conséquence l'image montrait les murs horizontaux tandis que le plancher et le plafond s'élevaient à la verticale, ce qui ne correspondait à aucune vision réelle des choses, un homme allongé voyant les murs de sa chambre tout comme lorsqu'il est debout.

Cela tient à une fonction régulatrice qui a pour but de maintenir une perception équilibrée et qui tend à ce que les choses observées gardent une position et une orientation constantes, quels que soient les mouvements ou les positions de l'observateur. Cette fonction s'apparente à la constante de Brunswick qui veut que les dimensions apparentes des objets ne diminuent pas en proportion inverse de leur distance à l'observateur ainsi que l'exigeraient les lois (d'ailleurs fort arbitraires) de la perspective.

Ces effets étaient connus dès avant l'existence du cinéma, les expériences faites par Helmholtz et son école les ayant mis en évidence avant qu'elles ne soient reprises, développées et précisées au cours des années dix par les psychologues de la Gestalt. Non seulement le cadre limite et délimite l'image, mais il sépare, par une sorte de ségrégation, le fragment d'espace qu'il comprend d'avec l'espace d'où ce fragment est extrait et où semble se tenir l'observateur.

C'est cette ségrégation qui, en créant une opposition (ou une distinction) objet-sujet, regardant-regardé, semble rejeter « de l'autre côté de l'écran » l'espace compris dans le cadre dont les inflexions, lorsqu'elles sont contrariées, ont un effet désastreux. *Les Noces* d'Andrzej Wajda en offre un exemple très clair. Lors de la séquence du mariage, les invités se livrent à une sorte de danse « sautillée ». Voulant donner sans doute une « impression de vérité », l'opérateur, caméra en main, s'est mis à sautiller aussi. A la prise de vues la caméra suit le mouvement des danseurs. Tout comme eux, elle s'agite de haut en bas et de bas en haut ; elle les tient « au point fixe » dans son cadrage. Mais à la projection, l'écran étant immobile, ce ne sont plus les danseurs qui s'agitent, mais l'espace tout entier — l'univers cadré — qui est soumis à une invraisemblable danse de Saint-Guy : les murs sautillent, les plafonds giroient et le spectateur est comme sur un navire en pleine tempête, mal de mer compris. Sous prétexte de faire « vrai », tout est faux — ou faussé. Il ne s'agit pas, on le devine, de réalisme ou d'irréalisme, de vraisemblance ou d'invraisemblance mais simplement d'exactitude dans le simple « rendu perceptif ». Aucun valseur ne voit les murs tourner, aucun personnage sautillant ne voit les murs danser la gigue...

Il en est de même des prises de vues « de travers » qui furent à la mode pendant toute une décennie. Un homme incliné ne voit pas les rues de travers. On peut voir les choses d'en haut ou d'en bas mais, quel que soit l'angle de vision, l'incidence angulaire n'est jamais que l'aspect d'une perception globale. Ce sont précisément les limites et les délimitations du cadre qui soulignent cette incidence et la définissent comme plongée ou contre-plongée. Sans doute est-il légitime de montrer selon une inclinaison la partie d'un tout dont l'horizon est masqué par le cadrage. Mais non ce « tout » lui-même. Vu en plongée ou en contre-plongée, l'horizon n'est jamais « de travers », même si l'on penche la tête de côté. Si donc le propos est de donner un équivalent de la perception réelle, la caméra ne doit pas faire voir cet horizon de travers, quelle que soit la position de celui qu'elle remplace. Or, pour « faire vrai », les prises de vues en question mettaient gentiment l'horizon en diagonale...

La caméra qui dit « je »

C'est encore l'effet-cadre qui permit de mettre en valeur ce qu'on devait appeler la *caméra subjective*. Afin de rompre l'objectivité apparente d'un réel manipulé ou non mais toujours « distancié », vu du dehors, certains metteurs en scène eurent l'idée de mettre la caméra à la place du héros pendant de courts instants afin de faire partager son point de vue et, partant, de permettre au spectateur d'épouser ou de mieux comprendre ses sentiments, son état d'esprit. Esquissé par Abel Gance dans *La Roue*, en 1921, le procédé fut généralisé par Ewald André Dupont dans *Variétés*, en 1925.

Le point de vue du narrateur qui rapportait les faits d'une façon purement descriptive alternait avec ce que voyait l'un ou l'autre des personnages du drame : images dont la subjectivité n'était que du *regard* porté sur le monde extérieur (rien à voir avec l'image mentale ou avec l'imaginaire) mais qui, pour être reconnues comme subjectives et pouvoir être rapportées à quelqu'un, imposaient que ce quelqu'un fût situé — ait été préalablement situé — en position de regardant par rapport aux choses ou aux personnages regardés, c'est-à-dire qu'il ait été cadré en conséquence dans le plan précédent. Si, après un plan d'ensemble montrant une jeune fille qui arrive au loin et qui se dirige vers un garçon, la caméra la fait voir en se plaçant dans l'axe de vision du garçon, je pourrai, bien sûr, m'identifier à lui. Mais si ce garçon n'a pas été convenablement situé dans le plan d'ensemble, l'image de la jeune fille arrivant vers la caméra se résorbera dans l'anonymat d'un regard parfaitement objectif.

En 1926, après le film de Dupont, l'idée vint à quelques jeunes critiques, dont je fus — et aussi Pierre Porte, Paul Ramain, Henri Hughes —, d'un cinéma entièrement subjectif, c'est-à-dire d'un film qui serait raconté à la première personne. On ne verrait jamais que ce que voit le héros, la caméra étant constamment à sa place. Gréville alla même jusqu'à supposer un drame dont le héros ne serait autre que le spectateur amené à se reconnaître coupable d'un meurtre accompli dans des circonstances tragiques. L'idée qui suscita de nombreuses discussions autour du Dôme ou des Deux-Magots n'en resta pas moins entre les lignes de quelques articles qui exaltaient ou mettaient en doute les éventualités du propos.

Le parlant le réactualisa en permettant — semblait-il — de donner un corps à ce personnage invisible grâce à la parole, le héros racontant son histoire ou commentant les faits. Les années passèrent jusqu'à ce que le film de Robert Montgomery, *La Dame du lac*, fondé sur ce principe, y vienne mettre un point final en en démontrant l'inanité. On ne reviendra pas ici sur des explications données depuis longtemps, la caméra subjective ne prenant acte en effet d'être « subjective » que dans la mesure où elle se rapporte au regard d'un personnage objectivement présent[1], ce qui était, rappelons-le, le fait même de *Variétés*. La chose est devenue monnaie courante et il n'est plus question de films dont le héros s'identifierait à la caméra d'un bout à l'autre de l'histoire. Un cinéma totalement subjectif (au niveau bien entendu du regard) n'est autre que celui qui rapporte « objectivement » la vision de celui qui s'efface derrière ce qu'il donne à voir. Ce qui laisse entendre assez clairement qu'une théorie qui extrapole les données même valables d'une expérience concrète en les érigeant en système en arrive bien souvent au contresens.

Un art d'implication et de suggestion

En raison du cadrage sur quoi il fallait nous arrêter un instant, en raison aussi des traductions optiques et photographiques, on ne dira jamais assez que l'image la plus réaliste n'est pas reproduction, décalque mais *interprétation*. Quoique analogique, elle ne représente jamais qu'un aspect situé dans un ensemble de rapports arbitraires qui donnent aux choses filmées une signification provisoire fixée dans le corpus du film. Ainsi, tel fauteuil vu de trois quarts dos laisse entendre de la raideur rébarbative du dossier quand, vu de face, il offre au regard la souplesse et le moelleux de ses coussins. Cela étant, l'une ou l'autre de ces représentations peut, éventuellement, engager une signification symbolique d'ordre plus général si le contexte l'exige...

Ce qui revient à dire une fois de plus qu'il n'y a pas, au cinéma, de dénotation pure. Ainsi que je l'ai avancé plus haut, la dénotation — au

1. Cf. Albert LAFFAY, *Logique du cinéma*, Éd. Masson, 1950 ; Barthélemy AMENGUAL, « Le je, le moi, le il au cinéma », in *Image et Son*, 1950 ; MITRY, *Esthétique et psychologie du cinéma*, vol. 2, Éd. universitaires, 1965.

Une plongée exprimant la volonté de puissance
mieux que les contre-plongées habituelles :
Citizen Kane, d'Orson Welles, 1941

niveau du plan — est toujours une manière de connotation. On pourrait dire tout aussi bien que la connotation iconique est la forme même de la dénotation. Mais cette connotation, qui est du « donné imagé », doit être distinguée absolument des connotations narratives qui relèvent du montage. On pourrait dire — par comparaison linguistique et d'une façon grossière — que les connotations iconiques sont analogues à la polysémie lexicale alors que, sur le plan narratif, les connotations conséquentes de la mise en relation des plans sont du même ordre que les fonctions sémantiques.

Si, donc, parler du signifié ou du référent c'est, au niveau du plan (ou de l'image isolée), dire exactement la même chose (puisque le signifié n'est autre que l'objet représenté sous les formes de sa représentation), il est évident qu'au niveau du syntagme (de la relation des plans) le signifié est *tout autre que le réel représenté*. Impliquées par des fonctions sémantiques et plus du tout par la formalisation du « donné imagé » les connotations sont alors purement conceptuelles.

Si au niveau de l'image elles agissent comme autant de *stimuli* et provoquent des réactions émotionnelles, au niveau sémantique elles exigent l'intellection. C'est en ce sens que j'ai dit et continue de dire que les connotations devaient être implicites.

Il est évident que le signifié connoté « décroche » ou « déboîte » sur le dénoté[2]. Sans attendre après les sémiologues c'est ce que nous disions déjà — en d'autres termes — plusieurs confrères et moi vers 1927-1928 (dans *Cinéa-Ciné pour tous*) en parlant du cinéma comme d'un « art d'implication et de suggestion », l'idée suggérée débordant de toute évidence sur les faits représentés.

C'est encore en raison des conditions expressives de l'image animée que j'ai pu dire que « le message littéral était un support nécessaire à toute signification filmique » à condition d'entendre par « message littéral » le narratif et pas du tout ou pas seulement le dénotatif comme certains le supposent. Le film en effet ne peut pas plus échapper à la narration que l'image à la représentation.

Les connotations sémantiques débouchent presque toujours sur des signifiés symboliques ou métaphoriques mais les signifiants iconiques ouvrent le plus souvent — en dehors des connotations analogiques — sur des signifiés de caractère indiciel.

2. Cf. Christian METZ, *Essais*, vol. 2, p. 168.

VII

LES SIGNIFICATIONS INDICIELLES

Si l'on s'en rapporte à la définition de Charles Sanders Peirce, il est évident que les connotations indicielles se distinguent des connotations analogiques en ce qu'elles supposent un lien causal, une motivation factuelle. Les significations indicielles ne sont qu'une des formes des connotations iconiques, mais elles les débordent en ce sens qu'elles le doivent au contexte. Le sens n'est plus du plan isolé, de ses structures internes, mais de l'image entendue comme élément de la continuité bien qu'en cette occurrence les implications relationnelles du montage jouent un rôle moindre que celui des simples relations contiguës dans la succession des plans.

La juxtaposition de deux plans peut, de toute évidence, suggérer une idée ou un sentiment mais on ne saurait dire que toute relation d'images a ou peut avoir un semblable effet. Ainsi que Roland Barthes l'a fait remarquer : « On peut imaginer des séquences purement épiques, a-significatives ; on ne peut imaginer des séquences purement signifiantes. » Et les significations relationnelles sont bien plus souvent allusives ou indicielles que symboliques ou métaphoriques, contrairement à ce que semblent croire pas mal de théoriciens pour qui signifier c'est métaphoriser...

Je m'en tiendrai à quelques exemples portant sur un objet dont le sens connoté est selon le cas, indiciel, allusif ou symbolique.

Dans un plan montrant un coin de jardin on aperçoit, posée sur un escalier de pierre, une poupée. Ce jouet, tout naturellement, laisse entendre la présence d'une petite fille. C'est un *indice.* Mais ce n'est un indice que si, cette petite fille, nous ne l'avons pas encore vue. Sa présence, en effet, est incertaine, du moins dans l'immédiat. Au contraire, si nous l'avons remarquée au cours des plans qui précèdent, la poupée est *allusive.* Mais si l'on apprend que la fillette a disparu et si, après un

Indice curieux : un lit-cage dans les plaines du Far West,
Wagonmaster, de John Ford, 1950

plan d'ensemble montrant les parents qui courent à sa recherche, on voit en gros plan *la poupée*, cet objet devient *symbole*.

On voit tout de suite que les images allusives ou indicielles connotent par le biais d'un détail inattendu ou insolite, mais un détail saisi parmi tous les éléments qui composent un plan moyen ou un ensemble quelconque, sans marquer une rupture comme l'image symbolique (ou image-signe) dont le sens fugitif, mais pertinent, est souligné par le caractère généralement synecdochique du gros plan.

Polysémie des plans

On reviendra sur ces questions. Ce qui importe pour l'instant, c'est de voir comment les mêmes choses peuvent avoir tour à tour un sens indiciel, allusif ou symbolique ; non seulement selon le cas comme dans l'exemple ci-dessus mais selon les diverses phases d'une même action,

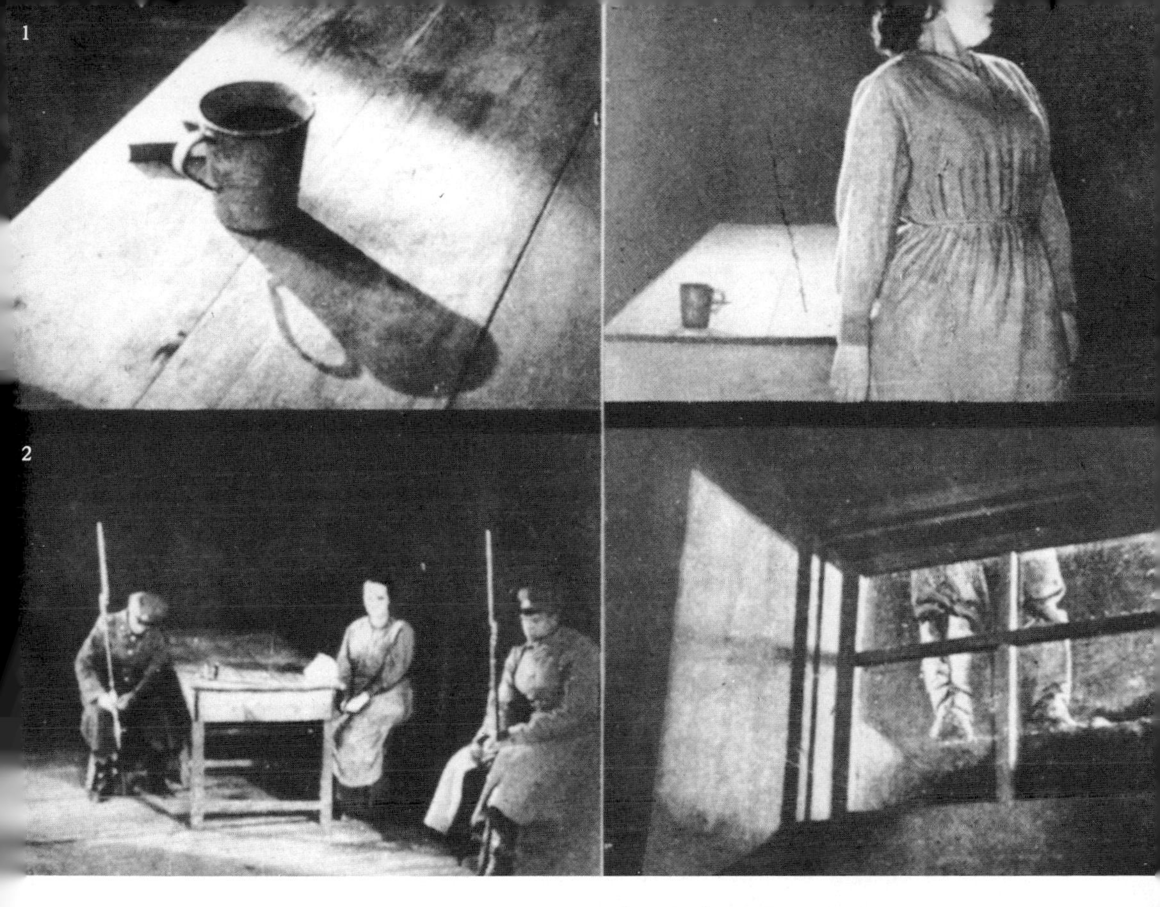

La séquence du gobelet dans *La Fin de Saint-Pétersbourg*, de Vsévolod Poudovkine, 1927

d'un même événement global comme on peut le remarquer dans une courte séquence de *La Fin de Saint-Pétersbourg.*

Un vieil ouvrier bolchevik surveillé par l'Armée blanche vit avec sa femme dans un sous-sol où le jour ne pénètre que par un soupirail donnant sur la rue. Un plan moyen les montre assis devant une table de cuisine. La femme vient de verser le thé dans leur gobelet respectif, mais le vieux s'aperçoit qu'il n'a plus de tabac. Après avoir bu une gorgée, il sort pour aller jusqu'au débit le plus proche. Un premier plan montre alors, vu en légère plongée sur la table, son gobelet empli de thé. Ce plan qui témoigne de l'absence momentanée du vieux révolutionnaire fait allusion au danger qu'il court. Soudain la porte s'ouvre, un sous-officier pénètre dans le logis, inspecte les lieux, interroge la femme qui jure tous ses grands dieux que son époux a quitté la ville. Or le militaire aperçoit le gobelet empli de thé encore fumant. L'indice est clair : l'homme n'est pas loin. Plein de morgue, le sous-off attend tandis que la femme, tremblante de peur, surveille le retour de son mari. Comme celui-ci s'est arrêté pour rouler une cigarette, elle l'aperçoit devant le soupirail. Aussitôt elle saisit le gobelet et le jette à travers la vitre. Surpris, le vieux se penche, aperçoit le policier et prend la fuite. Un plan rapproché montre alors le gobelet écrasé sur le sol parmi les débris de verre.

Ces images, tour à tour allusives, indicielles et symboliques, assument, dans une continuelle transformation de sens, les significations impliquées par les faits, et ce avec une mobilité telle qu'aucun mot ne le saurait faire avec autant de liberté, d'instantanéité, le mot étant prisonnier de son sens.

Tout mot en effet a un sens défini, codifié, quelles que soient les modalités qu'il suppose. La polysémie du langage est très relative. Si les verbes ont un éventail sémantique assez étendu (on sait à quelles confusions souvent conduit l'usage du verbe être), l'épaisseur sémantique d'un mot se rapporte toujours à son sens premier ; l'image verbale est toujours relative à quelque propriété du dénoté.

Si un plan — fût-ce un gros plan — ne peut pas être assimilé à un mot mais seulement à une ou plusieurs phrases, tout objet contenu dans le plan peut être rapporté au mot qui le désigne. Or, s'il peut connoter de multiples façons, le mot *gobelet* jamais ne signifiera successivement — surtout en quelques courtes phrases — l'absence d'un homme, sa présence dans le voisinage, sa mise en garde et son sauvetage. Alors que le mot — en tant que signe écrit ou oral — est identique à lui-même dans tous les textes qui l'utilisent, l'image incessamment différenciée signifie toujours *autrement* et autre chose.

Dans la plupart des plans — ensembles ou plans moyens — ce sont, comme on vient de le voir, certains objets mis en valeur par le cadrage qui sont allusifs, indiciels ou symboliques et non la totalité du plan, sauf en ce qui concerne le gros plan. Ainsi les choses sont-elles engagées ici ou là dans une réalité événementielle qui a un commencement et une fin — une finalité. A tout le moins une *praxis*. Leur disponibilité est requise. Elles ne peuvent se défendre de participer à une action qui leur est étrangère, mais qui les engage par le fait même qu'elles en *témoignent*.

De toute évidence la pendule est désintéressée, qui se trouve sur la cheminée du salon où se déroule un drame. Elle n'y peut rien. Cependant elle marque l'heure et, par là, nous *renseigne*. De toute façon elle est présente et fait partie du drame. Il en est de même de tous les objets, meubles ou bibelots, qui composent le décor ; du décor lui-même qui contient le drame et de quelque manière le reflète en lui imposant une certaine structure. Décor, personnages et objets sont entraînés dans une même action. C'est un même espace assujetti à une même temporalité.

D'où il est indispensable de préserver le « temps des choses » qui, toujours, sont situées dans un environnement spatio-temporel déterminé et déterminant. L'image est *image de l'espace et du temps*, d'un fragment d'espace-temps dans lequel et au cours duquel ces événements se produisent.

Plans redoublés

On ne peut donc pas — ainsi que je l'ai déjà souligné — redoubler un même plan montrant un même geste ou un même mouvement.

Une séquence de *Monsieur Verdoux* montre très exactement ce qu'il convient d'éviter. Voulant signifier brièvement les voyages de M. Verdoux en quête de riches fiancées et leur constante répétition, Chaplin fait voir à plusieurs reprises des roues de locomotive tournant à toute vitesse. Ce qui serait fort bien s'il ne s'agissait chaque fois du *même plan* montrant sous le *même* angle les *mêmes* roues de la *même* locomotive tournant à la *même* vitesse. Situé d'abord avant le premier voyage de M. Verdoux, ce plan figure un moment précis introduit dans la temporalité du drame. Un moment qui ne peut pas représenter un autre moment de la diégèse, sauf en répétant ce qui ne peut pas être deux fois. L'acte peut se répéter mais pas le temps au cours duquel il se produit.

Pareillement, dans *La Fin de Saint-Pétersbourg*, Poudovkine, voulant signifier l'éclatement soudain de la guerre de 1914, ouvre la séquence avec l'explosion d'un obus faisant jaillir une immense gerbe de terre à l'entour. Le symbole est excellent. Mais, beaucoup plus loin, il signifie la révolution d'Octobre de la *même façon*. Là encore ce serait admissible s'il ne connotait la même idée avec la *même image* du *même éclatement*. Comme dans *Monsieur Verdoux*, Poudovkine fausse la réalité en redoublant un « fragment temporel » et en faisant d'un fait concret un signe conventionnel qui ne renvoie pas seulement à un concept à la manière des mots mais le *figure*. Prenant le contre-pied de ce que j'avance, Michel Colin soutient que :

> S'il est clair que seul la fonction rhétorique du gros plan soit retenue lorsque intégré dans la continuité il devient une unité pleinement signifiante, la répétition d'un détail correspond à un phénomène linguistique bien connu, la mise en focus :
>
> Jean, il est venu.
> Il est venu, Jean.
>
> Plus, comme dans la langue, la mise en focus implique ici répétition *(anaphore)*. On peut donc considérer que l'insertion de gros plans *(répétitifs)* corres-

pond à une nécessité plus profonde que celle du développement de la narrativité : à la structuration linguistique du message iconique[1].

Ce qui est vrai sans doute au niveau du langage. Mais Michel Colin oublie de considérer que, dans l'expression verbale, il y a moins souvent répétition du même mot que reprise du sujet : *Jean — il...* Encore et surtout que, n'ayant pas de « matérialité substantielle », le mot n'a pas de durée propre. Le temps de la lecture ou de l'énonciation n'appartient qu'au lecteur. Au contraire, si je montre : *Jean traverse la rue* (plan d'ensemble), cet acte, ce geste engagent une certaine durée qui sera celle du plan. Si donc je répète ce plan — cette même prise de vues — je ne répéterai pas seulement un geste, un mouvement, mais le temps de leur accomplissement. Or le temps ne se répète pas : « On ne boit jamais deux fois à la même source », disait déjà Héraclite il y a 2 500 ans...

Ce n'est pas à dire que l'anaphore soit impossible au cinéma, mais autrement. On peut répéter un geste selon une insistance sémantique à condition qu'il soit *autre*, dans un *autre* plan. Ainsi : 1. Le ministre salue la foule (plan général). 2. Le ministre salue la foule (geste analogue mais *autre*, vu en plan rapproché ou en premier plan).

Dans le langage, le même mot peut être répété d'autant mieux qu'il est substitutif. « Semblable à la nature / semblable au duvet / semblable à la pensée... » (Michaux) « Ceux qui marchent droit / ceux qui pensent de travers / ceux qui... », etc. (J. Prévert) Au cinéma, si l'on voit dans le même plan le ministre saluant plusieurs fois de suite, ce n'est jamais que le constat d'un geste répétitif. Au contraire, si l'on change de plan (de dimension, d'angle, de cadrage) comme dans l'exemple précité, l'insistance est manifeste. Ce n'est plus une substitution mais une affirmation, l'anaphore étant alors une des fonctions spécifiques du montage. Ce n'est plus *Il salue,* mais *Il salue, il salue... / de nouveau, il salue, lui.*

La démonstration de Michel Colin prouve une fois de plus que l'on ne saurait penser, agir, énoncer, structurer avec des images comme avec des mots. Ce que ne manquent pas de savoir les sémiologues les moins avertis alors même qu'ils continuent d'agir et de penser — force de l'habitude — tout comme s'il n'en était rien...

Sont exclus de ces remarques les films comiques, oniriques ou fantaisistes, les scènes hallucinatoires et les jeux strictement formels tels qu'en vidéo où cette répétition peut être fascinante, mais n'a plus rien à voir avec l'expression d'un événement supposé vrai se déroulant dans la réalité objective du monde.

---

1. Michel COLIN, « Coréférences dans *The Adventures of Dolly* », in *Griffith*, Éd. L'Harmattan, 1984.

Dès l'instant qu'il s'agit de l'imaginaire la question ne se pose plus. Preuve : la magnifique séquence du *Ballet mécanique* de Fernand Léger où l'on voit, en légère plongée, une femme courbée sous un lourd fardeau montant une rue en escaliers. Sitôt arrivée en haut des marches, la voici de nouveau en bas et qui reprend son ascension en accomplissant *les mêmes gestes*. Et cinq ou six fois de suite par simple retour de *la même prise de vues*. Et c'est merveilleux. Mais il n'est pas question de réalisme !...

A en croire certains, devant mon rationnalisme intempestif et mon positivisme logique, je devrais être scandalisé par les non-sens de Mack Sennett ou de Buster Keaton. Or ils me ravissent. Allez comprendre...

En bref, qu'elle soit analogique, indicielle ou allusive, qu'il s'agisse du plan isolé ou (comme nous allons le voir) des relations de plan à plan, l'image filmique est toujours chargée de sens. Ainsi qu'on l'a dit, la représentation modifie les choses représentées mais rien, en dehors de ces choses et de leur sens immédiat, n'est signifiant *a priori* : aucune structure, aucune forme. La représentation n'est pas un « modèle » qui, par définition, serait applicable au représenté : elle en dépend.

A l'inverse du langage où le signifié est en raison des valeurs signifiantes, *il n'y a de signifiants filmiques que pour autant qu'il y a du signifié.* Conventionnalisés et immotivés, les signifiants verbaux n'ont valeur de signe que par décision grammaticale là où ce sont les choses, les faits, les actes qui créent, en leur ordonnancement et leur formalisation (dans les limites d'une logique donnée et de certaines contingences) le sens choisi par le narrateur. Les signifiants filmiques ne sont pas des formes abstraites autour desquelles ou à partir desquelles on pourrait établir certaines lois génératives, mais des faits concrets dont on peut faire qu'ils deviennent, dans un contexte donné et des circonstances favorables, la forme de l'expression, c'est-à-dire l'expression d'une idée ou d'un sentiment. Des formes qui ne valent que pour *ce film* — n'existent qu'à la faveur de ces structures —, et qui disparaissent aussitôt qu'apparus pour laisser place à d'autres idées, d'autres sentiments au fil de la continuité...

VIII

LES INFÉRENCES DU MONTAGE

Si par montage on entend le collage des segments — plans ou tableaux — mis bout à bout, le montage est aussi vieux que le cinéma lui-même, d'autant que, dès les premiers temps, les coupes et raccordements furent utilisés par divers metteurs en scène — Méliès notamment — comme des trucages semblablement aux surimpressions, fondus enchaînés et autres procédés photographiques. Mais, avant 1910, il n'y a eu dans aucun film, sauf exceptions rarissimes, de montage entendu comme aujourd'hui, c'est-à-dire comme *structure signifiante.*

Chez Méliès, dans des films comme *Le Déshabillage impossible, Les Luttes extravagantes* ou *La Dislocation mystérieuse* (1900-1901), il s'agit de supprimer, ici et là, quelques images et de raccorder afin de déphaser les gestes ou de casser le mouvement. Ces coupures sont significatives mais il ne s'agit nullement de « création de sens ». Pour être plus clair et puisque l'on fait toujours des comparaisons linguistiques, si je prends un mot tel que *surimpression* et si je supprime l'une ou l'autre des syllabes j'obtiens *suppression, impression, pression* et même des anagrammes tels que *prussien* ou *permission* mais aucun sens nouveau (au niveau sémantique bien entendu). Au contraire, lorsque Apollinaire joint des termes tels que *Soleil cou coupé,* il crée une métaphore. C'est ça le montage... C'est ainsi du moins qu'on l'entend depuis qu'on théorise sur le cinéma et, bien sûr, depuis que cette sorte de structure est entrée dans les normes. Disons en gros, depuis Eisenstein ; sauf qu'il n'est pas seulement question de métaphores mais de connotations fort diverses.

Avant 1910, les exceptions furent tout de même quelques-unes puisqu'en dehors des contrechamps, des alternances et des changements de point de vue (1903-1904), c'est à travers des films comme *A Corner in Wheat* (Les spéculateurs) et *A Drunkard's Reformation* (Le remords de l'alcoolique, D.W. Griffith, 1909) que l'on se rendit compte des significations relationnelles que le montage faisait surgir.

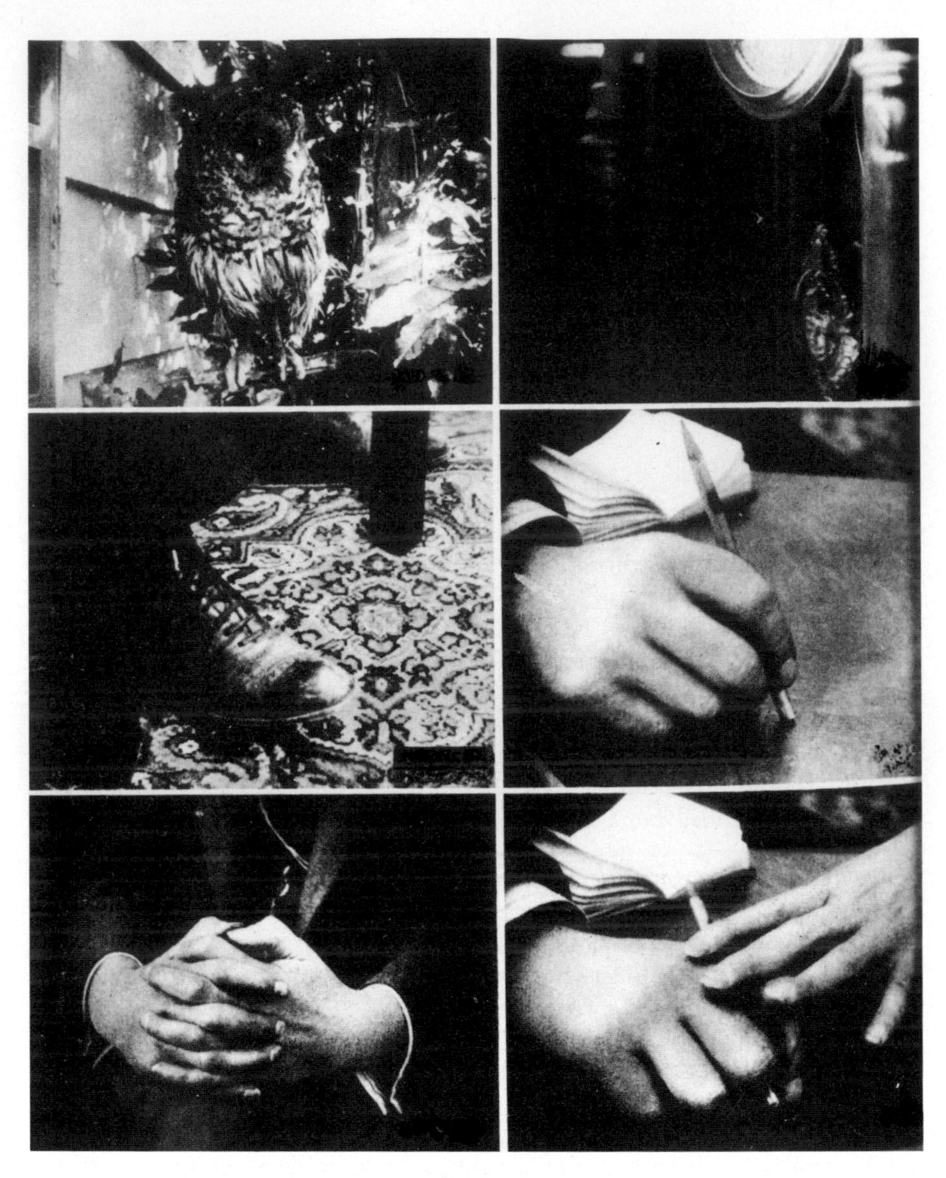

Relations de détails dans *La Conscience vengeresse*,
de D.W. Griffith, 1913

C'est entre 1910 et 1914 avec Griffith, Thomas Ince, Larry Trimble, Reginald Barker, Colin Campbell, Loane Tucker et quelques autres que ces notions se développèrent pour devenir, avec *Naissance d'une nation* (1914), l'un des principes fondamentaux de l'expression filmique. Mais les premières théories ne se firent jour que quelques années plus tard, à partir des fameuses expériences de Koulechov.

Comme chacun sait, ce sont ces expériences universellement connues qui sont à l'origine des théories langagières du film et qui permirent de démontrer les capacités fonctionnelles du montage envisagé non plus seulement comme moyen de construction du récit ou comme facteur de rythme, mais comme créateur de sens[1].

Toutefois, lorsqu'on analyse l'« effet Koulechov », on s'aperçoit que le processus qui engage l'entendement du spectateur y est beaucoup moins cinématographique qu'il ne le paraît. Dans, par exemple, la relation « Mosjoukine/femme nue », ni l'un, ni l'autre n'exprimant rien (rien qui puisse se rapporter à cette relation *arbitrairement* construite par simple juxtaposition de deux images étrangères l'une à l'autre), rien ne permet de supposer que l'homme aime la femme ou, simplement, la désire ; et pas davantage que la femme en est émue ou en éprouve quelque contentement. C'est uniquement le rapport *homme regardant/femme regardée* qui évoque et *signifie* l'idée du désir. De cette juxtaposition naît une réaction émotionnelle en laquelle chacun reconnaît — ou retrouve — le sens d'une expérience vécue. Alors que l'enfant qui ne sait rien des désirs sexuels ne peut saisir le sens de ces images, l'adulte *projette* ses propres réactions sur l'homme que, normalement, il suppose *désirant* la femme regardée. Autrement dit, la relation ci-dessus décrite ne suscite rien d'autre qu'une idée existant déjà dans l'esprit de tout individu conscient des choses de l'amour. On est ému par une *idée* et non par un fait concret. L'image figurant un concept, on va de l'abstrait au concret sans avoir, comme avec les mots, la liberté de concevoir un imaginaire personnel qui se résorbe ici en des images précises.

1. Ces expériences sont restées célèbres dans les annales du cinéma. Prenant dans un vieux film de Bauer un gros plan d'Ivan Mosjoukine dont le regard assez vague était volontairement inexpressif, Koulechov en fit tirer trois exemplaires. Puis il raccorda le premier à un plan montrant une assiette de soupe disposée sur un coin de table ; le second à un plan montrant le cadavre d'un homme allongé face contre terre ; le troisième à celui d'une femme à demi nue, étendue sur un sofa dans une pose avantageuse et lascive. Mettant alors bout à bout ces trois tronçons « objet-sujet », il les projeta devant une assistance non prévenue. Or, tous, unanimement, admirèrent le talent de Mosjoukine qui « exprimait à merveille les sentiments successifs de la faim, de l'angoisse et du désir ».

Il était ainsi démontré, Mosjoukine n'exprimant rien, que les spectateurs « voyaient » ce qui n'existait pas réellement. En d'autres termes, enchaînant leurs perceptions successives et rapportant chaque détail à un « tout » organique, ils construisaient logiquement les relations nécessaires et attribuaient à Mosjoukine l'expression de ce que normalement il aurait dû exprimer. Ils portaient sur l'acteur la responsabilité ou l'équivalence de leurs propres sentiments.

Quoique visuel, le processus est anticinématographique en ce qu'il va de l'idée à l'émotion au lieu de suivre le cheminement inverse.

L'effet Koulechov ne devient réellement filmique qu'à partir du moment où la relation *regardant/regardé* (et, plus généralement, *objet-/sujet*) s'effectue sur des faits concrets. C'est alors l'émotion qui suggère l'idée et non l'idée qui provoque l'émotion. On veut dire surtout, idée et émotion étant connexes, que l'image ne doit pas être l'émergence d'une idée *déjà faite* mais la création d'un sens, la provocation d'une idée *disponible*.

Bien qu'elles aient marqué une date importante dans l'histoire du cinéma, ces expériences (qui ne se limitent pas aux images de Mosjoukine censé regarder une assiette de soupe, une femme nue, un cadavre...) ont orienté bien des recherches dans des voies sans issue. En soulignant les capacités signifiantes du film, elles ont incité les théoriciens à aller chercher dans les énoncés verbaux des types de structures applicables à l'expression visuelle. C'est en effet en se fondant partiellement sur les données de Koulechov qu'Eisenstein énonça ses théories du montage en disant notamment :

> Poudovkine défend l'idée selon laquelle le montage ne serait qu'une association de plans, une succession de fragments arrangés en série afin d'exposer une thèse. Pour moi le montage est une collision et, de la collision de deux facteurs surgit un concept [...]. La juxtaposition de deux fragments de film ressemble davantage à leur produit qu'à leur somme en ce que le résultat de cette juxtaposition présente une qualité (ou un sens) qui ne relève d'aucun des fragments pris séparément.

Généralisations excessives

Ces idées, bientôt généralisées par des critiques en mal de théories, prirent les allures d'une règle syntaxique aux termes de laquelle toute mise en relation de deux plans dits A et B devait, par principe et par définition, engager une signification C.

Ce qui est faux, le sens impliqué par la relation des plans A et B dépendant avant tout de la *nature* des plans, de ce qu'ils *représentent*, c'est-à-dire de choses que l'on ne saurait réduire à une formule généralisante du type A/B = C.

Le montage assure *d'abord* la continuité du film ; en quoi Poudovkine a raison en ce qui concerne les structures d'ordre général et non des cas particuliers. Si l'ordonnance des plans donne à chaque séquence un sens qu'elle n'aurait pas si elle était organisée autrement, il s'agit d'un sens dramatique relatif aux événements mis en scène bien plutôt que de con-

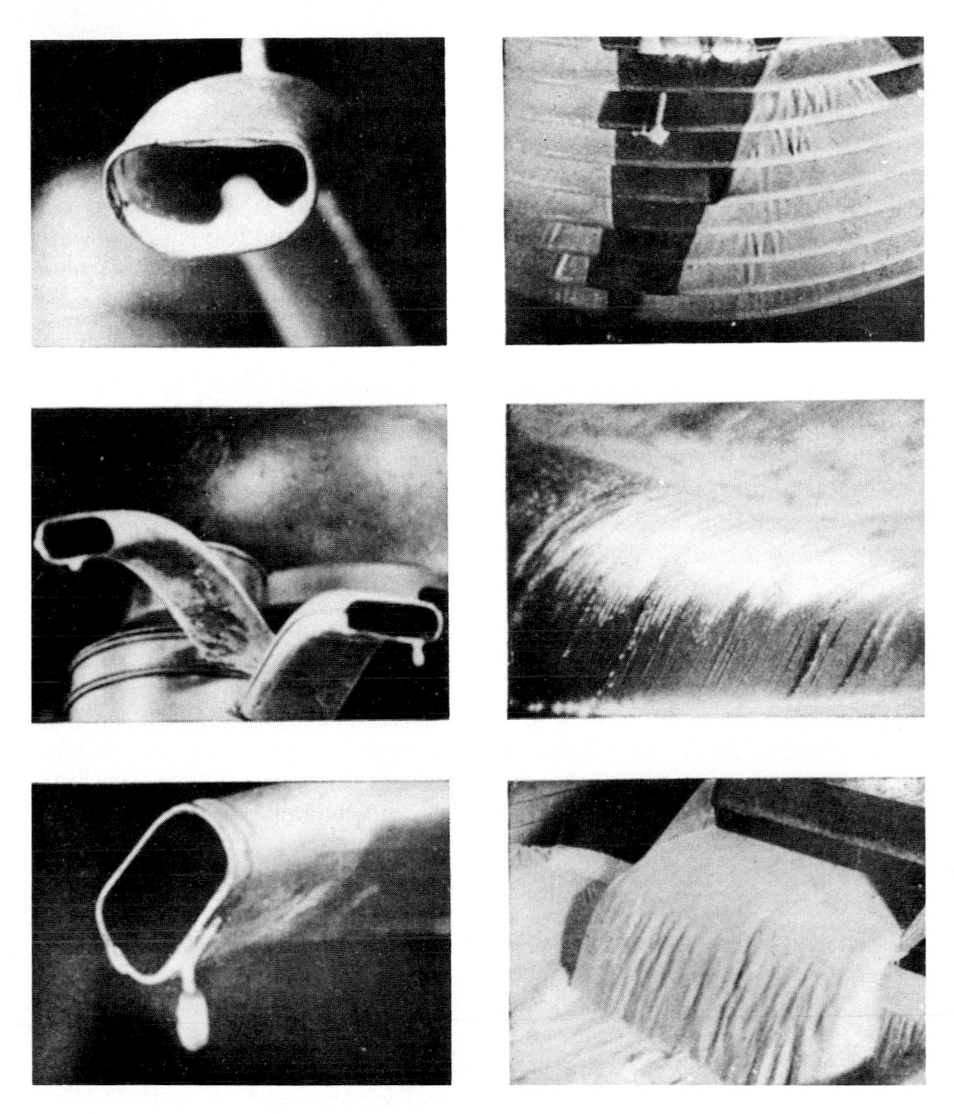

Séquence de l'écrémeuse dans *La Ligne générale*, de S.M. Eisenstein, 1929

notations qui, pour être fréquentes, ne sont pas nécessairement d'ordre symbolique ou métaphorique. Ce peuvent être des sentiments confus, des impressions vagues.

A l'époque de la « révélation soviétique », j'avais comparé cet effet aux simples phrases où sujet, verbe et complément n'ont de sens que relativement entre eux. Depuis, les sémiologues ont comparé avec plus d'évidence la mise en relation des plans avec celle des différents termes dans une structure sémantique mais, ici et là, la comparaison pose le plan comme l'équivalent d'un mot. Or, comme on l'a vu, le plan n'est pas une unité de sens — sauf le *gros plan*. Le tort d'Eisenstein et des théoriciens qui ont suivi, fascinés qu'ils étaient par le gros plan et son impact, fut de ne considérer que cette signification univoque ; de ne voir en tout plan, quel qu'il soit, plan rapproché aussi bien que plan d'ensemble, rien d'autre qu'un signifié global rapporté à une unité de sens.

Au niveau du gros plan il est bien vrai que le rapport d'un signifiant *A* et d'un signifiant *B* entraîne un signifié de connotation *C*. Il en est ainsi de la « séquence de l'écrémeuse » dans *La Ligne générale*, où alternent des gros plans de l'appareil en action et des paysans attentifs, incrédules, puis émerveillés. Également de la relation constituée par un plan rapproché montrant une action quelconque et un gros plan de détail se rapportant à cette action, comme il en est de l'exemple toujours cité du *Cuirassé Potemkine*.

On voit, en gros plan, un lorgnon du type « pince-nez » qui, retenu par son cordonnet, se balance au bout d'un filin d'acier. Que peut bien vouloir dire cette image, isolée de son contexte ? Rien, si ce n'est qu'un lorgnon se balance au bout d'un filin d'acier. Très exactement ce que nous voyons. Or, il se trouve que ce lorgnon appartient au docteur Smirnov, médecin du bord. Nous l'avons vu jouer avec lui tout au long des séquences qui précèdent, à tel point que cet objet en est venu à le caractériser comme faisant partie de ses habitudes, de ses manies, de son comportement. Il est devenu une sorte d'indicatif porté au compte de sa personnalité.

D'autre part, nous venons d'assister au soulèvement des marins du « Potemkine », soulèvement au cours duquel les officiers ont été jetés à la mer. Parmi eux, le docteur Smirnov. Traîné par les pieds, empoigné, bousculé, soulevé comme un paquet, il vient d'être flanqué par-dessus bord malgré ses cris et ses protestations. Nous l'avons vu se débattre ; ce faisant, perdre son lorgnon retenu dans les cordages.

Alors, aussitôt, cette image prend un *sens*. Le lorgnon « représente » le docteur Smirnov ou, plus exactement, *signifie* son « absence ». De cet officier arrogant et assez pleutre, plus rien ne subsiste que ce lorgnon ridicule qui se balance stupidement au bout d'un filin. La partie remplace le tout ; mais c'est justement la plus insignifiante qui évoque le personnage et reporte sur lui sa propre dérision. Mieux : par sa position, par son rang, le docteur Smirnov, échantillon de la classe possédante et de l'aristocratie pro-tzariste, « représente » cette classe elle-même. Tant et si bien que ce lorgnon en arrive à signifier d'un coup la faillite de la classe bourgeoise « flanquée par-dessus bord ». De cette classe il ne reste plus, symboliquement, qu'un substitut ridicule qui laisse entendre le néant et la stupidité de ce qu'il représente.

Ainsi qu'on l'a dit, *le langage spécifique du cinéma consiste à parler des choses avec les choses dont on parle.* Mais, quelle que soit l'idée signifiée, l'objet représenté s'affirme *d'abord* comme objet. Par conséquent, si l'image signifie au moyen de ce qu'elle montre, elle ne saurait être comme le mot transparente au signifié : elle y renvoie. Et c'est parce qu'elle fait écran à tout ce qui n'est pas le sens des choses représentées qu'elle peut assumer une signification qu'elle ne tient pas d'elle-même. Dans l'exemple ci-dessus ce n'est pas le lorgnon qui est signifiant mais la relation de cet objet avec le plan précédent. L'image du lorgnon ne prend valeur de signe que parce qu'intuitivement on objective sur elle l'idée impliquée par la relation dont elle est l'un des termes et le terme le plus prégnant. Ainsi fait-elle office de signe ou de symbole. Toutefois, cette structure, qui est du plus petit syntagme possible (deux plans joints selon une structure implicative), n'est signifiante qu'*à l'intérieur* du film. Par elle-même elle est dépourvue de sens. Quelqu'un ne connaissant pas le film d'Eisenstein ne saurait y découvrir la moindre signification. L'éventuelle succession : officier flanqué par-dessus bord/cheminée qui fume, ou drapeau qui claque au vent, ou n'importe quoi, ne lui en dirait ni moins ni plus. Pour déchiffrer l'implication — et pour qu'il y ait effectivement cette implication —, toutes les séquences antérieures sont nécessaires car ce sont elles, et elles seules, qui donnent un sens à cet objet en le montrant tel qu'un attribut spécifique du docteur Smirnov. C'est ce « courant de sens » porté par le film qui fait de ces deux plans successifs un ensemble cohérent. Sans quoi ce ne sont plus que deux images arbitrairement réunies : aucune connotation n'y est lisible (ou n'importe lesquelles au gré imaginatif du spectateur). C'est donc le contexte qui détermine ces structures, qui leur donne pouvoir de signifier en les chargeant d'un sens dont elles sont dépositaires. Isolé, le syntagme n'en est plus un : son sens relationnel s'évanouit.

Alors qu'en linguistique le syntagme signifie en dehors et indépendamment d'un contexte qui peut — ou non — le modifier ou le compléter, il n'est point de syntagme filmique hors d'un ensemble causal en vertu duquel ces syntagmes se constituent comme tels. Autrement dit, de par sa structure prédicative, le moindre syntagme linguistique possède une implication *interne* qui lui donne un sens quand l'implication signifiante du syntagme filmique (qui fait que ce syntagme en est un) lui vient presque toujours *de l'extérieur*.

...et signifiants excessifs

Si, donc, il est vrai que le signifié *univoque* est ou peut être conséquent de la relation d'un plan moyen et d'un gros plan (la relation des plans larges engageant une quantité de *signifiés divers*), ce sens ne saurait être circonscrit par une succession de gros plans ayant chacun un qualia plus ou moins symbolique sans avoir recours à des plans descriptifs intermédiaires. La « séquence des dieux » d'*Octobre* (Eisenstein) est significative à cet égard.

En montrant successivement un Christ baroque puis des divinités grecques, puis brahmaniques, puis mexicaines, puis africaines, etc., Eisenstein prétendait signifier la « dégradation de l'idée de Dieu » et, par extension, la puérilité du concept. Selon lui, en effet :

> Bien que l'idée et l'image semblent s'accorder complètement dans la première statue montrée, les deux éléments se disjoignent l'un de l'autre avec chaque image successive. Tout en maintenant la dénotation de « dieu », les images sont en inadéquation croissante avec notre concept de Dieu, ce qui mène inévitablement à des conclusions sur la nature véritable de toutes les divinités[2].

Cela est vrai, sans doute, au terme d'une analyse faite *a posteriori*, à la table de montage. Mais un film est fait pour être *vu* et doit être immédiatement déchiffrable, au moins pour l'essentiel. Or, dans l'immédiat, ces divinités ne disent rien que de semblable. On ne les distingue que comme autant de bibelots d'étagère ou de statuettes de musée. Pour ce qui est du connoté, l'esprit les *associe* dans un même concept global : idée de croyance religieuse *ou* idolâtre ; dérision de ces croyances *et* de ces divinités. S'il leur reconnaît des signes distinctifs — effectivement dénotés —, le spectateur n'y voit nullement l'obligation de signifier la « dégradation de l'idée de dieu »...

Autrement dit, la *même signification* est attribuée à la *totalité des signifiants*. L'ensemble est perçu comme d'une répétition de sens sous des aspects différents.

Une fois de plus, c'est agir avec les images comme avec des mots sans se rendre compte que les mots sont autant de signifiants distincts portant sur un sens — un concept — qui leur est propre tandis que les images, qui renvoient à un réel concret, ne sont distinctes qu'au niveau du dénoté et point du tout au niveau d'un jugement de valeur afférant au concept auquel renvoie ce dénoté. Les images ne connotent rien *par*

2. S.M. EISENSTEIN, *Film Form*, p. 62, Éd. Dennis Dobson Ltd.

elles-mêmes ou fort peu[3]. Ici, le dénoté est une figuration symbolique qui a une valeur connotative, c'est certain ; mais Eisenstein accumule une collection de symboles *tout faits* dont l'addition ne suggère rien de plus que ce qu'ils signifient isolément. De la sorte, si le signifié global qui associe ces signifiants — à savoir l'idée de « Dieu » — est parfaitement défini, le signifié distinct qui leur suppose une *valeur* différente ne l'est point. Il y a donc *assimilation* en place de la distinction souhaitée. La prétendue « *dynamisation du référent* » fait de celui-ci autant de signes abstraits dont le sens, enfermé dans la représentation, se sclérose quand il ne disparaît pas totalement derrière elle.

Parmi les premières applications du « montage » certaines furent excessives, un principe, aussitôt découvert, devant — la chose est notoire — tout expliquer, tout résoudre en ramenant tout à lui. Ainsi le « montage libre d'attractions arbitrairement choisies, indépendantes de l'action proprement dite » devait permettre de signifier par effet symbolique ou métaphorique. Or les expériences théâtrales d'Eisenstein avaient déjà montré les difficultés et les limites d'une telle entreprise. Au cinéma, l'objection majeure est qu'une telle opération n'est valable qu'autant qu'elle utilise des éléments vivants (au sens dramatique du mot) dont elle tire sa puissance émotionnelle en même temps qu'une signification symbolique concrète. Elle perd sa validité lorsqu'elle agit avec des symboles *arbitrairement choisis* et *appliqués* sur le réel au lieu d'être *impliqués* par lui. Eisenstein devait plusieurs fois tomber dans ce travers en systématisant à l'excès sa découverte, s'en servant parfois pour plaquer du « non-vivant » sur le vivant, aboutissant alors à une sorte de formalisation abstraite, forçant les éléments choisis à s'inscrire tant bien que mal dans un cadre qui n'était pas à leur mesure.

Dans son premier film, *La Grève*, qui retrace l'épisode d'une grève dans une usine métallurgique et la répression par les soldats du tsar, il oppose, à des plans montrant les ouvriers poursuivis et mitraillés, des plans montrant un bœuf égorgé dans un abattoir. L'effet est saisissant. Mais si l'idée est signifiée, la logique événementielle est quelque peu gauchie. A seule fin d'une expression symbolique, les abattoirs sont insérés arbitrairement dans un événement qui leur est étranger.

On objectera que les scènes des abattoirs — peut-être voisins — sont aussi réalistes que celles de l'usine, que les conditions ouvrières y sont vraisemblablement les mêmes et que, pour arbitraire qu'elle soit, cette association métaphorique se justifie fort bien. De toute façon, elle ne choque pas.

3. Il s'agit, on le devine, de connotations discursives et non de connotations iconiques telles que définies en p. 102-103.

Dans *Octobre*, au contraire, où il esquisse ce qu'il appellera la *cinédialectique*, Eisenstein, tenu par l'idée seule, devait négliger souvent, sinon l'authenticité des faits, du moins la logique de leurs enchaînements ou de leurs associations.

C'est ainsi que, lors du deuxième Congrès des Soviets, pendant l'attaque du palais d'Hiver, les discours de mauvaise conscience des mencheviks sont entrecoupés de plans montrant des femmes en chemise jouant de la harpe. L'idée, d'ailleurs purement littéraire, est de donner aux propos des mencheviks le ton et l'allure d'un pleurnichement lyrique, d'une chanson faite pour endormir les auditeurs. Mais si l'idée, quoique assez maniérée, est valable, on peut se demander : que viennent faire ces harpes et ces harpistes tombées du ciel dans la réalité *objective et concrète* de la réunion ?

Dans le même film, au moment où Kornilov s'apprête à marcher sur Petrograd à la tête de l'Armée blanche, une image montre le général dressé sur son cheval dans une attitude avantageuse et autoritaire, quasi napoléonienne. L'impression est renforcée par la prise de vues faite en contre-plongée. Mais cela ne suffit point ; Eisenstein juxtapose, prise sous le même angle, une statue équestre de Napoléon qui ajoute à la dérision. Soit. Mais que vient faire cette statue dans la logique *réaliste* de l'action et dans les plaines de la Russie septentrionale ?

Ailleurs on voit Kerensky dans l'un des grands salons du palais d'Hiver. Il répète un discours, va et vient, gesticule et se contemple dans les miroirs. L'un des plans montrant le minuscule petit homme perdu dans l'immensité de la salle ajoute à l'impression de solitude, d'abandon qui règne autour de lui. Mais, sur l'une des cheminées du salon, il y a un petit buste de Napoléon. Et, bien sûr, Eisenstein ne manque pas d'y opposer divers plans de Kerensky posant avantageusement. L'association est possible parce que cette statuette est *présente*, d'autant que Kerensky à plusieurs reprises passe devant elle et la regarde. Mais, soudain, voici que les portes s'ouvrent. Le palais d'Hiver est pris et les gardes rouges entrent dans les salons. Kerensky n'aura que le temps de s'esquiver. Or, au moment même où les portes, grandes ouvertes, livrent passage aux révolutionnaires, un plan montre le buste de Napoléon brisé, éparpillé sur le sol. Qui l'a fait tomber ? Personne si ce n'est Eisenstein lui-même pour « fabriquer » une idée...

Il était simple pourtant d'introduire ce symbole dans la réalité concrète : passant devant la cheminée en gesticulant, Kerensky pouvait accidentellement faire choir ce buste. De telle sorte qu'on pouvait avoir : le buste tombe ; les portes s'ouvrent ; Kerensky s'enfuit. *Coda :* le Napoléon gît, brisé, sur le sol. Si simple qu'Eisenstein, hypnotisé par l'idée seule, n'y a pas songé ou ne s'en est pas soucié. Ou alors a fait ce montage *a posteriori*, sans avoir prévu cet effet et, donc, sans avoir organisé sa mise en scène en conséquence.

Un peu avant cette scène on a vu Kerensky, entouré de ses ministres, entrer au palais d'Hiver. Tandis qu'il gravit les marches du grand escalier qui accède aux appartements impériaux et au fur et à mesure qu'il s'élève, on a une suite de plans entrecoupés de sous-titres qui indiquent successivement : ministre de la Guerre, ministre de la Marine et de l'Air, ministre des Affaires étrangères, ministre de l'Intérieur, généralissime, dictateur, soulignant ironiquement qu'il s'est attribué la majorité des portefeuilles. Mais le grand escalier n'a cependant qu'une trentaine de marches ; il n'accède qu'au premier étage. On voit donc — et sous des angles différents — Kerensky gravir à plusieurs reprises *les mêmes marches*. L'idée est de signifier le non-sens de son action, sa vanité, son absurdité : il monte mais n'avance pas. La réalité est faussée, sans doute, mais comme rien ne ressemble à une marche autant qu'une autre marche, le constant changement de points de vue fait disparaître les points de repère les plus évidents. Ensuite, lorsque Kerensky, arrivé au premier palier, s'arrête et se retourne vers sa suite, une prise de vues en contre-plongée le montre de telle façon qu'au-dessus de lui la statue d'un des chapiteaux (la gloire tendant une couronne) semble ceindre son front et couronner le dictateur à son apogée. Le contrechamp montre ses ministres, ses généraux au garde-à-vous, raides et figés, inertes comme les colonnes devant lesquelles ils se sont arrêtés. L'ironie est alors d'autant plus sensible que ces images ne choquent point. Et elles ne choquent point parce qu'Eisenstein s'est servi pour ce faire de l'une des statues et des colonnes qui font *réellement* partie du décor, de choses qui se trouvent dans l'espace authentique du drame. Il *se sert* de la réalité ; il l'*interprète* mais ne la trahit pas.

L'un des enseignements que l'on peut tirer de ces exemples, c'est que le « comme » est impossible au cinéma, *à moins que le terme de comparaison ne fasse partie de l'espace dans lequel se trouve le comparé*, s'il n'est pas, de quelque autre manière, intéressé au drame proprement dit.

L'image de la statue équestre à côté du général Kornilov, c'est un peu comme si Eisenstein nous disait : « Arrogant, ambitieux, infatué de sa personne, Kornilov était dressé sur son cheval *comme* Napoléon lui-même et se prenait déjà pour un empereur. » Mais dans la phrase l'image comparative est un pur concept ; elle ne se situe pas sur le même plan que le comparé. La structure verbale et le caractère abstrait des mots rejettent l'allusif hors du narratif, ce qui n'est pas le cas des images filmiques qui sont, les unes comme les autres, objectives et concrètes et situent les choses — toutes les choses — sur le même plan *représentatif*.

Cette « représentation », certes, peut signifier, exprimer, traduire une pensée, un jugement, mais dans un procès *subjectif*, lequel (dans un film muet) ne peut pas être donné *en même temps* qu'une relation objective ; moins encore dans le corps de celle-ci : les éléments du discours et ceux de la représentation étant *les mêmes*, cela implique nécessairement une façon différente de les ordonner. Car il demeure évident que ces « entorses à la réalité » ne le sont que dans la mesure où il s'agit d'une œuvre faisant acte de *constat* ou rapportant des faits vrais. Lorsqu'il s'agit d'une relation *mentale* (rêve, souvenir, imagination, jugement, etc.), de telles confrontations sont admissibles. Mais la logique affective est sans commune mesure avec le caractère objectif du réalisme social. Soit dit une fois encore pour mettre les points sur les *i*...

Si le réel n'est qu'un matériau soumis aux instances du discours, la logique dialectique qui se substitue à la logique factuelle permet d'ordonner des « morceaux de réalité » conformément aux instances de ce discours. Mais l'œuvre ne peut plus se voiler la face et se donner pour ce qu'elle n'est pas. On retrouve ici les contradictions contre lesquelles déjà butait Dziga Vertov.

La « cinédialectique »

Dans la mesure où l'on veut exprimer le *sens des choses*, des événements sociaux, des actes individuels ou collectifs, la pratique signifiante ne peut pas faire bon marché de la logique du référent. Ce qui ne veut pas dire qu'il faille « décalquer le réel ». Il convient d'en faire des éléments sémantiques, mais sans contrevenir à l'évidence du dénoté sous prétexte de métaphore. Or c'est en spéculant sur les capacités du montage et sur les significations du gros plan qu'Eisenstein développa, parmi d'autres théories moins hasardeuses, les principes de ce qu'il devait appeler la *cinédialectique*. Une « cinélangue » pour laquelle il tenta d'établir des signes fondés sur des associations chosales mais où, comme dans le langage verbal pris pour modèle, le sens de la relation signifiant/signifié devait être invariable. Il donnait en exemple certains idéogrammes de l'écriture japonaise où la combinaison de deux images (deux objets figurés par un signe graphique) engageait un concept, ainsi :

Un chien + une bouche = aboyer.
Une bouche + un oiseau = chanter.
Une oreille + une porte = écouter, etc.

En constituant des signes analogues qui tenaient de la linguistique par leur structure et des hiéroglyphes par leur forme, en négligeant leur contenu concret pour ne retenir que les idées suggérées par leur enchaînement logique il devait être possible, croyait-il, d'organiser une sorte de discours. Mais si la liaison était assurée sur le plan des idées en passant d'une image-signe à une autre image-signe, la suite des choses représentées n'avait plus aucun sens, ces choses n'intervenant que comme composante sémantique dans la chaîne des signifiants, sans référence à la logique factuelle incessamment soumise aux nécessités internes du discours : le film devenait un gigantesque rébus. En allant plus loin, il n'eût plus été nécessaire de projeter ces images sur un écran. On aurait gagné à les simplifier, à les schématiser sur le papier retrouvant de la sorte les idéogrammes d'où l'on était parti. Mais à travers de semblables expérimentations, Eisenstein s'est rendu compte bien vite que le modèle linguistique était inapplicable au cinéma, l'image animée, les choses mêmes refusant l'arbitraire du signe.

Revenant sur ses propres idées, il devait dire, entre autres déclarations, dans un article publié en 1938 :

> La faute consistait à mettre l'accent principal sur les possibilités de juxtaposition en affaiblissant l'accent que l'attention de l'expérimentateur aurait dû faire porter sur les éléments de la juxtaposition[3].

Il semble que, dans cet article, il ait répondu d'avance aux prétentions excessives de certains critiques qui, partant de sa *cinédialectique*, voulaient un montage utilisé uniquement pour son *effet de coupure dynamique*. Ce qui était oublier que, dans un film, le sens des connotations dépend du rapport des choses dénotées et que, pour avoir elles-mêmes un sens, ces choses impliquent un déploiement événementiel — vraisemblable ou non, continu ou discontinu, objectif ou subjectif —, mais logique au niveau de l'enchaînement causal des faits représentés.

S'il n'est *déterminé comme signifiant* (et comme signifiant *momentané*) par un contexte quelconque, le signe perd son éventuelle signification. Il devient illisible, indéchiffrable : on peut y lire n'importe quoi. A moins qu'il ne soit conventionnalisé, ce qui reviendrait à le scléroser, à lui retirer ce caractère vivant, fugitif, contingent, qui est le propre du cinéma et faire du film un rébus ou un casse-tête chinois.

Coïncidence et consécution

Aux formalisations excessives du montage devaient répondre vingt ans plus tard les formalisations excessives du plan-séquence et du champ profond.

---

4. S.M. EISENSTEIN, « Montage 38 », in *Réflexions d'un cinéaste*, p. 69, Éd. étrangères, Moscou, 1958.

Comme si l'espace était vu selon deux plans distincts
rapportés dans le même cadre :
Oliver Twist, de David Lean, 1948

Spéculant en effet sur les innovations de *Citizen Kane*, André Bazin, au nom du « respect dû à la réalité objective du monde », devait s'élever contre les « manipulations arbitraires » et n'admettre le montage que comme procédé de construction, les valeurs signifiantes ne devant être le fait, selon lui, que des relations dans le plan (chose d'autant plus singulière qu'Orson Welles a toujours prétendu le devoir beaucoup plus au montage qu'à la mise en scène...).

Ainsi qu'on l'a dit dans les chapitres précédents, tout se passe dans le « champ profond » comme si l'espace envisagé était rapporté selon deux dimensions distinctes (ou deux plans différents) réimposées dans le même cadre. D'où une sorte de *césure* qui détermine un effet relationnel analogue à celui du montage. Contrairement à ce qui se passait dans les exemples précédents, il s'agit en effet d'une sorte de montage *dans le plan*, car si la mise au point sur champ total accuse l'homogénéité de l'espace, le 18,5 souligne la liaison et la distinction des éléments qui le composent ; il permet de combiner ce qu'on aurait normalement montré en deux plans.

Bien entendu ce moyen d'expression ne modifie en rien l'intérêt de la fragmentation dont le sens et la finalité sont tout autres. En effet, au lieu d'être fonction de la continuité, la signification dépend ici d'*une situation privilégiée accordée à l'objet (ou au personnage) dans l'organisation spatiale du champ*. Produite dans l'espace au lieu de s'établir dans la durée, elle devient l'effet d'une *coïncidence au lieu d'être l'effet d'une implication* (laquelle présuppose la consécution). A cet égard, le verre de Susan (dans la scène de l'empoisonnement bientôt aussi célèbre que le lorgnon de *Potemkine* pour l'effet-montage) en est un exemple probant. On voit : Susan couchée et, sur la table de nuit (en gros plan) : le verre avec la cuillère et les somnifères. Dans un montage normal, l'idée de la tentative d'empoisonnement serait *engendrée* par la succession des deux termes. Le verre *impliquerait* l'idée d'empoisonnement ; il en deviendrait le signe, la figuration symbolique.

Dans le champ total, au contraire, l'idée n'est plus engendrée ; elle est immédiatement saisie. D'implicatif qu'il était, le signe devient syncrétique : le verre de Susan est en quelque sorte le « lieu signifiant » du champ dont il se détache apparemment. En conséquence de quoi il n'*implique plus* l'idée de l'empoisonnement : il en *témoigne*. Il devient le signe d'un fait, d'un acte plutôt que d'une idée. Tout en ménageant l'expression symbolique, l'événement est saisi dans sa réalité factuelle au lieu d'être simplement suggéré. C'est dans ce sens — et dans ce sens seulement — que l'on peut parler, à propos de la profondeur de champ, d'un certain « réalisme » ; un réalisme plus évident, plus concret.

Reste la « *transparence du réel* » que l'on peut définir comme d'un événement saisi dans son intégralité, c'est-à-dire non fragmenté, non réorganisé. Rapporté dans un champ assez large et assez profond, il est donné tel quel, afin, dit-on, de préserver son ambiguïté et de laisser au spectateur le soin de choisir le sens qui lui convient dans la polysémie dont les faits témoignent « objectivement », l'auteur n'ayant pas à les gauchir en leur donnant un sens choisi ou un supplément de sens impliqué par le montage, le cadre lui-même se bornant à limiter le champ comme une fenêtre le paysage vu à travers elle.

Il est évident que si l'on montre :

A. Un personnage assis devant son bureau et regardant évasivement un objet situé hors champ ;

B. La lampe de son bureau, vue en gros plan ; ce personnage ne peut manifestement regarder que cette lampe donnée (imposée...) à son regard.

Si, au contraire, on le montre, selon un champ un peu plus large, regardant la lampe alors comprise dans le cadre parmi d'autres objets — fût-elle située au premier plan —, on lui accorde une liberté d'action : il aurait pu regarder autre chose. Mais ce n'est là qu'un semblant. Au lieu de dépendre du montage, le regard dépend de la mise en scène. Il n'en est pas moins orienté. Mais il est de fait que, pour le spectateur, tout se passe « comme si » l'homme avait, de son plein gré, choisi de regarder la lampe plutôt que sa tabatière ; *comme si*, au niveau de l'image, le monde était saisi en son immanence, vierge de toute idéologie, de toute intentionnalité, l'intention formalisatrice ne se laissant voir qu'au niveau du récit. Encore que la façon d'organiser et d'enchaîner les plans et les séquences se résorbe dans l'évidence — ou la liberté — apparente des faits.

Sans doute le metteur en scène est-il libre de laisser aux événements, lorsqu'ils sont pertinents, le soin de se signifier par eux-mêmes ; mais aussi bien de les orienter volontairement — disons visiblement — lorsqu'il devient nécessaire d'accuser un sens privilégié. Ce n'est là qu'une question de style, voire d'esthétique générale.

Où Bazin se trompe résolument, c'est lorsqu'il prétend que le spectateur a la liberté du choix, que « sommé de construire des significations parmi celles qu'on lui propose, il est lui-même producteur de sens ». Sans doute est-il invité à déchiffrer un sens qu'il peut interpréter à sa façon, mais il ne peut en aucun cas le créer, ce sens étant déterminé par les faits qu'il lui faut bien enregistrer comme on les lui donne à voir. A moins bien sûr que le « donné » n'ait aucun sens où qu'on lui présente un écran vide... Mais il ne peut choisir un acte, un fait qui ne seraient pas explicites par rapport à l'action représentée. Quelle que puisse être en effet son éventuelle ambiguïté, cette action est impliquée dans une suite dramatique qui donne privilège à un sens ou à un acte. L'image d'un film n'est pas un élément isolé.

Dans la scène du bazar des *Plus Belles Années de notre vie* (citée par Bazin), le spectateur n'est pas libre de porter son attention sur les personnages du premier plan plutôt que sur la jeune fille perdue au fond du décor. Pour cela que c'est elle seule qui est en cause, le plan précédent nous l'ayant montrée se dirigeant vers ce bazar. C'est donc sur elle que se porte l'attention aussitôt qu'on l'aperçoit.

On peut donc dire, contrairement à Bazin, que « dans toute image le regard est toujours attiré par le lieu qui présente le maximum d'intérêt ou de signification, ce lieu étant désigné par l'action elle-même, c'est-à-dire par les implications du drame et de la chaîne signifiante ».

J'ai développé toutes ces questions voici bientôt vingt ans dans mon *Esthétique du cinéma*, et bien d'autres que moi ont passé au crible la phénoménologie idéaliste sur laquelle ont pris corps ces idées de « monde qui se donne à voir en sa liberté existentielle ». Mais il semble que ces redites soient nécessaires, tant certains continuent de nous casser les pieds avec ces notions de transparence et d'image pure mises bien imprudemment parfois au compte d'une dialectique illusoire.

Bien loin que de « révéler » la réalité « vraie » comme Bazin le supposait, l'image n'est jamais que d'un *aspect* des choses ; un aspect *choisi, restructuré*. Qu'elle soit conséquente d'une apparente linéarité (plans-séquences, profondeur de champ) ou d'une apparente discontinuité (plans courts, désarticulation de la durée), la continuité filmique est d'une série de fragments dont le déroulement continu n'est jamais qu'illusoire. C'est la continuité d'un *récit* et non du *réel*.

Obtenu par consécution ou par césure, successif ou simultané, l'effet-montage est toujours dirigé en vue d'une production de sens délibérément choisie. Il ne saurait être question d'un *plus de réel* comme le voulait Bazin ; pas davantage d'un *moins de réel* comme l'avançait Jean-Louis Comolli, mais d'une réalité *distincte*, d'un *autre réel* obtenu avec l'image du monde et des choses. Au cinéma *le réel devient l'élément de sa propre fabulation*. En conséquence le discours filmique est nécessairement *matérialiste* et *symbolique*. Seules ses visées peuvent être réalistes, idéalistes ou de quelque nature que ce soit. L'abstrait au cinéma n'est jamais qu'en fonction d'un concret incessamment médiatisé, la médiation étant elle-même guidée par une intention formalisatrice, une idéologie dont le signifié est alors le reflet ou l'expression.

La question des raccords

Tout changement de plan, qu'ils soient « en profondeur » ou pas, engage la question des raccords. Or, pas plus qu'il n'y a à théoriser sur le hors-champ, il n'y aurait à théoriser sur les raccords si les contre-vérités ne venaient brouiller les pistes. On peut s'étonner en effet de lire sous la plume de Noël Burch que la rigueur des raccords « avait pour but de rendre imperceptible les changements de plans ». Or la rigueur du montage liant des plans distincts n'a jamais eu pour objet de « dissimuler le discontinu », mais d'assurer l'unité spatio-temporelle d'une suite d'actions situées en des lieux relativement voisins. La perfection des raccords n'efface nullement la discontinuité des plans. Ce que les faux raccords mettent en évidence — et qu'il convient de rendre imperceptibles —, ce ne sont pas du tout les contrastes de plan à plan qui *doivent être perçus* en ce qu'ils sont chargés de sens, mais la discontinuité du mouvement, *la cassure des gestes*, c'est-à-dire les sautes ou les chevauchements. Il ne faudrait pas confondre la discontinuité des plans ou des angles et la discontinuité des gestes saisis à l'intérieur de ces plans.

Raccord dans l'axe et dans la continuité du geste :
Brève Rencontre, de David Lean, 1945

Avant que l'on ne sache établir correctement des *raccords dans le mouvement* (qui n'apparurent que vers 1925-1926, notamment dans les films de Poudovkine, et ne furent généralisés qu'avec le parlant) on raccordait rarement dans l'axe, la différence axiale permettant de tromper l'imperfection des raccords. Dans un chapitre précédent j'ai précisé que lorsqu'on raccordait *dans l'axe* (avec ou sans répétition gestuelle) c'était *toujours* par l'intermédiaire d'un fondu enchaîné qui « effaçait » les défauts de raccordement. Dans la majorité des cas, les intertitres éludaient le problème.

Assurer la *continuité* des gestes et du mouvement à travers la *discontinuité* des plans, telle est justement la raison d'être des raccords dans le mouvement que les tables de montage permirent d'établir correctement. De tels raccords sont indispensables lorsqu'on veut assurer une parfaite unité spatio-temporelle en passant d'un point de vue à un autre comme du champ au contrechamp. Mais personne n'a jamais dit que cette unité était obligatoire. Il y a intérêt parfois à ne la point respecter. Je ferai simplement remarquer que dans le montage « abrupt », la coupure

productrice de sens est amortie par le sens qu'elle produit de telle sorte que malgré la discontinuité formelle des plans, l'impression de continuité n'est pas moindre. La « brisure » du montage n'est sensible que lorsqu'elle est inutile.

La « fascination du voir »...

J'ajouterai qu'il n'y a pas, au cinéma, de signes *vides*. Lorsqu'une image ne signifie rien, c'est-à-dire rien d'autre que ce que peut signifier ce dont elle est l'image (auquel cas il ne s'agit pas d'une *production* de sens mais d'une *reproduction...*) ce n'est plus un signe. Ni plein, ni vide. Et lorsque les plans sont « trop longs » (tels ceux qui prétendent rendre compte de la durée vécue), il n'y a pas absence de sens, absence de signification, *manque* de quoi que ce soit. Il y a tout au contraire un *sens*, mais qui demeure tel quel (en suspens, si l'on veut) dans un signifiant qui ne dit rien de plus que ce qu'il vient de dire ; lequel signifiant donc n'est pas vide mais inopérant, inutile et, par cela même, ennuyeux. Le dire n'est pas retenu (comme dans le *suspense-time* dont la finalité est tout autre) mais paralysé.

On parle alors de la *fascination du voir*, qui est tout autre chose que la fascination filmique. Liée au mouvement des images, à tout ce par quoi le cinéma se distingue des autres arts, la *fascination filmique* est conséquente de la superposition identification (ou assimilation) de deux impressions complémentaires autant qu'apparemment contradictoires : l'impression de réalité, due au réel représenté, et l'impression d'irréalité due aux formes de la représentation.

La *fascination du voir* n'est pas liée aux seules images filmiques. C'est un état attentif proche de la contemplation. Laquelle suppose une valeur digne d'être contemplée, du *plein* et non du *vide*, une certaine durée aussi au cours de laquelle la conscience domine l'objet, le cerne, le scrute mais qui, si elle est trop longue, inverse aussitôt son effet : c'est alors l'objet qui absorbe la conscience et la paralyse. La prise de conscience se dissout dans ce sur quoi elle s'hypnotise, et la fascination aboutit à un engourdissement du cerveau proche de l'abrutissement d'un drogué. S'il y en a qui se repaissent du vide et de l'a-signifiant c'est leur droit, mais ça n'a plus rien à voir avec l'expression filmique...

Ce qui ressort de ces remarques me paraît être ceci : on discute à n'en plus finir sur des termes mal définis ou qui n'entraînent jamais que des abstractions. Tout comme si les formes envisagées véhiculaient un sens privilégié, engageaient une signification applicable en toute circonstance, en bref comme s'il s'agissait de règles grammaticales, de structures syntaxiques ou de code signalétique.

On discute sur la signification du gros plan, sur les implications du montage, sur le réalisme du champ profond, mais gros plan *de quoi ?* Champ profond de quel lieu, de quel espace ? Juxtaposition de quelle action et de quelle autre ? Plan long ou court par rapport à quel rythme, à quel sentiment de durée, dans quel contexte ?...

Tous les arguments qui plaident en faveur de l'une ou de l'autre de ces formes sont également valables ; tous sont vrais et faux, logiques et absurdes car tout dépend des événements narrés, des circonstances mises en scène, du sens qu'on entend leur donner ou leur voir prendre. En bref, du contenu par quoi, pour quoi et relativement à quoi ces structures sont opérantes ou inopérantes. Le cinéma n'est pas encore guéri de cette maladie infantile qui consiste à lui chercher des règles, des lois ailleurs qu'en lui-même. Or, si les comparaisons ne peuvent être qu'enrichissantes, toute assimilation proche ou lointaine ne saurait conduire qu'à de dangereuses aberrations.

Du fait qu'il n'y a aucun lien, aucun caractère de fixité entre le signifiant et le signifié, l'image filmique — gros plan ou non — ne saurait être comparée à une unité linguistique même si elle agit pareillement en certains cas. Et c'est justement parce qu'elle n'est signe de rien qu'elle peut connoter les idées ou les sentiments les plus divers. Axé par les événements décrits et par les articulations de la chaîne signifiante, son éventail sémantique est illimité tout comme les possibilités événementielles, c'est-à-dire comme la vie elle-même.

D'où l'on peut conclure que le langage filmique est un *langage sans signes*. Non seulement l'image assure une fonction qu'elle ne tient pas d'elle-même mais, en raison du caractère concret des choses représentées, l'idée s'identifie à une qualité formelle. Elle n'atteint l'intelligible qu'à travers le sensible. En quoi l'expression visuelle — fût-elle des films les plus quelconques — est une *poétique*. Ce que j'ai avancé en disant que le cinéma n'était langage qu'au niveau de l'œuvre d'art, qu'il était *expression* avant d'être *signification*.

IX

DE LA SYNTAGMATIQUE

On sait qu'un syntagme est un groupe de mots, le plus petit groupe de mots comprenant les éléments grammaticaux suffisant à constituer un énoncé. C'est l'intermédiaire entre le mot et la phrase. Toutefois le mot, qui est une unité lexicale, *désigne* une chose et *nomme* un concept. Dire qu'il *signifie* c'est souligner sa qualité de *signe* et extrapoler en reportant sur lui le sens de la chose désignée. Le syntagme, au contraire, est une unité linguistique beaucoup plus souple, plus exacte car, remarque A. Martinet, « c'est derrière l'écran des mots qu'apparaissent bien souvent les traits réellement fondamentaux du langage humain[1] ».

Le syntagme répond donc à la définition de *l'unité sémantique* constituée par « la présence de deux termes et la relation qui les unit ».

Une phrase telle que *la pomme est mûre* peut être divisée en un syntagme nominatif, *la pomme*, et un syntagme verbal, *est mûre* (Chomsky). Mais, d'un point de vue strictement grammatical, *est mûre* ne signifie rien qui ne doive se rapporter à quelque chose. Dans cet ordre d'idées, les formes propositionnelles les plus simples, du type *Pierre est grand, André marche vite*, voire des propositions encore plus courtes, telles que *le soleil luit, la pendule retarde*, peuvent être considérées comme du plus petit syntagme possible.

Autrefois les courts fragments séquentiels groupant un ensemble de plans relatifs à un moment du drame étaient appelés *scènes* jusqu'à ce que la sémiologie vienne à s'emparer du cinéma. Le terme qui appartient au théâtre et qui envisage le *dit* bien plutôt que le *dire* était à l'évidence inadéquat à l'analyse structurale comme ne répondant pas à la notion de *segment*, tels les plans et groupes de plans qui constituent

1. A. MARTINET, « Le mot », in *Diogène*, n° 51, 1965.

une chaîne signifiante à la manière des unités linguistiques. Aussi bien ces courts fragments ont-ils été dénommés *syntagmes* par Christian Metz en raison de leur analogie avec les groupes de mots formant une proposition. Sans que cela laisse entendre d'une identité quelconque entre scène et syntagme, l'un considérant la forme et l'autre le contenu, toute scène pouvant être décomposée comme les phrases en un ou plusieurs syntagmes.

Principales objections

Une première objection cependant vient à l'esprit : pour signifiante qu'elle soit *nécessairement*, l'organisation relationnelle des plans n'est soumise à aucune règle comparable à celles qui régissent les relations de mots. Elle est analogue à l'enchaînement des phrases dont l'ordonnance ne relève que de la logique du récit. De plus, le plan, qui est le plus petit segment filmique, correspond à plusieurs phrases. Il s'ensuit que le syntagme filmique est en fait un *syntagme de syntagmes*. Ce n'est plus le groupement d'unités de signification (les mots) mais de signifiants complexes (les plans) considérés à la fois comme des unités en tant que composants syntagmatiques et comme des énoncés par référence au signifié.

La structure du syntagme est la même, sans doute, mais son fonctionnement est tout autre, d'autant plus que, dans le plan, le signifié n'est pas conséquent de la succession linéaire d'éléments distincts et décomposables mais d'un ensemble dynamique insécable, d'un mouvement global développé dans un espace circonscrit selon une extension temporelle déterminée.

Par ailleurs, si la liaison des plans ne suppose aucune règle, il n'est point de syntagme filmique hors d'un ensemble causal qui lui donne un sens et le constitue comme tel. Si l'on prend par exemple, dans *Le Cuirassé Potemkine*[2], la cellule constituée par les deux plans : *a)* des marins flanquent un officier par-dessus bord ; *b)* un lorgnon se balance au bout d'un filin d'acier..., il est évident que cette cellule (qui est du plus petit syntagme possible : deux plans joints selon une relation implicative) n'est signifiante que *dans ce film*.

Ainsi qu'on l'a vu dans le chapitre précédent, cette relation, considérée hors du contexte implicatif, ne signifie rien de plus que ce qu'elle montre — aucune connotation n'y est lisible.

2. La plupart des exemples sont choisis dans des films muets, le problème étant des images seules : structure interne et montage. Parole et sons viendront plus tard.

Alors que le syntagme linguistique possède une implication *interne* de par son organisation grammaticale, l'implication qui donne un sens au syntagme filmique (qui fait que ce syntagme en est un) lui vient, comme on l'a dit, presque toujours *de l'extérieur*. Mais un extérieur qui fait partie de l'intériorité du film, de son corpus, et non d'une extériorité extérieure au film lui-même.

La seconde objection est la suivante : parmi les diverses formes syntagmatiques dont chacune, plus ou moins codifiée, entraînerait une même production de sens, Christian Metz distingue deux groupes fondamentaux : les syntagmes *a-chronologiques* et les syntagmes *chronologiques*.

Le premier groupe est divisé en *syntagmes parallèles* (portant sur des événements opposés, juxtaposés ou comparés) et *syntagmes en accolade* (portant sur des événements associés dans une même conceptualisation globale).

Le second en *syntagmes descriptifs* (portant sur des choses envisagées successivement mais ayant une coexistence spatio-temporelle) et *syntagmes narratifs* eux-mêmes divisés en *syntagmes narratifs linéaires* (portant sur la consécution des événements en une suite de plans autonomes, d'épisodes ou de séquences) et *syntagmes alternés* (portant sur la simultanéité d'événements séparés).

Tout cela est vrai. Mais sans contester l'importance des travaux de Christian Metz, on peut remarquer :

1. Que les *syntagmes alternés* portent aussi bien sur la non-simultanéité que sur la simultanéité. On peut accoupler de la sorte deux événements éloignés dans l'espace et se produisant dans le même temps ou deux événements se produisant dans un même espace et séparés dans le temps. L'alternance : *Ici / ailleurs / ici / ailleurs* suppose aussi bien l'alternance : *aujourd'hui / hier / aujourd'hui / hier...*

2. Que les syntagmes parallèles, comparatifs ou associatifs procèdent, eux aussi, de la même forme de montage dénommée indifféremment montage alterné, montage parallèle ou montage croisé par les techniciens du film. Il s'agit toujours de faire alterner les plans selon une suite A/B/A/B/A/B/..., etc. Lorsqu'on juxtapose des événements analogues ou de même sens (simultanés ou non) qui réagissent les uns sur les autres au niveau de la diégèse, on a un syntagme *associatif*. Lorsque, au contraire, on juxtapose des événements différents mais qui présentent une certaine analogie factuelle ou idéologique, on a un syntagme *comparatif*. Ainsi, dans *Tempête sur l'Asie* :

Des bonzes nettoient la statue du Bouddha.
L'officier anglais se rase.
On astique la statue.
La femme de l'officier se poudre.

On pare la statue de chamarrures diverses.
La femme agrafe son collier de perles.
L'officier endosse son costume chargé de décorations.
On habille la statue, etc.

3. Pareillement, les syntagmes descriptifs et les syntagmes narratifs (dont la distinction est toute superficielle) procèdent du *même type de montage linéaire* A.B.C.D.E., etc. Le caractère heurté, haché du montage, dit *non linéaire*, relève uniquement (dans cette sorte de syntagme) de *ce qui est opposé dans cette juxtaposition formelle*. Autrement dit ce qui différencie ces syntagmes le doit à leur contenu, à la nature et au caractère des choses représentées, nullement à des principes organisateurs réglés et codifiés. Sans doute est-il possible de ramener ces formes à quelques grandes structures comme Christian Metz l'a établi, mais à celles ci-dessus énoncées, qui sont les plus fréquentes, on pourrait en ajouter beaucoup d'autres.

Notamment : la *fausse alternance* telle que l'évasion de *Pierrot le Fou* vue sous différents aspects alors qu'il ne s'est pas encore enfui.

L'*alternance imaginaire* comme dans la séquence de *Midnight Cowboy* où l'on voit : *a)* le jeune homme, dans sa chambre, écrivant une lettre à son oncle ; *b)* l'oncle, au ranch, recevant la lettre et la lisant ; *c)* le garçon continuant d'écrire sa lettre puis la déchirant après réflexion.

La *double alternance* où présent et passé s'imbriquent l'un dans l'autre, se conjuguent, se confondent, s'affirment ou se contredisent comme dans *Lenny* ou dans *Star 80* sans que jamais les faits actuels (témoignages, interviews, enquêtes) ne servent de commentaire à l'action échue qui constitue le présent du drame mais la réactivent incessamment. La liste pouvant s'allonger indéfiniment, cette schématisation structurale, commode au niveau de l'analyse, demeure sans objet dès l'instant qu'on en voudrait tirer des règles générales ou des codifications décisives.

D'autre part, ces classifications qui portent uniquement sur les relations signifiant/signifié ne font, comme je l'ai dit, aucun cas du *rythme* qui régit les relations temporelles. Or, si le rythme ne donne pas un sens intelligible au syntagme, il lui donne un *qualia* émotionnel dont on ne saurait faire bon marché, le film étant expression au moins autant que signification. Mais le rythme, lui aussi, est *en raison de ce qui doit être rythmé* et non, comme ce l'est en musique ou en poétique, en fonction de structures ou de règles préétablies.

Ce que l'on peut dire d'une façon à peu près générale, c'est que l'*implication* est l'une des conditions fondamentales de l'expression filmique sinon la condition majeure. Laquelle implication n'est pas un système clos mais une fonction générative sans cesse ouverte sur le possible. Proche de l'induction sémantique, elle s'en éloigne en ce que, tout comme la sémantique elle-même, cette induction est limitée par la syntaxe, conditionnée par elle, alors que l'implication n'a pour base que des principes logiques, psychologiques et autres que nous examinerons plus loin.

Quoi qu'il en soit, il importe peu que les significations qui en découlent soient obtenues par montage (alterné, parallèle, comparatif, oppositionnel, linéaire, brisé, etc.) ou par non-montage (panoramique, travelling, mouvements de caméra, profondeur de champ, etc.), les différentes formes syntagmatiques n'étant qu'en fonction de *ce qui est monté* et non en raison d'une loi quelconque.

« Le montage alterné ne dit rien sur ce qu'il faut mettre dans ces images », dit Christian Metz[3]. Or, selon moi — et ce qui paraît à l'évidence —, c'est précisément ce qui est mis dans ces images qui statue de leur structure. Seules les choses comparables justifient de la comparaison ; l'alternance ne fera pas qu'elles le soient ou le deviennent. En linguistique, la grammaire ne crée pas l'alternance qui est un fait constructif et analytique mais elle la régit, la réglemente, l'ordonne. Or, au cinéma, ce sont les données factuelles qui imposent une formalisation adéquate. Le représenté n'est pas de signes abstraits mais de choses concrètes ayant donc une forme qui est *forme du contenu*, d'une substance matérielle dont l'organisation constitue la *forme de l'expression*. C'est celle-ci assurément qui donne au contenu tout son sens, mais c'est le contenu qui impose — en raison du sens qu'on veut lui donner — une certaine forme. Autrement dit, *il n'y a pas de grammaire au cinéma, il n'y a que des rhétoriques*.

Ce qui identifie, au moins par le dehors, le cinéma et le langage, c'est que les significations y sont essentiellement relationnelles : relations de mots ou d'images, de plans ou de syntagmes, de phrases ou de séquences, il s'agit toujours de la « mise en relation de deux termes ». Laquelle mise en relation n'est pas toujours, au cinéma, conséquente du montage proprement dit mais aussi bien du glissement d'un plan à un autre dans un mouvement continu ou du rapport de deux faits distincts dans un champ profond, ces effets étant appelés « effet-montage » par analogie fonctionnelle.

Ce qui revient à dire que le terme de *montage* est inapte à définir ou à préciser le caractère et les impératifs de ces structures signifiantes. La structure en effet n'est pas conséquente du seul raccordement de plan à plan mais bien davantage de l'endroit, du moment précis où la coupe doit être faite (ou le glissement ou la césure) pour que la liaison ait un

3. Cf. Christian METZ, *Essais sur la signification au cinéma*, vol. I, p. 125-146, Éd. Klincksieck, 1968.

sens. En vertu de quoi il vaudrait mieux parler de *coupure signifiante* plutôt que de montage.

Logique ou grammaire ?

Selon Christian Metz pourtant :

> Cette rhétorique *est aussi, par d'autres aspects, une grammaire,* et c'est le propre de la sémiologie du cinéma que rhétorique et grammaire y soient inséparables, comme y insiste à juste titre Pier Paolo Pasolini.
>
> Pourquoi les agencements filmiques codifiés et signifiants constituent-ils une grammaire ? Parce que ces agencements n'organisent pas seulement la *connotation* filmique, mais aussi et d'*abord* la dénotation. Le signifié spécifique du montage alterné concerne la temporalité littérale de l'intrigue, le message premier du film, même si la disposition alternée entraîne fatalement avec elle diverses connotations[4].

Or la dénotation n'est pas agencée en vertu de quelque règle grammaticale que ce soit mais en vertu de la toute simple logique factuelle et de la logique narrative qui organise en discours les événements mis en scène ou les éléments de la dénotation. Par ailleurs le montage alterné — on vient de le voir — ne concerne pas seulement la temporalité de l'intrigue mais aussi bien les relations comparatives, spatiales et autres.

Il reste que, dépassant la formalisation metzienne, Dominique Chateau et Michel Colin se sont évertués à formaliser la probabilité des formes syntagmatiques :

> Metz, dit Dominique Chateau, ne fait aucune prédiction, même approximative, sur la probabilité d'occurrence, dans le corpus narratif, des types syntagmatiques qu'il énumère systématiquement. Or, il est patent qu'un nombre presque infime de films utilisent le type dit « en accolade » (juxtaposition d'images illustrant un thème), tandis que tous emploient une très grande variété de « séquences » ; la Grande Syntagmatique ne fournit aucune indication sur les conditions structurales de la variété effective du type séquentiel. Eu égard au donné empirique, un modèle du cinéma qui, négligeant les autres figures, proposerait une typologie des séquences, serait bien plus performant que la Grande Syntagmatique. La neutralité de cette dernière, qui préfère l'égalité des possibles à la distribution des probables, consacre *l'originalité du niveau théorique,* en tant qu'il produit des formes rationnelles dont le strict respect (principe dit de pertinence) n'implique pas, par son seul pouvoir, une connaissance approfondie de l'objet considéré (en tant que phénomène)[5].

4. Christian METZ, in *Langage et Cinéma,* Éd. Larousse, 1971.
5. Dominique CHATEAU, « De la théorie à la connaissance », in *Hors Cadre,* n° 1, 1983.

On peut soutenir que les prémices qui permettraient d'établir une telle probabilié sont beaucoup trop instables (toujours variées et incertaines) et il semble tout aussi dérisoire de l'établir que d'établir, par exemple, les probabilités d'occurrence de la lettre A dans le prochain roman de Robbe-Grillet.

Il est clair, poursuit Dominique Chateau, que la Grande Syntagmatique s'appuie sur une autre proposition émise par Christian Metz : le phénomène linguistique et grammatical est infiniment plus vaste et concerne *les grandes figures fondamentales de la transmission de toute information.* Ce postulat implique de rechercher non pas des *structures linguistiques dans le cinéma* à l'aide du matériel brut fourni par les linguistes, mais les *structures cinématographiques elles-mêmes* en adaptant à leur représentation théorique les modèles linguistiques[6].

Mais que l'on applique au cinéma « un arsenal préétabli de règles en respectant scrupuleusement leurs caractéristiques formelles » à la manière de Michel Colin ou que l'on parte de configurations cinématographiques données en se référant comme Dominique Chateau à des formes syntaxiques pour y trouver un modèle approximatif ne change pas grand-chose et ne les empêche pas de s'enferrer l'un comme l'autre dans les pièges de la linguistique, fût-elle générative plutôt que structurale...

Bien que le modèle supposé par Dominique Chateau concerne *directement* les structures filmiques et n'utilise qu'*analogiquement* les modèles linguistiques, il ne se réfère qu'*à ceux-ci* comme d'une limitation imposée. Or, au niveau du film, on pourrait trouver cent modèles possibles — davantage sans doute — sans qu'aucun d'eux ne soit ni ne puisse prétendre être généralisable.

Une fois encore on ne peut pas théoriser — modéliser — le langage filmique pour l'évidente raison que l'ordonnancement syntagmatique n'est pas commandé par des règles, mais par la logique du récit. L'intelligibilité des types syntagmatiques est en fonction de la vraisemblance des faits devant une logique propre au genre choisi.

Par ailleurs si, dans les syntagmes, les relations de plans sont aussi importantes que les plans eux-mêmes, peut-être pourrait-on considérer les relations qui interviennent entre les éléments constitutifs de chaque plan — personnages, choses, décors — comme autant d'articulations. Mais de là à y voir l'équivalent de la seconde articulation linguistique comme le voudrait Pasolini, il y a selon moi une distance infranchissable.

6. *Id., ibid.*

> Nous pouvons, dit-il, donner à tous les objets, formes et actes de la réalité qui demeurent à l'intérieur de l'image cinématographique le nom de cinèmes par analogie justement aux phonèmes [...]. De même que les mots ou monèmes sont composés de phonèmes et qu'une telle composition constitue la double articulation de la langue, ainsi les monèmes du cinéma — les plans — sont composés de cinèmes[7].

Cette proposition me paraît indéfendable. Non pas du tout parce que les phonèmes d'une langue sont peu nombreux alors que les « cinèmes » sont innombrables, mais parce que, du fait de la constante mobilité des images, les cinèmes incessamment variables entraînent un sens motivé et distinct là où les phonèmes, articulés de façon immuable dans les mots, aboutissent, à travers ceux-ci, à un sens immotivé et univoque. Qui plus est, l'association comparative du cinème et du phonème oblige Pasolini à tenir le plan pour un monème, ce qui est d'autant plus irrecevable que le plan entraîne des significations multiples là où le mot est une unité de sens.

Si l'on peut admettre la distinction que fait Pasolini entre le cinéma de prose et le cinéma de poésie, distinction qui n'est pas nouvelle, on ne peut le suivre lorsqu'il soutient qu'il y a une véritable langue du cinéma.

La linguistique a doté l'analyse du film d'une terminologie plus adéquate ; elle a apporté à la théorie un système référentiel considérable mais qui, s'il permet d'établir des comparaisons enrichissantes, n'explique rien au niveau des significations. Ces comparaisons n'ont d'intérêt que sur le plan narratif, discursif, lorsqu'il s'agit d'organiser les structures, mais au niveau des unités de sens le langage et l'expression filmique sont sans commune mesure.

Cette recherche forcenée, ce besoin de trouver une seconde articulation dans les structures de l'image animée — photogrammes ou cinèmes — montre à quel point, dans l'esprit des sémiologues et de certains théoriciens, l'expression filmique ne saurait être sans avoir recours à des règles qu'on ne pourrait établir autrement que par référence à la linguistique. A commencer par cette double articulation sans laquelle, selon Hjelmslev, Martinet et autres, il ne saurait y avoir de langage. Cela est vrai sans doute pour le langage verbal puisque ç'en est la caractéristique essentielle. Mais serait-il scandaleux de concevoir un langage sans double articulation ?

Si par langage en effet on entend un simple enchaînement de relations signifiant/signifié ne relevant que de l'écriture, on peut fort bien

7. P.P. Pasolini, « Le cinéma comme langue », in *Études cinématographiques*, nos 112-114, 1977.

concevoir comme Christian Metz un langage *sans langue* et, par extension, comme je le conçois moi-même, un langage *sans signes* et, donc, sans grammaire, ni code, ni syntaxe.

Les images en effet ne deviennent signe que par induction. Elles n'engagent jamais que ce qu'elles montrent et ne signifient qu'en regard d'un contexte implicatif. André Martinet lui-même affirme que :

> Dans le cas où la motivation exercerait une pression si forte sur le signifiant qu'elle le modifierait en chaque occurrence, il serait impossible d'attacher une signification constante à une expression elle-même dénuée de stabilité. On ne saurait donc lui imposer des règles[8]...

8. A. Martinet, *Linguistique synchronique*, 1965.

X

CODES ET CODIFICATIONS

Après avoir examiné pourquoi l'image filmique pouvait ou ne pouvait pas avoir un statut comparable à celui du signe linguistique, Christian Metz en vint peu à peu à abandonner cette idée de *signe* pour lui substituer, à l'instar d'Émilio Garroni et d'Umberto Eco, celle de *code*. En disant notamment :

> Sans récuser la notion de signe en tant que telle on doit constater qu'elle représente seulement aujourd'hui un des outils de la recherche et qu'elle ne jouit plus du statut privilégié et central qui était le sien chez un Saussure ou chez un Peirce. [...] C'est une raison de plus pour ne pas lier la recherche des unités pertinentes du film à la quête exclusive du signe cinématographique.
> Il n'est pas vrai, dit-il encore, que l'identification de l'unité minimale soit un préalable qui conditionne l'ensemble des recherches de sémiologie cinématographique[1].

On ne peut que souscrire. Mais il faut bien reconnaître que c'est la poursuite de la double articulation et de la plus petite unité de signification qui a conduit la plupart des sémiologues et Metz lui-même à tenter une relative identification de l'image et du signe.

Introuvable dans les modalités du plan, l'unité de pertinence fut donc recherchée dans les éventuelles codifications :

> Pour commencer, dit Christian Metz, il convient de chercher à dégager et à distinguer les uns des autres — à isoler — les principaux codes et sous-codes cinématographiques [...]. C'est dans la mesure où on les aura mieux cernés que l'on pourra déterminer (par des communications intérieures à chacun d'eux, et non au cinéma) l'unité minimale qui est propre à celui-ci ou à celui-là[2].

---

1. Christian METZ, *Langage et Cinéma*, p. 155-156, Éd. Larousse, 1971.
2. *Id.*, p. 146.

Or, à mon sens, il n'y a pas plus de code cinématographique — spécifiquement filmique — qu'il n'y a de grammaire ou de syntaxe.

S'entendre sur les mots

Mais il convient d'abord de s'entendre sur le sens que l'on donne au terme de *code* : on peut dire qu'un *code* est l'ensemble des traits pertinents qui permettent de reconnaître une chose, un objet, une attribution, ou encore d'établir la relation nécessaire entre un signifiant et un signifié, la codification n'étant qu'une universalisation du sens, une réduction à l'essentiel au niveau d'une culture ou d'une idéologie.

« Par elles-mêmes, dit Sartre, les choses n'ont aucun sens : elles se contentent d'être là. » C'est nous qui leur attribuons une qualité, une valeur en raison des relations que nous entretenons avec elles ou de l'usage que nous en faisons. Tout objet, toute réalité du monde extérieur suppose donc une codification que l'on dit *naturelle* en ce qu'elle se rapporte à la nature même des choses et que, par habitude, on entend comme s'il s'agissait du sens immédiat de ces choses.

Les usages, les mœurs, notre façon de comprendre, de classer, de juger en vertu d'une certaine idéologie ou de principes admis entraînent à leur tour tout un réseau de codifications sociales ou socio-culturelles qui relèvent moins d'une société proprement dite que d'une civilisation. Enracinées dans une culture séculaire, dans les conditions mêmes de l'existence, assimilées par habitude à la perception, elles sont comprises elles aussi comme *sens immédiat* de l'expérience.

Mais ce sont là des *habitudes*. Selon les temps, les lieux, les cultures, voire les individus elles sont — ou peuvent être — interprétées différemment. Elles ne sont codifiées qu'*a posteriori*. Autrement dit, la codification est *conséquente* de ces habitudes ; elle les définit, les circonscrit mais ne les instaure pas. Elle laisse une large part de libre arbitre à leur entendement.

Au contraire le *code* — tel du moins que je l'entends — est *a priori*. C'est, conformément à un consensus social, l'attribution arbitraire, imposée et *contraignante* d'une *fonction* précise dans un système donné. Par exemple le code de la route, le code civil, le code postal. Ou bien c'est la désignation d'une fonction vitale tels le code génétique ou le code biophysiologique (produits dans les mêmes conditions les mêmes stimuli provoquent les mêmes réactions). Cependant, il ne viendrait à l'idée de personne de dire que, si l'estomac digère, c'est en fonction d'un code... Ainsi que le souligne Mikel Dufrenne :

Si le code est proprement un système de contraintes institué, certains objets sont bien codés, comme les signaux routiers ou les signes graphiques, mais le monde n'est une écriture que métaphoriquement, et c'est la perception qui le déchiffre ainsi : il ne faut pas confondre les habitudes qu'acquiert le corps dans son commerce avec le sensible, et les systèmes culturels de signes ; on peut bien dire que le corps, lorsqu'il est d'intelligence avec le sensible, décode, mais il ne décode pas un texte qui aurait été d'abord codé[3].

Certes, les codifications du langage sont ouvertement reconnues comme code en ce qu'elles se rapportent à la pertinence des signes. Il est bien évident qu'au cinéma tout ce qui est exprimé, montré, raconté, est relatif à un code puisque les choses représentées sont inséparables de leur sens. Mais il s'agit en l'occurrence des formes du contenu et non des formes de l'expression. Le produit « film » renvoie effectivement à une quantité de codes mais la plupart d'entre eux lui sont *extrinsèques.* Ils concernent les *choses filmées* et non *le filmique,* et je persiste à croire qu'il ne peut exister de code spécifique au cinéma dès l'instant que l'image n'est pas un signe immotivé et que la relation signifiant/signifié n'est pas une relation stable entraînant un sens fixé par des règles strictes.

Si un code est un code, écrit Metz, c'est parce qu'il offre un champ unitaire de commutations c'est-à-dire un « domaine » (reconstruit) à l'intérieur duquel des variations du signifiant correspondent à des variations du signifié, à l'intérieur duquel un certain nombre d'unités prennent leur sens les unes par rapport aux autres. Un code est homogène parce qu'il a été voulu tel, jamais parce qu'il a été constaté tel[4].

Des statuts inexistants

Or, si les variations du signifiant entraînent des variations du signifié, ces écarts ne sont jamais prévisibles. Selon les films le même signifiant peut entraîner des signifiés distincts et le même signifié peut être conséquent de signifiants fort divers.

On n'écrit pas un western comme un film policier, une comédie comme une épopée, et l'amateur éclairé distingue dès les premières images un film d'Hitchcock ou de Sternberg. Il y a donc d'évidentes codifications mais elles portent sur les genres, les styles, nullement sur le langage. Sans doute pourrait-on codifier certains procédés ou leur

---

3. Mikel Dufrenne, « Comment peut-on aller au cinéma ? », in *Revue d'Esthétique,* n° spécial cinéma, 1978.

4. Christian Metz, *op. cit.,* p. 20.

sens. Si l'on pouvait décréter : *surimpression = fantôme*, ce serait un code. Mais il n'en est rien.

Dans une étude sur le cinéma expérimental, Dominique Noguez disait :

> Les personnages qui apparaissent en surimpression ont un statut diégétique clair : ce sont des fantômes[5].

Or si la chose est vraie pour certains films fantastiques ou oniriques, elle ne l'est point pour beaucoup d'autres. Au cours de la seule année 1913, tandis que le Danois Holger Madsen utilisait les surimpressions pour représenter des revenants *(Rêves d'opium, Les Spirites)*, Griffith les employait pour figurer, dans *La Conscience vengeresse*, les troubles et les égarements de son héros et Victor Sjöström évoquait de la sorte les souvenirs d'*Ingeborg Holm*. La surimpression permit de matérialiser des « visions » de caractère symbolique ou métaphorique *(Intolérance, Civilisation, J'accuse)* aussi bien que de figurer des personnages de l'« au-delà », image qui trouva son plein emploi en 1920 dans *Les morts nous frôlent* de Hayes Hunter et *La Charrette fantôme* de Victor Sjöström. Un peu plus tard, les hallucinations reprirent l'avantage avec *Le Cas du professeur Mathias* (G.W. Pabst), *Le Cabinet des figures de cire* (Paul Leni), *L'Étudiant de Prague* (Henrik Galeen), etc. On ne saurait donc invoquer une quelconque transformation ou évolution d'un statut d'ailleurs inexistant...

En linguistique, les points d'interrogation et d'exclamation sont des signes. Le point, la virgule, le point et virgule marquent tout à la fois une liaison et une séparation. Au cinéma les dénommées « ponctuations » sont presque toujours des articulations. Le *fondu au noir* indique un éloignement temporel de longue durée, mais il peut marquer la fin d'une séquence (auquel cas il fait office de point). Le *fondu enchaîné* relie des événements éloignés dans le temps en même temps qu'il marque cet éloignement mais il relie aussi bien des événements éloignés dans l'espace et il peut, comme dans *Citizen Kane* (séquence du professeur de chant), être l'expression du mode fréquentatif. Par ailleurs ces liaisons ne sont nullement obligatoires ainsi qu'en témoigne le cinéma contemporain où les raccordements se font par coupes franches. Au cours des années trente il fut d'usage d'indiquer les changements de lieu par un *volet*. Nul ne s'en sert plus aujourd'hui. Sans doute ces procédés furent-ils codifiés puisque utilisés à des fins précises pendant un certain temps, mais il ne faut pas confondre une

5. In *Revue d'Esthétique*, n° spécial sur le cinéma, avril 1973.

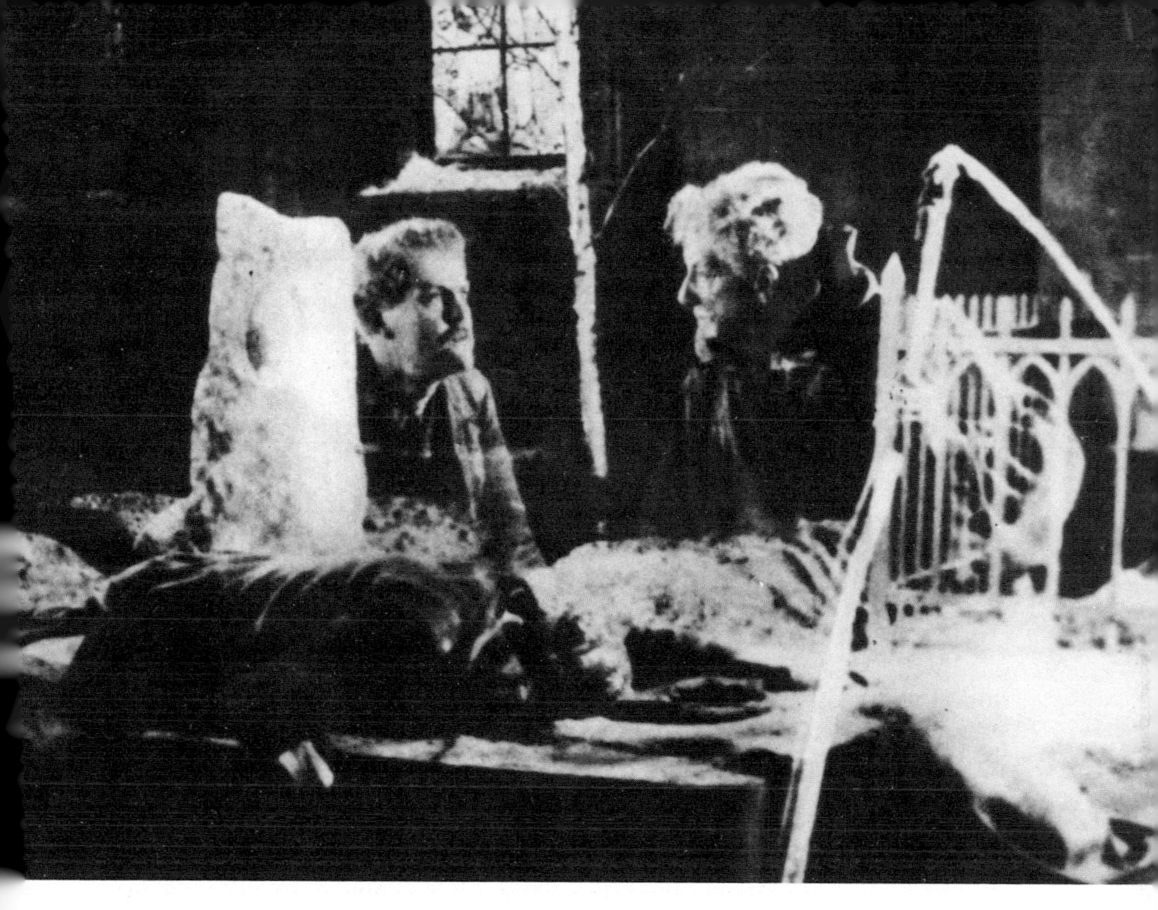

Les « personnages de l'au-delà » en surimpression
dans *La Charrette fantôme*, de Victor Sjöström, 1920

mode passagère avec un code. Un code en effet est *souverain* (dans les limites qui lui sont assignées) ou n'est pas. Si le code de la route changeait tous les six mois, ce ne serait plus un code...

Ce qui est vrai des surimpressions et des enchaînés l'est également des autres procédés. Tous peuvent être contournés, transgressés, aucun d'eux n'ayant une fonction définie *a priori*.

Il y a cliché, au contraire, dès qu'un procédé ou une figure de style répondent à une habitude acquise, à un code : fixé dans son sens comme dans un lexique, le calendrier qui s'effeuille est devenu inacceptable.

Une expression libre

Ainsi que je l'ai toujours soutenu *chaque film impose et détermine les lois qui lui sont propres*, les codifications qu'il suppose n'étant jamais qu'en fonction d'un contexte impératif. Alors que les structures signifiantes préexistent à l'expression verbale, elles ne préexistent pas au film : *elles en dépendent* et, de ce fait, ne sont pas « exportables ». Dans son étude sur *Muriel*, Michel Marie devait reconnaître à son tour que « le texte invente ses propres codes et ces codes sont spécifiques de ce texte et non pertinents pour un autre texte[6]. »

Tandis que Pierre Sorlin précisait que :

> Le film, par les systèmes de relations dont il est porteur, organise ses propres codes, crée ses signes, transforme en indices ou en sèmes des données *a priori* indéterminées, insaisissables hors du niveau relationnel où elles se trouvent[7].

On ne saurait trop répéter que deux actions montées, par exemple, en alternance ne sont pas comparées ou simultanées par le seul fait de cette alternance, c'est-à-dire d'un syntagme dont la structure indiquerait par elle-même la comparaison ou la simultanéité à la façon d'une phrase dont l'organisation grammaticale indique le sens *a priori*. La nature du syntagme, qui n'est définissable qu'*a posteriori*, dépend de la nature et du sens des événements qui le constituent. Événements dont l'intelligibilité (le fait de comprendre qu'ils sont comparés, opposés ou simultanés) est conséquente des instances dramatiques, des actes, des situations dont l'évidence est orientée, si besoin est, par le dialogue ou un commentaire quelconque. Et cela d'autant mieux que les codes prétendument filmiques renvoient presque toujours à une pluricodicité socioculturelle dont la compréhension est inscrite dans leur codification même. A tel point que la subtilité consiste parfois à les prendre à contre sens. Le film d'Eisenstein *Alexandre Nevsky* est significatif à cet égard.

Alors que dans la civilisation occidentale le blanc symbolise la pureté, l'innocence, les houppelandes blanches des Chevaliers teutoniques, l'immense étendue glacée du lac Tchoud, les champs couverts de neige sont associés aux thèmes de cruauté, d'oppression et de mort tandis que la couleur noire, attribuée aux combattants russes, incarne les thèmes positifs d'héroïsme et de patriotisme. Ce que les spectateurs ont immédiatement compris.

Dans un autre film, une séquence montre une femme qui, après avoir jeté un regard sur une table dressée en vue d'un dîner, déplace avec précaution un bouquet. Par référence au code social on comprend que la maîtresse de maison est venue contrôler l'ordonnance du couvert avant l'arrivée des invités. Or ce n'est pas cela. En effet, tout en accom-

6. In *Muriel*, p. 239, Éd. Galilée, 1972.
7. In *Sociologie du cinéma*, Éd. Aubier, 1978.

plissant ce rituel, cette femme a contemplé les fleurs avec quelque mélancolie : son mari les lui a fait parvenir avec un mot d'excuse. Retenu par des affaires urgentes, il ne viendra pas. Or ces fleurs lui rappellent celles qu'il lui offrait jadis alors qu'ils n'étaient que fiancés et qu'il ne manquait jamais d'être présent à de semblables réunions.

Comme pour bien d'autres détails, un tel sens n'est déchiffrable qu'en fonction des séquences antérieures, c'est-à-dire d'un code préparé par les événements et propre à ce seul film dont l'originalité est — comme pour le film d'Eisenstein — de contrevenir au sens convenu tout en lui en substituant un autre, exclusif et personnel.

Mais, là comme ailleurs, il s'agit de codes narratifs, nullement de codes de langage que l'on chercherait vainement dans les significations spécifiques du film.

Analogie et ressemblance...

Cependant, Christian Metz et d'autres sémiologues — Umberto Eco, Emilio Garroni, Dominique Chateau — ont cherché dans l'*analogie* (du fait des ressemblances de l'objet et de son image) les fondements possibles d'une éventuelle codification des unités filmiques.

La notion d'analogie doit cependant être maniée avec prudence, dit Christian Metz. Il est vrai que pour une sémiologie proprement cinématographique, l'analogie représente une sorte de *butée* : sur les points précis où c'est elle qui prend en charge la signification filmique (= notamment le sens de chaque « motif » pris *séparément*), toute codification *spécifiquement cinématographique* fait défaut ; c'est bien pourquoi les codes filmiques, à notre sens, doivent être cherchés à d'autres niveaux [...]. Mais pour une sémiologie *générale*, les secteurs analogiques de la signification filmique ne représenteraient pas un point d'arrêt ; car bien des choses qui, pour l'analyste du film, sont « supposées acquises » et représentent dans cette mesure une sorte de commencement absolu *après quoi* l'aventure cinématographique prend son essor, sont à leur tour les produits complexes et terminaux d'*autres* aventures culturelles [...]. Parmi ces « codes » extra-cinématographiques dans leur nature mais qui interviennent cependant à l'écran sous le couvert de l'analogie, il faut signaler au minimum — sans préjudice de dénombrements plus complets et plus fins — l'*iconologie* propre à chaque groupe socio-culturel producteur ou consommateur de films (modalités plus ou moins institutionnalisées de représentation des objets, processus de reconnaissance et d'*identification* des objets sous les espèces de leur « reproduction » visuelle ou sonore, et plus généralement conceptions collectives sur ce qu'est une *image*), et d'autre part, jusqu'à un certain point, la *perception* elle-même (habitudes visuelles de repérage et de construction des formes et des figures, représentation de l'espace propre à chaque culture, structures auditives diverses, etc.). Le propre des codes de ce genre est de fonctionner pour ainsi dire au cœur même de l'analogie, et d'être ressentis par les usagers comme faisant partie du déchiffrement visuel ou auditif le plus ordinaire et le plus naturel.

Contrairement à ce que nous pensions il y a quatre ans [notamment dans « Le cinéma : langue ou langage ? »], il ne nous paraît nullement impossible, aujourd'hui, de supposer que l'*analogie est elle-même codée sans cesser néanmoins de fonctionner authentiquement comme analogie par rapport aux codes de niveau supérieur*, lesquels ne commencent à entrer en jeu que sur la base de ce premier acquis[8].

Ce dernier point est évident. Toutefois, dire comme il le fait que « les codes de l'analogie créent la ressemblance perceptive entre signifiant et signifié », c'est une fois encore voir les choses à l'envers ; un code en effet ne crée pas plus ce qu'il codifie que le mot ne crée l'objet qu'il désigne (ou si c'est une façon de parler, elle est dangereuse). La ressemblance est un fait de conscience qui se borne à constater l'existence de traits semblables entre des choses alors déclarées analogues.

Sans doute peut-on se demander à quoi ou comment l'on peut reconnaître cette ressemblance sinon au fait qu'elle ressemble à ce à quoi elle est analogue donc en la rapportant au code de l'analogie. Mais à quoi reconnaîtrait-on cette analogie sinon au fait qu'il y a du semblable, donc en la rapportant au code de la ressemblance ? On peut ainsi tourner en rond à la manière des antinomies car la notion de code n'explique rien, ne signifie rien, et la codification n'est qu'une façon de grouper, d'étiqueter les données intuitives de l'expérience.

Si je distingue le marronnier du platane en raison du code qui figure les traits communs à tous les marronniers, comment, grâce à quel code reconnaîtrai-je le marronnier de mon enfance, dont certains traits spécifiques échappent à toute codification généralisante ? Grâce sans doute à un sous-code envisageant les caractéristiques qui lui sont propres. Mais tout marronnier, tout platane, tout arbre ayant des traits particuliers qui font qu'il est celui-ci et pas un autre, on doit supposer autant de sous-codes qu'il y a d'arbres de par le monde. Ce qui revient à dire que tout ce qui existe est codé. Or si tout est codé c'est comme si rien ne l'était et la notion de code s'évanouit du même coup. Autrement dit, le terme qui désigne une chose quelconque porte en son sens les caractéristiques essentielles du référent désigné sans qu'il soit nécessaire de le coiffer d'un code.

Le plus curieux c'est que Metz en arrive à « abstractiser » à l'ultime cette idée de code par laquelle il a voulu remplacer les notions beaucoup moins spécieuses à mon avis de dénotation et de connotation.

8. Christian METZ, « Problèmes de dénotation dans le film de fiction », in *Essais sur la signification au cinéma*, vol. 1, Éd. Klincksieck, 1968.

Dans chaque film, dit-il, les codes sont présents et absents à la fois : présents parce que le système se construit sur eux, absents parce que le système n'est tel que pour autant qu'il est autre chose que le message d'un code, parce qu'il ne commence à exister que lorsque ces codes commencent à ne plus exister sous forme de codes, parce qu'il est ce moment même de repoussement, de construction-destruction[9].

Autrement dit, le code — au niveau du langage — n'est là que pour être nié ou refoulé par le concret et dont le concret, de ce fait, se passe fort aisément.

Si l'on admet que parler de grammaire ou de syntaxe n'a que fort peu de sens au cinéma, parler de code en a encore moins. Il n'est pas question cependant de liberté totale, de gratuité pure. Comme on l'a vu à propos des redoublements temporels et de l'introduction des métaphores subjectives, il y a des règles. Mais des règles qui ne se réfèrent qu'à des principes logiques qui dépendent eux-mêmes des structures narratives envisagées. Les seules règles susceptibles de déterminer l'interprétation correcte d'un film (sa compréhension, l'intellection des signifiants) sont en effet celles de la logique. Ainsi, est-ce dû au fait que nous savons par expérience que les choses sont « ou bien..., ou bien... », selon les alternatives de la logique du tiers exclu, que les notions de comparaison et de simultanéité en appellent au montage alterné.

Répétons-le ; *tout est possible au cinéma qui est justifié, c'est-à-dire signifiant dans un système donné*, mais un système de relations motivées et non de signes immotivés comme pour le langage, la logique en question n'étant que la toute simple logique de l'expérience quotidienne, le recours à toute autre étant d'un horizon lointain peu probable ou peu fréquent.

9. *Id., ibid.*

XI

IMAGES ET PAROLES

Les chapitres précédents ont eu pour unique objet l'image, fondement de l'expression filmique. Or, à la fin des années vingt, le cinéma s'est adjoint la parole, la musique et les bruits. Considérés tout d'abord comme superfétatoires, les éléments sonores et les messages verbaux se sont intégrés peu à peu dans les structures profondes au point de constituer avec les images un mode d'expression plus complexe, plus riche, voire une formalisation nouvelle du sens.

Il est temps de l'envisager, non toutefois sans avoir jeté un rapide coup d'œil sur le passé. Le cinéma d'autrefois, ainsi que je l'ai noté dans mon *Esthétique*[1] n'était pas *muet* mais *silencieux*. Sauf que la parole n'y était pas nécessaire (ou ne *devait pas* l'être), les cris, les bruits, les quelques mots prononcés ici et là, lorsqu'ils faisaient partie de la description ou du comportement, étaient « entendus » par le spectateur. L'imagination accordait aux individus comme aux choses les qualités sonores de la réalité sensible et la midinette prêtait aux déclarations du jeune premier les mots d'amour qu'elle rêvait d'entendre. Le dialogue étant à l'unisson de celui qui l'« écoutait », on devine que cet imaginaire n'était pas l'aspect le moins poétique du film. Par contre, le silence n'avait aucun sens, aucun pouvoir. L'un des avantages du parlant fut justement de le valoriser. Le « poids » du silence n'existe que depuis lors, et l'on sait que sa puissance expressive n'en est pas la moindre ressource.

En fait, les reproches adressés aux premiers films parlants ne faisaient que reprendre, sous une autre forme, les reproches adressés auparavant aux films muets de qualité médiocre. Car s'il est vrai qu'un flot de verbosité niaise submergea les écrans au cours des années 1928-1930, les

1. Cf. *Esthétique et psychologie du cinéma*, vol. II, p. 92.

films les plus bavards ne l'étaient pas beaucoup plus que certains films muets qui, eux, bavardaient en d'innombrables sous-titres.

J'ai dit comment Thomas Ince et quelques autres s'efforcèrent de les réduire en ne leur accordant qu'un rôle *indicatif* (« dans la petite ville de »... ; « huit jours plus tard », etc.), et en les situant toujours entre les séquences afin de ne pas rompre la continuité du plan par l'insertion d'un dialogue éliminé dans la mesure du possible.

La plupart des films américains des années 1912-1918 se contentaient d'indications brèves. C'est ainsi que *Traffic in Souls* (Trafic d'âmes), de Loane Tucker, œuvre remarquable pour l'époque (1913), et qui dure plus de cent minutes, ne comporte qu'une trentaine de sous-titres du type : « Où l'on voit comment, au cours de ses inspections, Tom découvrit le quartier général des trafiquants », texte qui ouvre une séquence à la manière du titre génératif de chacun des chapitres d'un roman picaresque.

Poursuivant cette voie, Louis Delluc en France, Carl Mayer en Allemagne écrivirent des scénarios dont l'action ramassée, concise, réduite à l'essentiel évitait les explications inutiles, le drame lui-même éliminant les situations « où l'on parle ». On sait que bien des films expressionnistes furent sans sous-titres, notamment ceux qui relevaient plus ou moins des conceptions de Carl Mayer et du Kammerspiele tels que *Le Rail, La Rue, La Nuit de la Saint-Sylvestre, Le Montreur d'ombres, Le Dernier des hommes.* De leur côté, *Torgus, Vanina, Variétés, Le Cabinet des figures de cire,* voire les grands films légendaires, *Nibelungen, Chronique de Grieshuus, Faust,* n'en comportaient qu'un minimum. Et quand sous-titres il y avait, leur rôle était moins explicatif qu'allusif ou poétique. Ainsi, dans *Nosferatu,* quand Huter abandonné par son conducteur poursuit seul sa route vers le manoir, le titre : « Dès qu'il eut franchi le pont les fantômes vinrent à sa rencontre » suggère le franchissement d'une limite, le passage dans un autre monde sans expliquer autrement l'histoire.

Il est certain qu'un titre bref valait mieux qu'une lourde rhétorique qui, par de médiocres détours, serait parvenu à signifier visuellement la même chose. Mieux vaut : « Un an plus tard » qu'une longue suite d'enchaînés sur un calendrier qui s'effeuille. Mais, au cours des années vingt, alors même que d'aucuns cherchaient à éliminer les sous-titres, d'autres au contraire s'évertuèrent à les multiplier.

Ayant acquis l'« âge de raison » — mais non encore l'âge adulte — le cinéma, alors conscient de ses moyens, fit une crise de maturité en s'efforçant vers des histoires plus complexes, prétendument plus profondes, mais où la profondeur et la complexité n'étaient que trop souvent réduites à des complications de mélodrame.

Une des plaies du cinéma des années vingt fut en effet l'adjonction d'un « titreur » dans les offices de distribution. Payé pour rédiger les sous-titres, ce scribe croyait bien faire en déposant à chaque détour une fiente qu'il croyait de nature à « valoriser » le film. C'est ainsi que *La Rue* fut pourvu (en France) de délicatesses telles que : « Prosper Bonassou, noctambule, déambule », après un plan qui montrait un homme en goguette cherchant sa route entre les becs de gaz. Dans un autre, un amant malheureux s'éloignant au crépuscule appelait inévitablement : « Et les ailes noires de la nuit se replièrent sur son âme sombre. » Une scène d'amour : « Il effleura ses lèvres virginales et ils échangèrent un baiser où passa toute leur âme. » A croire que les films n'étaient plus là que pour épancher cette colique verbale...

Seuls, en dehors des Allemands, les Russes trouvèrent un style adéquat unissant images et texte dans un même rythme, le mot lui-même faisant image. Avec Dziga Vertov, en effet, et ses incises verbales, les images achevaient une idée énoncée par le texte, ou le texte achevait une proposition visuelle. Ainsi : *Il est immobile :* image de Lénine. *Il se tait :* image de Lénine. *Les masses se meuvent :* images de la foule. *Elles se taisent :* images de la foule, etc.[2] Eisenstein, Tourine, Kozintzev, Ermler poursuivirent cette méthode avec bonheur. Mais à son tour elle tomba dans le ridicule lorsqu'on en vint à animer les lettres elles-mêmes. « Elle eut peur », disait un sous-titre dont la typographie tremblotait. « Son chagrin se mêlait à la pluie », disait un autre qui dégoulinait en forme de larmes ou de gouttes d'eau...

D'un langage « interne »

Dans un essai peu connu jusqu'à présent[3], le théoricien russe Boris Eichenbaum avançait, dès 1927, que s'il était privé de paroles, le film muet n'était nullement dépourvu d'un référent linguistique :

> Il est toujours inexact, disait-il, de qualifier le cinéma d'art « muet » : il ne s'agit pas en l'occurrence de son « mutisme » mais de l'absence de parole *audible*, de la corrélation nouvelle de la parole et de l'objet. La corrélation théâtrale dans laquelle la mimique et le geste accompagnent le mot est supprimée, mais le mot en tant que mimique articulatoire conserve son action. L'acteur de cinéma parle pendant le tournage, et ceci produit son effet sur l'écran.
>
> [...] Un autre fait est plus important encore : *le processus de langage dans l'esprit du spectateur.* Pour l'étude des lois du cinéma (avant tout du montage),

2. Cf. *Histoire du cinéma*, vol. III, p. 254.
3. Publié pour la première fois en français dans *Les Cahiers du cinéma*, n°s 220-221, juin 1970.

il est très important de reconnaître que la perception et la compréhension du film sont indissolublement liées à la formation du langage intérieur qui assemble les images séparées. Seuls les éléments « abstrus » du cinéma peuvent être perçus en dehors de ce processus. Le ciné-spectateur doit effectuer, pour enchaîner les images, un effort cérébral compliqué qui est quasiment absent de l'usage courant où le mot recouvre et évince les autres moyens d'expression. Il doit continuellement composer la chaîne des ciné-phrases, faute de quoi il ne comprendrait strictement rien. Ce n'est pas sans raisons que, pour certains, le ciné-effort cérébral est une occupation difficile, fatigante, inhabituelle et déplaisante. Une des préoccupations essentielles du metteur en scène est de faire en sorte que l'image « parvienne » au spectateur, c'est-à-dire qu'il devine le sens de l'épisode ou, en d'autres termes, qu'il le traduise dans son langage intérieur. De la sorte, ce langage entre en ligne de compte dans la construction même du film.

Cette idée du « langage intérieur » ou, à mieux dire, « interne » a été récemment reprise par certains sémiologues, en particulier par Emilio Garroni[4]. Mais s'il est évident qu'un effort intellectuel est nécessaire pour comprendre le sens des liaisons filmiques, ce déchiffrement n'est autre, selon nous, que la pensée « pensante », c'est-à-dire le simple achèvement de la perception, le jugement par assimilation, association ou distinction.

Sans doute ce déchiffrement s'organise-t-il dans l'esprit du spectateur sous forme de « discours », tel un film « second » qui serait suscité par l'autre. Mais ce discours — entendu ici comme d'un enchaînement logique — n'est pas nécessairement de caractère ni de nature linguistique, ne fait pas nécessairement appel à des mots, à un langage phonique interne, grammaticalisé ou non. Il peut le faire, c'est certain, et il le fait la plupart du temps, l'individu pensant généralement avec des mots (tout être social ayant appris à nommer les choses en même temps qu'à les distinguer), mais c'est un réflexe habituel, une facilité, nullement une *obligation*.

Ce « langage interne », en effet, quoique lié à des éléments sémiotiques, n'est pas nécessairement un « langage verbal implicite » comme l'affirme Garroni. Il peut tout aussi bien être *visuel*, la pensée initiale, instinctive — nullement superficielle — opérant sur des *choses* (ou sur l'image des choses), sur des références formelles non verbales et pas du tout sur des mots. C'est alors la simple organisation logique des images mentales sur lesquelles le jugement se fonde et avec lesquelles il s'établit. Car le langage « externe » ou langage proprement dit n'est jamais que la stratification linguistique des formes mêmes de la pensée,

4. « Langage verbal et éléments non verbaux dans le message filmico-télévisuel », in *Revue d'Esthétique*, n°s 2-3-4, avril-décembre 1973.

l'expression de la logique intuitive en un discours organisé selon des structures verbales ordonnées et grammaticalisées en conséquence.

L'enfant qui apprend à lire ne distingue les mots qu'en faisant appel aux choses nommées par eux. Puis les oublie à mesure. Dans le langage courant les mots sont délivrés de l'image des choses ; la pensée *n'en a plus besoin.* D'où ce qu'on appelle « penser avec des mots », et d'où la vision des images ou des choses appelle des concepts qui se résorbent en structures verbales. Mais, de même que l'enfant oublie l'« image associée » à mesure qu'il maîtrise le langage, de même le spectateur peut-il oublier le « mot associé » à mesure qu'il déchiffre plus facilement le langage filmique. On retrouve alors la pensée originale, intuitive, opérant sur les *choses* et délivrée de l'emprise des mots, le spectateur averti n'en ayant nul besoin pour constituer ce jugement personnel, non communicatif, qu'on peut appeler si l'on veut « langage interne ».

On ajoutera, pour préciser, que les formes stylistiques employées au cinéma, comme par exemple la métaphore, ne sont pas *empruntées* à des formes verbales courantes, ne sont pas, ainsi que le soutiennent Eichenbaum et Garroni, la « transposition d'une réalisation linguistique, déjà institutionnalisée, en une réalisation visuelle », bien que l'image en un tel cas soit pertinente et que la métaphore filmique puisse être confrontée à la métaphore verbale. Leur différence, en effet, est de la transposition, en des termes, des formes ou des qualités spécifiques, des *structures mêmes de la pensée.*

Lorsque Griffith réalisa la première métaphore filmique, il ne s'est pas demandé comment il devait s'y prendre pour obtenir l'équivalent d'une métaphore verbale. Il assembla simplement ses images de façon à suggérer une relation instinctivement ressentie. Cela étant, il fut remarquable que c'était une métaphore. Mais, s'il a obtenu l'équivalent d'une forme linguistique, il n'est point *parti* de cette forme pour en proposer une éventuelle traduction.

On objectera que la culture de Griffith ayant été formée par le langage, celui-ci l'a conduit tout naturellement à retrouver une figure analogue avec des moyens différents. Mais cette manière formalisée par les mots n'en réfère pas moins à un mode de penser antérieur au langage.

Autrement dit, ni le langage verbal ni le langage filmique ne sont spécifiques quant à leurs structures fondamentales mais seulement quant aux éléments formels et formalisateurs du discours (les mots, les images) et quant à l'organisation de ces éléments. En deçà, leur analogie ne doit pas être cherchée dans les structures linguistiques comme si le langage filmique n'en était que la transposition visuelle, mais dans leur *spécificité fondamentale*, c'est-à-dire dans les structures mentales antérieures à toute forme de langage *explicite*, là où le langage — verbal ou visuel — trouve ses fondements *implicites* de par la formalisation intuitive d'un ensemble de rapports, de différences, d'analogies, guidée (dans la pensée claire) par la logique du jugement — décalque ou interprétation de la logique du réel ou de ce que nous percevons comme tel. Les mécanismes idéatifs de l'inconscient en sont une démonstration suffisante. Mais nous y reviendrons plus loin.

Le rapport image/texte

L'adjonction de la parole et du son souleva donc de nombreux problèmes, et des discussions, des oppositions, des propositions, que toutes les histoires du cinéma — et combien d'articles ! — ont relatés dans tous les sens et sur lesquels il serait oiseux de revenir.

Il semble toutefois que, la vérité, Jacques Feyder la détenait partiellement, qui disait alors : « Au théâtre la situation est créée par les mots ; au cinéma les mots doivent surgir de la situation. »

Pourtant, c'est avec les premières comédies musicales de Lubitsch *(Parade d'Amour)*, avec ses comédies sarcastiques surtout *(Trouble in Paradise)* que l'on commença d'entrevoir ce que pouvait être la signification audiovisuelle, la relation du texte et des images prenant alors un sens radicalement différent de tout ce qu'on imaginait à l'époque. Il ne s'agissait plus d'intégrer des scènes dialoguées dans une architecture aussi visuelle que possible, d'éluder le dialogue ou de le réduire à l'essentiel, mais de *signifier* par la relation du texte et de l'image, c'est-à-dire par le contraste, la différenciation, la contradiction, etc., issus de la juxtaposition d'une chose vue et d'une chose entendue. Il s'agissait bien, en l'espèce, d'une sorte de contrepoint : point visuel contre point verbal, mais, en place des effets sonores précédemment obtenus et dont les conséquences n'étaient que de quelques sentiments suggérés ou pressentis, la relation cette fois prenait un tour intellectuel, le rapport image/texte déterminant une *idée nouvelle* dans l'esprit du spectateur. C'était, en fin de compte, *la transposition et l'extension des principes mêmes du montage* sur le plan audiovisuel : en plus de l'idée déterminée par la succession de deux images (ou montage « vertical » — suivant le sens du déroulement filmique), on obtenait une autre idée née du rapport immédiat du visuel et du verbal (montage « horizontal »), les deux significations étant simultanées[5].

---

5. En lisant les textes d'Eisenstein *(Film Sense, Film Form)*, on peut s'apercevoir que, chez lui, la dénomination est inversée. Eisenstein appelle montage horizontal ce que nous appelons ici montage vertical. Cela tient à ce que les tables de montage en U.R.S.S. ont un défilement horizontal : son et image paraissent donc comme superposés (sens vertical), les images se suivant horizontalement. En France et en Amérique (Moviola, Mauritone), le défilement est vertical comme en projection.

Le montage est envisagé ici (comme toujours dans cet ouvrage) selon son acception la plus large : sens déterminé par des relations (de faits, d'objets, de situations, etc.) dans la succession immédiate ou dans la spatialité du champ, le visuel désormais étant constamment rapporté à l'auditif.

Un exemple — très clair — le fera mieux saisir.

Dans *Cavalcade* (de Frank Lloyd, 1933) — qui retrace l'évolution de la société anglaise depuis la mort de la reine Victoria jusqu'à la guerre de 1914 en contant l'histoire de deux familles appartenant à la gentry britannique — une séquence nous montre deux jeunes mariés sur le pont d'un transatlantique. Issus des deux familles voisines, amis depuis toujours, ils viennent de réaliser leur rêve : être mari et femme. Ils vont, selon la coutume alors en vigueur dans la haute société, visiter les chutes du Niagara, terme de leur voyage de noces. Un plan large nous les fait voir de dos, sur la plage avant du navire ; ils se dirigent vers le bastingage. Un contrechamp les cadre ensuite en plan rapproché, accoudés côte à côte, la rampe du bastingage coïncidant avec le bas de l'écran. Ils regardent l'océan, c'est-à-dire la caméra, et un court dialogue s'engage entre eux. Il lui demande si elle est heureuse, si elle ne désire rien qu'il puisse lui offrir. Elle est au comble du bonheur : « S'il m'advenait de mourir demain, dit-elle, il me semble que la vie m'aurait donné le meilleur de ce que j'attendais d'elle. » Ce n'est là, bien sûr, qu'une idée gratuite ; or, au cours de cette conversation, la caméra recule lentement et le champ, s'élargissant à mesure, laisse voir, à l'instant précis où la jeune épouse vient d'achever sa phrase, une bouée accrochée au bastingage et sur laquelle on lit : « Titanic. » Et l'on passe au plan suivant.

On retrouve, sous une autre forme, ce mouvement de choc en retour dont nous avons parlé, qui fait basculer soudain le sens premier du film et donne ici une résonance tragique à des mots apparemment dépourvus de sens. C'est, dans une simplicité encore élémentaire, un exemple parfait de langage filmique, une signification audiovisuelle pure. Un bon film parlant ne devrait comporter que des expressions de cette sorte. Et l'on se souvient du début de *Trouble in Paradise* : A Venise sur le Grand Canal, un gondolier avance et chante à tue-tête « O Sole mio », l'air inspiré, convaincu. Il pleut. A n'en pas douter il promène un couple d'amoureux transis. Voici justement qu'il s'arrête devant les marches d'un merveilleux palais... Mais non, c'est tout simplement l'éboueur du quartier qui fait sa tournée et vide les caisses à ordures à grand fracas ! Tout le film est sur ce ton.

Pour être précis on pourrait définir la structure du film parlant en s'aidant des croquis ci-contre — ceux-ci ne prétendant nullement figurer une règle stricte mais traduire schématiquement une démarche d'ordre général :

Si nous avons, d'une part, la continuité visuelle A-B-C-D et, d'autre part, la continuité verbale A'-B'-C'-D' (fig. 1), nous voyons que : le plan A est associé au dialogue A'. Chacun d'eux apportant une signification qui lui est propre, une troisième signification résulte de leur relation immédiate : AA', que nous dirons signification vraie du plan A.

D'autre part, le plan A sollicite le plan B qui poursuit logiquement les implications ou le donné initial de A. Un certain sens résulte du rapport A/B, mais ce sens est corrigé par l'effet du dialogue A'. Autrement dit, le rapport A/B est, en réalité, un rapport AA'/B. D'où une signification X.

Le plan B, à son tour, est associé au dialogue B'. Il renvoie visuellement au plan C, mais la signification (BB' + X) rejaillit sur C selon un rapport BB'/C. D'où une signification Y. Et ainsi de suite...

On voit cependant que dans la suite A-B-C-D... les plans s'enchaînent *directement* selon la logique du drame. Au contraire, dans la suite A'-B'-C'-D'..., les données verbales ne s'enchaînent pas de proche en proche. Leur sens est relatif aux implications visuelles. Si l'on rapporte B' à A' hors de la continuité filmique cela peut n'avoir aucun sens. Le sens est défini par l'intermédiaire de B.

Autrement dit, la continuité filmique repose essentiellement sur le développement visuel qui constitue la charpente, *l'axe de structure* du film. Cela ne veut pas dire que le texte ne peut pas servir de charnière, modifier ou gauchir constamment la continuité puisque ses interventions incessantes ont pour objet de le faire. Mais le développement logique et les significations majeures se fondent sur le développement des images et non sur l'enchaînement verbal.

Dans le théâtre filmé ou dans les mauvais films parlants, c'est le contraire qui se produit. Si nous avons (fig. 2), les plans A et B d'une part, les textes A' et B' d'autre part, on voit que l'enchaînement logique, dramatique, psychologique, etc., est axé sur la continuité verbale : A' commande B' et ainsi de suite. Au dialogue A' correspond une image A qui situe des personnages et une action en un lieu et un temps donnés. Elle les place dans un décor, les met en scène, décrit des mouvements, illustre une situation *signifiée par le verbe* mais ne signifie rien — ou pas grand-chose — par elle-même. C'est du dialogue habillé d'images. Ces images peuvent être fort belles, cela peut être l'occasion d'un spectacle agréable, mais ce n'est plus de *l'expression filmique.*

Un bon film parlant n'est donc pas, comme on l'a cru longtemps, un film qui comporte peu de dialogues. La quantité verbale n'a rien à voir en la circonstance. Un film peut être fort peu parlant et être du très mauvais cinéma, un autre peut comporter d'incessants bavardages et

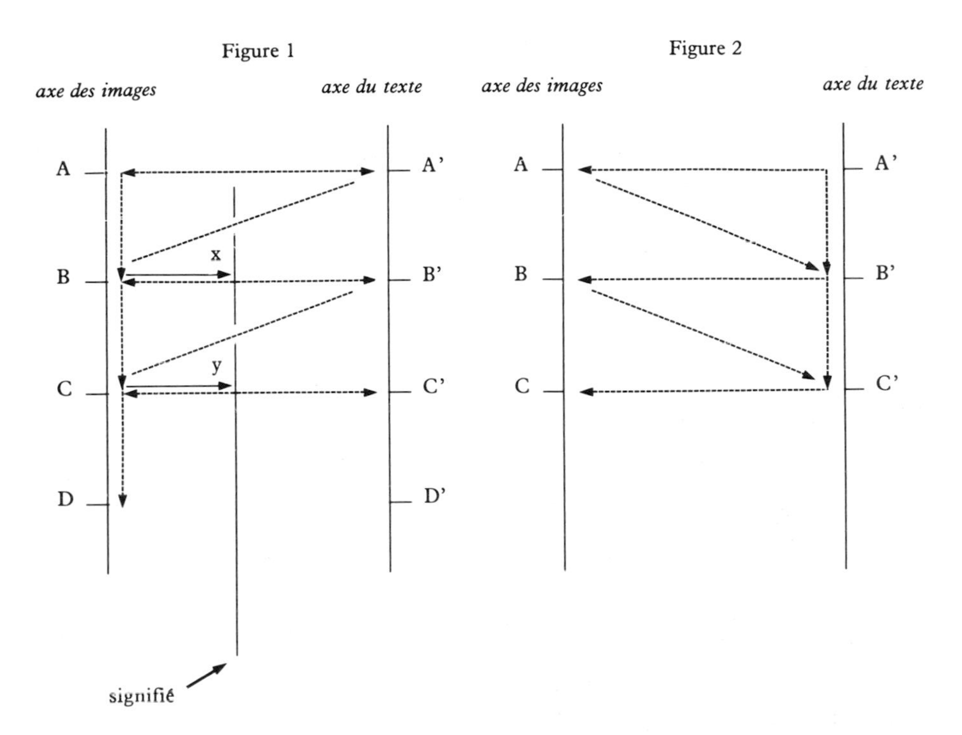

n'en être pas moins remarquable. Ce qui compte, ce n'est pas l'importance quantitative du texte, *c'est le rôle qu'on lui fait jouer.*

Il convient tout d'abord de distinguer, dans le dialogue, deux aspects généralement confondus : le dialogue « de scène » et de dialogue « de comportement ».

Dans la vie, les gens parlent ; souvent pour ne rien dire, mais ils parlent. Cela fait partie de leur manière d'être : « Bonjour mon vieux. Ça va ? — Ça irait mieux s'il ne pleuvait pas... trois bus qui me passent sous le nez et je suis en retard..., etc. » Puisqu'il représente la vie, le cinéma se doit d'enregistrer les paroles comme les gestes. Mais les conversations banales n'ont pas plus d'importance que les bruits si, toutefois, elles situent un caractère, un état d'esprit, une mentalité. Comme le remarque Merleau-Ponty « la prodigalité ou l'avarice des mots, la plénitude ou le creux des paroles, leur exactitude ou leur affectation font sentir l'essence d'un personnage plus sûrement que beaucoup de descriptions ». Néanmoins ces conversations dont l'importance psychologique est considérable n'engagent pas les individus. Elles les installent dans leur présence mais n'explicitent en aucun cas la situation dans laquelle ils se trouvent. Les dialogues de ce genre peuvent abonder dans un film sans nuire à ses qualités proprement cinématographiques car, s'ils contribuent à la compréhension des personnages, ils ne font connaître que ce qu'ils sont et ne participent que fort peu à la compréhension du drame.

Le dialogue de scène, au contraire, nous renseigne sur les pensées, les sentiments, les intentions des héros. C'est le dialogue de théâtre. Parfaitement légitime au cinéma, il ne l'est cependant que dans la mesure où il correspond à la réalité vraie, c'est-à-dire à des situations où il est normal que les individus s'engagent, lorsqu'il y a débat, confrontation. Mais, dans la vie, les gens ne se révèlent jamais totalement par ce qu'ils disent ; il y a une marge plus ou moins grande qui préserve une part importante de leur être réel. Cette marge n'existe pas au théâtre (ou fort peu), les personnages ne pouvant se signifier que par le verbe et devant le faire nécessairement, autant pour justifier de leurs actes que pour permettre la compréhension du drame. Il n'en est pas de même au cinéma où c'est précisément cette zone d'ombre qui devient intéressante et dont l'exploration permet de *découvrir* les êtres *au-delà de ce qu'ils disent*. La parole au cinéma n'a pas pour objet d'ajouter des idées aux images. Lorsqu'elle le fait, lorsque ce qui doit être compris l'est uniquement par l'intermédiaire de ce qui est dit, lorsque le texte ramène à lui seul l'expression et la signification de l'intrigue, lorsque ce qui « engage » les héros ne relève que de leurs seules paroles, alors nous sommes en présence d'une œuvre qui n'a plus rien à voir avec l'expression filmique. Dans la mesure où il est un art, en effet, le cinéma n'a pas *à enregistrer des significations*, mais à *créer* les siennes propres.

Certes, les procédés filmiques permettant de mettre en valeur des « moments d'expression verbale » mieux que ne saurait le faire aucune mise en scène théâtrale, rien n'empêche d'utiliser le cinéma pour « mettre en scène » une pièce quelconque. On ne lui demande plus alors d'être un art. Simplement, de se mettre au service d'un moyen d'expression différent, de valoriser une expression achevée. On ne retient de lui que ses procédés. C'est un emploi qui est loin d'être sans portée. Il ne s'agit plus de « théâtre filmé » au sens péjoratif du mot (la caméra enregistrant une mise en scène théâtrale), mais bien de *mise en scène cinématographique appliquée à une œuvre théâtrale*, laquelle peut en tirer un enrichissement considérable. Non point que le cinéma y ajoute grand-chose, puisqu'il n'exprime rien par lui-même, mais par le fait qu'il souligne, valorise, et surtout, *amplifie* le sens d'une expression verbale. Des œuvres comme *Hamlet* (Gregory Kozintzef), *Henry V* (L. Olivier), *Macbeth* (Orson Welles) ou *Les Parents terribles* (Jean Cocteau) le prouvent abondamment. Mais c'est une *manière de mise en scène* ; ce n'est plus un *mode d'expression*. L'art, ici, n'est que du théâtre.

On pourrait se demander en quoi une pièce de théâtre ainsi mise en film est moins cinématographique qu'un film parlant dont l'expression le devrait au seul dialogue. En vérité, elle ne l'est pas beaucoup moins. En ceci, tout de même, que la pièce est conçue et construite en vue de la représentation scénique alors que le scénario, fût-il dialogué à l'excès, est conçu en vue d'une représentation cinématographique. A défaut de significations visuelles il envisage du moins une continuité se développant librement dans l'espace et dans le temps, dégagée en tout cas des impératifs de la scène.

Mais il y a autre chose ; une chose qui, examinée de près, se révèle beaucoup plus importante : *la structure du dialogue.*

Au théâtre, tout est organisé, préparé, agencé en vue de l'expression verbale, celle-ci constituant à la fois la continuité dramatique, sa substance et son expression. L'œuvre, ne reposant que sur des mots, ramasse en un temps et en un lieu donnés des « moments de parole » et uniquement de tels moments, les autres étant sans effet[6]. De telle sorte qu'une pièce de théâtre n'est qu'une suite de conversations ininterrompues. Plus ou moins vite, selon le genre, les reparties fusent qui, parfois, se succèdent à la cadence d'une mitrailleuse. Et toujours spirituelles — ou littéraires. L'extraordinaire au théâtre, c'est l'intelligence des héros : cerveaux lucides et beaux parleurs ne s'exprimant qu'en un langage châtié, recuit et ratissé, sans prendre le temps de réfléchir ou de chercher leurs mots ; l'intelligence coule de source. Mais la source, malgré sa culture et son esprit, a mis six mois à concevoir ce qui, sur scène, est débité en deux heures de temps. Il s'ensuit que les acteurs « assument » un texte bien plutôt qu'un personnage. Sans doute donnent-ils de la vie et un semblant de vérité à leur rôle mais ils ne peuvent le « vivre » comme un acteur de cinéma parce que ce personnage et surtout ce texte n'appartiennent pas à la réalité vraie. Le jeu artificiel, ampoulé, fabriqué, que l'on a reproché bien souvent aux comédiens de théâtre, le doit bien plus à l'artifice du texte et aux nécessités du débit verbal imposé par la scène qu'à un mode gestuel ou expressif qui se soumet facilement aux conditions du film. Il est étrange qu'on ne l'ai jamais remarqué — pas à ma connaissance en tout cas — et que l'on ait toujours tenu le comédien pour responsable de ce à quoi le théâtre même l'oblige[7]. Sur scène, un comédien qui n'a rien à dire ne sait plus que faire : il prend une attitude. Et il serait difficile qu'il en soit autre-

6. Dans le « théâtre du silence » de Jean-Jacques Bernard où l'auteur s'exprime davantage par ce qui n'est pas dit — mais que les paroles laissent entendre — ledit silence ne relève que des choses tues, nullement d'une absence de dialogue ou d'un temps marqué entre les mots.

7. On n'a jamais souligné autre chose en effet que l'obligation pour le comédien d'enfler la voix et de forcer le geste à seule fin de « passer la rampe ». C'est évident mais un peu simpliste.

ment car un instant de vie vraie ferait basculer instantanément l'artifice nécessaire à la vérité de l'expression scénique.

On voit bien que les remarques ci-dessus ne sont point des critiques mais de simples constats. La vérité théâtrale est une vérité *de convention*, une réalité *stylisée*, un ensemble d'artifices qui permettent d'atteindre à une vérité *essentielle* au-delà du réel truqué chargé de la transmettre. Mais si ces conventions sont admissibles à la scène, voire nécessaires, il n'en est pas de même au cinéma dont la vérité *réaliste* est fondée sur un sentiment de réalité vraie donné par la représentation et la mise en œuvre du réel concret.

Envahissant ou non, le dialogue de film doit donc donner une impression de vie vécue, telle du moins qu'elle pourrait l'être dans les situations envisagées.

Il est curieux d'enregistrer au magnétophone des conversations courantes à l'insu des locuteurs. Dans *Bâtons, chiffres et lettres*, Raymond Queneau rapporte les observations du romancier et musicologue sud-américain Alejo Carpentier relatives à de telles expériences :

> Il en résulte, dit celui-ci, quelque chose d'absolument invraisemblable. La conversation a un rythme, un mouvement, une absence de suite dans les idées avec, par contre, d'étranges associations, de curieux rappels, qui ne ressemblent en rien aux dialogues qui remplissent, habituellement, n'importe quel roman... Le résultat est prodigieux d'imprévu et de révélation sur les vraies lois du style parlé.
>
> Je suis de plus en plus convaincu que le dialogue, tel qu'il s'écrit dans les romans et les pièces de théâtre, ne correspond nullement à la mécanique du vrai langage parlé (je ne parle même pas des mots, mais du mouvement, du rythme, de la vraie façon de discuter, d'engueuler, de la façon dont une idée s'enchaîne ou ne s'enchaîne pas à une autre). Peu à peu, depuis les premiers romans du genre réaliste, nous nous sommes habitués à une sorte de mécanisme du réalisme, à une sorte de fixation conventionnelle du parler qui n'a absolument rien à voir avec le vrai parler. Il y a dans le parler quelque chose de beaucoup plus vivant, désaxé, emporté, avec des changements de mouvements, une syntaxe logique qui n'a jamais été saisie en réalité.

On en viendrait à souhaiter, dans la plupart des cas, un dialogue improvisé par les acteurs à partir d'une indication de sens ou, à la limite, un dialogue écrit dont ils pourraient modifier les termes et la structure selon leur propre sensibilité. D'autant que, dans le langage parlé, ainsi que l'a fait remarquer Vendryes, la phrase tend à se séparer en deux tronçons distincts : d'une part, tous les morphèmes (structure syntaxique) et de l'autre tous les sémantèmes (données signifiantes).

« Devant *L'Équipe*, faubourg Montmartre, dit Raymond Queneau, on n'entendra jamais dire :

N'est-ce point Bobet, qui, l'année dernière, avait déjà gagné le Tour de France ?, mais : *Il l'avait déjà gagné le Tour de France l'année dernière, Bobet ?* [...]

Enfin, le futur lui-même est menacé. On ne dit plus guère : *Iras-tu demain à la campagne ?* (on emploie de préférence la forme positive avec la simple intonation interrogative : *Tu vas demain à la campagne ?*) *Je prends le train à midi* est beaucoup plus fréquent que : *Je prendrai le train à midi*, etc.

Styles direct et indirect

Ce propos nous incite à rapprocher le développement filmique des formes littéraires, le cinéma étant capable, croyons-nous, de l'emporter sur bien des points quant à l'analyse psychologique.

Le romancier, en effet, dispose de deux formes : le style direct, qui permet de cerner les personnages, de les découvrir par ce qu'ils disent, et le style indirect, qui permet à l'auteur de décrire les comportements ou encore de se mettre « à l'intérieur » de ses héros et d'analyser par le dedans leurs pensées les plus secrètes. Mais, de l'un à l'autre, on passe d'un exposé verbal à un autre exposé verbal, c'est-à-dire que, pour le lecteur, il s'agit toujours de re-structurer mentalement ce que lui propose le texte. Il doit imaginer des situations, des oppositions, des réactions dont la perception directe serait d'autant plus saisissante qu'elle serait immédiate.

Un roman se pense ou s'imagine. Un film, au contraire, ne se pense pas, il se perçoit. Par la représentation objective des choses, l'image possède un pouvoir libérateur que ne possède point le mot. Elle nous délivre du réel en nous l'offrant ou, du moins, nous délivre du soin de l'imaginer en nous priant toutefois de lui découvrir un *sens*. S'il ne se pense pas, le film donne à penser. De plus, il entraîne à tout instant les opérations de conscience (implications, jugements, etc.). L'imaginaire au cinéma n'aboutit pas comme dans le roman à un réel fictif ; il part d'un réel perçu et s'engage au-delà. Comme le remarque par ailleurs Bernard Pingaud, le temps au cinéma « coïncide avec celui du spectateur » alors que dans le roman, « si le lecteur est tout proche de la saisie originelle du temps, il ne le vit pas réellement mais seulement par la procuration d'un récit qui ne peut jamais lui en montrer que la trace ».

L'important est ceci : que le film parlant peut réunir tous les avantages de l'expression littéraire — c'est-à-dire romanesque — en passant constamment d'un mode verbal à un mode visuel, d'une description à une suggestion, d'une chose dite à une chose vue, d'une action à une réflexion.

Tout ce qui, dans le roman, participe du style direct peut se traduire au cinéma par le dialogue et le comportement. C'est, ajouté à ce qui est dit, la manière de dire et d'agir, le jeu des acteurs.

Conjointement, ce qui participe du style indirect peut se définir par l'expression visuelle pure. C'est le rôle du montage, du cadrage, des mouvements de caméra comme de l'organisation spatiale du champ, en rapport avec l'action et la situation. C'est l'analyse des faits et gestes dans un rythme approprié.

De la sorte, la relation des styles direct et indirect coïncide avec celle de deux modes d'expression — le visuel et le verbal — agissant différemment sur le concept. Tout ce qui, en littérature, apparaît peu à peu dans l'esprit du lecteur à la suite d'une analyse assez longue peut être immédiatement ressenti. Là où il faudrait dix ou vingt lignes pour expliquer des réactions et en décrire les conséquences, l'image nous le dit instantanément. Elle souligne un geste, un frémissement, l'attitude de l'un, celle de l'autre, *dénonce*, corrige, rectifie, *explicite* et remplit très exactement le rôle du romancier devant ses personnages. Elle peut sonder les attitudes, définir les contrastes, faire un travail de sape autour du dialogue et, de par les relations qu'elle entretient avec lui, orienter ou désorienter le sens, le modifier sans cesse.

On voit que les coordonnées qui s'offrent au cinéaste désireux de mettre en relief les dimensions psychologiques d'un personnage sont plus nombreuses que celles dont dispose le romancier. Outre l'image descriptive sur laquelle il se fonde, le film suppose en effet : le dialogue et l'image analytique, d'où les rapports entre ce qui est vu et ce qui est entendu ; le monologue intérieur, d'où les rapports entre ce qui est dit et ce qui est pensé ; enfin le commentaire (qui peut être d'un observateur étranger à l'action), d'où les rapports entre commentaire, dialogue et monologue intérieur, rapportés à ce que l'image montre, analyse ou suggère. Un film est un ensemble d'ensembles, un chevauchement d'implications et de relations qui se renvoient — ou peuvent se renvoyer — les significations diverses comme autant de reflets indéfiniment prolongés ou multipliés.

Le commentaire

En ce qui concerne le commentaire, plus il s'efface derrière le film, meilleur il est. Dans les films dramatiques il s'identifie la plupart du temps à un exposé fait par l'un des personnages du drame. Tandis que les images représentent les événements décrits, le narrateur, qui développe son point de vue, poursuit son récit en voix « off ». Ce procédé permet de relier, de par les implications verbales, des événements sans relation logique immédiate.

Toutefois, lorsqu'il s'agit d'une action n'engageant point des états de conscience, le texte risque de faire double emploi avec ce que les images montrent nécessairement.

Afin d'éviter ces effets pléthoriques, il convient de décaler tant soit peu l'image et le son, de détruire leur production simultanée. Un décalage d'une demi-seconde convient généralement mais tout dépend, bien entendu, de la longueur de la scène, de son caractère et de son importance. Cela peut aller d'une demi-seconde à deux secondes. Toutefois, en règle générale, le commentaire doit intervenir *après* l'image. L'inverse est aberrant ; à tout le moins anticinématographique.

En effet, si l'on explique *d'abord* des faits que nous voyons *ensuite*, l'entendement, amené par le commentaire, est essentiellement verbal. L'image, donc, ne fait plus que compléter, préciser — illustrer en un mot — ce que dit le texte, lequel n'est plus un commentaire mais un *récit* agrémenté d'images. Ce fut le cas notamment du *Rideau cramoisi* (d'Alexandre Astruc) dont je puis d'autant mieux parler que j'en ai fait le montage. Malgré mes efforts et mes explications (et Dieu sait ! nos disputes...), Astruc voulait expressément que le texte précédât l'image. A l'époque (1952), selon les théories de Bazin, Leenhardt et Astruc lui-même, la primauté du texte était chose sacro-sainte. En 1962, l'auteur n'aimait plus son film — le meilleur pourtant qu'il ait réalisé : « C'est de la littérature illustrée », disait-il (interview de *Cinéma 62*). Dix ans lui furent donc nécessaires pour reconnaître une chose qui était, d'elle-même, évidente !...

Au contraire, dans un court métrage déjà ancien, *Combourg, visage de pierre* (de Jacques de Casenbroot, 1947), l'auteur découvre Combourg, son parc, son château, en s'inspirant du texte célèbre qui sert de commentaire. Mais ici le texte suit les images. Comme celles-ci — fort belles — sont toujours en rapport avec ce que dit Chateaubriand, et comme la perception est *visuelle*, nous éprouvons *d'abord*, devant ces choses vues, une certaine émotion. Aussitôt que ressentie, cette émotion se décante dans notre esprit qui formule un certain jugement, lequel jugement appelle des mots pour se signifier. Et voici que ces mots, nous les recevons en même temps que nous les pensons, c'est-à-dire que notre pensée se moule dans les phrases mêmes de Chateaubriand au moment précis où nous les sollicitons. Qui plus est, ce texte magistral nous donne l'impression que, dans notre for intérieur, nous traduisons notre émotion avec la maîtrise et l'exactitude verbale de Chateaubriand. Comme lui nous ressentons et, comme lui, nous disons avec des mots ce que nous avons ressenti.

Ainsi donc l'émotion *précède* l'expression, alors que dans *Le Rideau cramoisi* c'est le contraire. Or, une émotion *déjà signifiée* ne peut plus émouvoir. Au cinéma, ce qui doit l'emporter, ce n'est ni le signifié ni la signification mais *le continuel passage du non-signifié au signifié, le glissement de l'émotionnel à l'intellectuel à travers une signification toujours contingente.* Comme le note Merleau-Ponty :

> C'est le bonheur de l'art de montrer comment quelque chose se met à signifier, *non par allusion à des idées déjà formées et acquises, mais par l'arrangement temporel ou spatial des éléments.* Un film signifie comme nous avons vu qu'une chose signifie : l'un et l'autre ne parlent pas à un entendement séparé, mais s'adressent à notre pouvoir de déchiffrer tacitement le monde ou les hommes et de coexister avec eux[8].

Dans les films commentés, fondés généralement sur le principe du « retour en arrière », le narrateur expose ce qu'il sait mais son engagement est très relatif. Les événements dont il nous fait part sont toujours vus « de l'extérieur ». L'idée d'un commentaire à la première personne devait donc se manifester à peu près dans le même temps que celle d'un film dont le héros n'apparaîtrait pas sur l'écran ; mais tandis que le film *agi* à la première personne se révélait impraticable pour les raisons que nous avons dites, le film *pensé* à la première personne devait ouvrir des horizons illimités. Le commentaire, prenant le ton et l'ampleur d'une sorte d'examen de conscience, partait à la conquête d'un monde subjectif analogue à celui de l'analyse proustienne.

A dire vrai, les premiers commentaires subjectifs *(Qu'elle était verte ma vallée, Brève rencontre)* ne supposaient aucun examen d'aucune sorte. Le film se contentait de retracer chronologiquement des faits vécus par le héros. Une fois encore, c'était une réalité objective vue sous un angle subjectif ; le narrateur témoignait sur ses actes bien plutôt que sur un « vécu psychique » et les événements mis en cause n'étaient rejetés dans le passé que par le fait d'un commentaire écrit à l'imparfait ou au passé simple.

Ce n'est guère qu'avec *Hiroshima, mon amour* (Alain Resnais, 1960) que cette étape fut franchie, le temps vécu et la mémoire devenant les éléments essentiels d'un film dont le sujet de base, si grave soit-il, n'était plus qu'un prétexte. Au lieu de permettre la saisie d'un individu cerné par le regard d'une ou de plusieurs personnes, comme *Thomas Garner* ou *Citizen Kane,* le temps ouvrait sur une conscience et permettait ce retour sur soi-même dont nous venons de parler.

Entremêlé de dialogues brefs, le commentaire n'est jamais explicatif : il traduit des sentiments, des états de conscience. Et si parfois les choses sont dites par l'image et par le texte, il n'y a jamais pléonasme en ce

---

8. Maurice MERLEAU-PONTY, « Le cinéma et la nouvelle psychologie », in *Signes ; Sens et non-sens,* Éd. Nagel, 1948.

sens qu'elles sont appréhendées sur des plans différents. Le texte n'est jamais l'équivalent verbal des images ; il leur fait écho comme une sorte de correspondance intérieure, d'où il résulte que l'on dit *autre chose* en parlant des *mêmes choses* ; il y a complémentarité et non identité. Le dialogue lui-même prolonge le monologue intérieur.

Il reste que, structuralistes ou non, les analyses de films ayant pour objet d'étudier les relations des images et des sons n'ont jamais tenu compte de la voix dont l'intensité, le timbre, la clarté, s'ils ne sont signifiants au sens intellectuel du mot, sont fortement significatifs au niveau de l'expression.

Le récent ouvrage de Michel Chion[9] est venu combler cette lacune. L'auteur fait remarquer entre autres que

> les voix visualisées et les voix acousmatiques[10] ne se répartissent comme telles que dans la tête du spectateur au fur et à mesure de ce qu'il voit. Dans la majorité des cas le son hors champ vient du même lieu réel que les autres sons, c'est-à-dire du même haut-parleur.

Mais ces émissions sonores (sauf la musique, à moins qu'elle ne parvienne d'une source visible, phonographe ou récepteur de télévision) sont aussitôt « aiguillées » dans leur rapport à l'image par l'attention du spectateur.

> Il n'y a pas des sons parmi lesquels, entre autres, la voix humaine, ajoute Michel Chion. Il y a les voix et tout le reste. Autrement dit, dans n'importe quel magma sonore, la présence de la voix humaine hiérarchise la perception autour d'elle[11].

On ne peut que partager ce point de vue. Il est certain que dans les relations audiovisuelles ce sont les rapports de l'image et du texte qui sont décisifs. Les bruits sont souvent d'une importance considérable mais, sauf exceptions, on peut ne les retenir que comme un supplément d'information. Quant à la musique, mis à part, bien entendu, les comédies musicales et les films fantaisistes ou oniriques, on pourrait arguer à n'en plus finir sur son utilité dans les fims « réalistes », c'est-à-dire ici, dans les films dont l'action est censée se dérouler — présentement ou non — dans les conditions de la réalité quotidienne.

Ce n'est pas qu'elle soit inutile, mais son rôle est tout autre. Elle n'a pas à commenter l'image, à paraphraser l'expression visuelle, à soutenir

---

9. Michel CHION, *Le Son au cinéma*.
10. *Acousmatique* : se dit d'un son que l'on entend sans savoir d'où il provient.
11. Michel CHION, *op. cit.*

son rythme — sauf en des cas exceptionnels. Et pas davantage à valoir ou à signifier par elle-même. Il en est de la musique comme du texte : un bon dialogue ne doit avoir aucun sens, aucune logique dialectique lorsqu'il se trouve séparé des images qui, précisément, les lui donnent. Une bonne musique de film peut être dépourvue d'une structure musicalement valable pourvu que *dans le film* son intrusion, à un moment donné, ait une signification précise. La musique de film n'est ni explication ni accompagnement ; c'est un *élément de signification* et rien de plus, mais d'où elle tire toute sa force une fois rapportée à d'autres éléments : images, bruits, paroles. Comme le souligne Roland Manuel, « la musique doit renoncer à avoir une forme propre si elle est l'alliée de l'image ». Insérée dans le contexte visuel elle doit déterminer des réactions signifiantes par contraste ou par association singulière.

Outre le climat affectif ou onirique auquel elle peut largement contribuer dans les films de nature « irréaliste », son rôle dans les films « réalistes » est assez semblable à celui qu'on lui reconnaissait déjà au temps du muet : donner au spectateur le sentiment d'une durée vécue, d'un temps idéal par rapport auquel le temps psychologique prend corps et s'affirme. A cette différence près qu'elle ne s'impose qu'à certains moments.

XII

LES STRUCTURES NARRATIVES

Que le cinéma puisse devenir avant toute autre chose une machine à raconter des histoires, voilà qui n'avait pas été *vraiment* prévu, dit Christian Metz.

Dès les débuts du cinématographe, quelques indications ou déclarations allaient bien dans ce sens, mais elles restaient sans commune mesure avec l'ampleur que prit le phénomène par la suite. *La rencontre du cinéma et de la narrativité* représente un grand fait qui n'avait rien de fatal, qui ne saurait non plus être fortuit : c'est un fait historique et social, un fait de civilisation (pour employer une formule chère au sociologue Marcel Mauss), un fait qui conditionne à son tour l'évolution ultérieure du film comme réalité sémiologique.

[...] C'est dans la foulée du projet narratif que les procédés ont été mis au point. Les pionniers du « langage cinématographique » — un Méliès, un Porter, un Griffith... — n'avaient cure de recherches « formelles » menées pour elles-mêmes ; qui plus est, ils se souciaient peu (si ce n'est par poussées naïves et confuses) du « message » symbolique, philosophique ou humain de leurs films. Hommes de la dénotation plus que de la connotation, ils voulaient avant tout raconter une histoire ; ils n'eurent de cesse qu'ils aient plié aux *articulations* — même rudimentaires — d'un *discours* narratif le matériau analogique et continu de la duplication photographique[1].

Or le fait de raconter n'est pas la propriété exclusive d'une histoire ou d'une fiction quelconque. Le film le plus abstrait qui montre une figure géométrique en mouvement est une narration puisqu'il décrit le jeu mouvant des lignes et des formes, leur transformation. Parler de cinéma non narratif est un non-sens ; autant parler d'un film qui serait sans mouvement. A la limite un tableau figuratif peut être compris comme « racontant quelque chose » et pas seulement le « montrant ».

1. Christian METZ, « Problèmes de sémiologie », in *Essais*, vol. 1.

La rapide évolution du cinéma dans les voies du récit n'est donc ni le fait du hasard ni celui d'un choix mais le développement logique de ses capacités expressives, le cadre scénique étant incapable de contenir une action quelque peu dynamique qui sollicitait l'espace et la durée et d'en donner une énonciation convenable. La simple différence entre, par exemple, *L'Arrivée d'un train en gare de La Ciotat* et *L'Arroseur arrosé* (1895) est que le premier montre un événement réel, le second raconte un petit drame mais, du fait qu'au cinéma raconter c'est montrer, la différence de contenu ne les empêche pas d'être l'un et l'autre également narratifs. Et si « passer d'une image à deux c'est, comme le dit Christian Metz, passer de l'image au langage », c'est aussi bien passer de la représentation à la narration.

Sans le support de la narration, disais-je dans mon *Esthétique*, les métaphores visuelles sont dépourvues de sens. Le message littéral (dénoté) est un support nécessaire et aucun message symbolique intelligible (connoté) ne saurait être sans lui[2].

Il n'est pas question ici d'aborder une narratologie du cinéma mais plus simplement de distinguer les formes fondamentales de ce discours dont la confusion est source de malentendus et de contestations sans fin. Du fait qu'à ce niveau le développement de l'expression filmique est analogue au développement des formes littéraires on peut, pour plus de clarté — ou ne serait-ce qu'à titre de comparaison —, se référer aux théories du langage.

Narration et discours (ou récit)

Dans ses *Problèmes de linguistique générale*, Benveniste distingue en effet deux plans d'énonciation différents, celui de l'*histoire* et celui du *discours*, la différence étant essentiellement dans les rapports que le narrateur entretient avec ce qu'il raconte.

Toutefois, pour éviter justement les confusions, nous désignerons ces deux modalités distinctes comme *narration* et *récit*, le terme de *discours* étant généralement compris comme recouvrant toute forme d'élocution ou d'énonciation verbale, c'est-à-dire « désignant tout énoncé supérieur à la phrase, la phrase ayant quitté le domaine de la langue comme système de signes pour fonctionner comme instrument de communication et de signification ».

---

2. *Esthétique et psychologie du cinéma*, vol. II, p. 378.

Soulignant donc cette distinction, Benveniste notait que, dans le plan de l'histoire — ou *narration* —,

il s'agit de la présentation de faits survenus à un certain moment, sans aucune intervention du locuteur dans le récit. [...] Les événements sont posés comme ils se sont produits, à mesure qu'ils apparaissent à l'horizon de l'histoire. Personne ne parle ici ; les événements semblent se raconter eux-mêmes[3].

Ils prennent alors dans leur semblant d'objectivité un poids de réalité tel que ce poids donne à la fiction une sorte d'évidence concrète incontrôlable.

Dans le *récit*, au contraire (discours dans la terminologie de Benveniste), « le locuteur s'approprie l'appareil formel de la langue et énonce sa position de locuteur[4] ». Autrement dit, la présence du narrateur donne au récit une valeur éminemment subjective. Sensible en littérature, cette distinction l'est bien davantage au cinéma où les éléments du discours sont des choses, des réalités concrètes — celles-là même dont on parle — et où toute référence à un temps, à une situation, à un narrateur présent ou absent, prend une dimension réaliste que la relation verbale ne connaît point.

Au niveau de la narration, si le raconteur est « absent de ce qu'il raconte » il n'en est pas moins présent dans la manière de raconter, de faire voir. Toutefois si cette présence est esthétiquement ressentie (la forme, le style...), elle est abolie par la réalité apparente des choses vues. Il n'en reste pas moins que si le narrateur peut rapporter les événements en les ordonnant comme il lui convient, il ne peut en aucun cas intervenir dans leur nature, porter un jugement sur eux, en bref, se manifester comme une instance personnelle objectivement située. Alors que dans le roman il y a un décalage perpétuel entre le temps de la diégèse qui est toujours le passé (tout événement devant être révolu pour qu'on puisse le décrire) et le temps de la lecture qui est toujours le présent, au cinéma tout se ramène à l'instant de la projection puisque les choses ne se racontent qu'en se donnant à voir, apparaissent dans le film comme si elles étaient « en train de se faire ».

Est-ce bien sûr ?, se demande Christian Metz. N'est-ce pas plutôt l'image filmique qui est toujours au présent ? Et le film, pour sa part, n'est-il pas au passé, tout comme le roman, et parce qu'il est comme lui récit ? Car ce n'est pas un caractère spécial au roman que de faire basculer dans l'accompli tout ce qu'il nomme ; c'est un caractère commun à tous les récits, c'est-à-dire à toutes

3. Émile Benveniste, *Problèmes de linguistique générale*, Éd. Gallimard, 1966 et 1974.
4. *Id., ibid.*

1
5
2
6
3
7
4
8

La séquence de l'escalier du *Cuirassé Potemkine*,
de S.M. Eisenstein, 1925 ;
alternance rythmique de plans divers

les séquences closes d'événements irréalisés, que ces événements soient évoqués par la parole ou par l'image[5].

On peut partager ce point de vue. Mais n'est-ce pas une fois encore ramener le cinéma aux conditions du langage, c'est-à-dire à l'exercice des mots ? Le film n'est pas une entité abstraite, c'est un système d'images ; si donc celles-ci sont au présent, le film ne peut pas ne pas l'être. Ce qui est au passé c'est le *filmé*, l'objet (ou le sujet...) de la narration et non le film dont le caractère spécial est justement de *faire basculer dans l'actuel tout ce qu'il montre* par le seul fait qu'il le montre et que l'on ne peut voir — percevoir — que du présent.

Est-il bien certain, poursuit Christian Metz, que l'acte de lecture consiste — ou plutôt consiste essentiellement — à « visualiser » les mots au fur et à mesure [...]. On peut au contraire considérer que le roman — même si beaucoup de lecteurs l'utilisent à nourrir des fabulations personnelles — ne nous donne, en un autre sens, rien à imaginer ; qu'il ne nous propose que son texte (c'est-à-dire ses signifiants et ses signifiés)[6].

Sans doute le roman ne nous donne-t-il à voir que des mots mais qui renvoient à un réel concret qu'il faut bien imaginer si l'on veut que les mots aient un sens. Les idées elles-mêmes ne se produisent pas dans le vide.

Ce qui délimite un discours par rapport au reste du monde, dit encore Christian Metz, et qui du même coup l'oppose au monde « réel », c'est qu'un discours est nécessairement tenu par quelqu'un (le discours n'est pas la langue) ; c'est au contraire un des caractères du monde que de n'être proféré par personne.

Or le film est une manière de discours où le monde, justement, n'est proféré par personne — ou ne le semble — puisqu'il ne se raconte qu'en se *montrant*. A mieux dire en se *laissant voir* car si *on* le montre, si *on* le *donne* à voir, il n'y a aucune intention sous-jacente qui ne soit du locuteur absent, du « montreur ».

L'élément minimal de la narration filmique, le *plan*, est déjà en lui-même un discours. Or lorsqu'il s'agit d'événements réels ou supposés vrais, comme on ne peut jouer avec les images sans jouer avec les choses qu'elles représentent, le sens qu'on leur donne ne peut en aucun cas contrevenir à la logique factuelle. A moins précisément qu'il ne s'agisse d'un *récit*, c'est-à-dire d'une histoire en laquelle le narrateur intervient.

---

5. Christian METZ, *Cinéma et Langage*, p. 210.
6. *Id., ibid.*

Qui parle ?

Ce qui choque dans *Octobre*, donné comme une narration objective, c'est précisément l'intrusion d'une instance subjective dans le *présent* du film. Devant cette forme de jugement critique, ironique au besoin (les harpistes dans le Congrès des Mencheviks, la statue équestre devant Kornilov, etc.), on est en droit de se demander : qui parle, qui juge, qui tient ce discours sur les choses ?

Eisenstein, en effet, porte un jugement sur des faits, des actes qu'il ordonne à des fins dialectiques mais qui n'en sont pas moins donnés comme dans une réalité objectivement *présente*. Or, on ne peut juger ou distancier symboliquement que des événements *échus*. De telle sorte que, *dans le même temps*, Eisenstein s'efface, en tant que narrateur, derrière une réalité *présente* et s'affirme, en tant que commentateur, dans un jugement qui requiert le *passé* ; un jugement qui, donc, ne peut pas être entendu comme sien.

Témoin de l'événement ou faisant partie du drame, il peut y avoir, dans le film parlant, un commentateur dont la relation rejette dans le passé tout ce dont il nous fait part. Les éléments — images et paroles — étant *distincts*, les images peuvent suivre la représentation du réel et le commentaire prendre ses distances relativement à lui. Description et jugement peuvent coexister sous les formes les plus diverses.

Dans le cinéma muet, au contraire, tout commentaire est impossible. Toutefois, l'un quelconque des personnages du drame peut faire office de commentateur, s'interposer entre moi, spectateur, et le donné du film, assumant de la sorte cette subjectivité qu'il me faut attribuer à quelqu'un. Or, dans *Octobre*, ce quelqu'un fait défaut ou disparaît totalement derrière des événements qui ne peuvent se juger eux-mêmes et que nul ne peut juger dans l'instant où ils se produisent. On ne peut être à la fois médiat et immédiat, présent et passé et c'est cette connection du *passé dans le présent* qui rend ces métaphores impossibles, là où une relation subjective (ou donnée comme telle) leur eut assuré selon toute vraisemblance la crédibilité nécessaire.

Ainsi que le remarque Roger Odin :

> Le travail essentiel d'un film de fiction consiste à effacer le plus possible toutes les marques du sujet de l'énonciation. Ainsi le réel semble-t-il se raconter tout seul et la diégèse s'offre-t-elle au spectateur avec l'évidence de l'être-là ; c'est cela même l'effet-fiction[7].

---

7. Roger ODIN, in *Théories du film*, Éd. Albatros, 1980.

Dans le *récit*, au contraire, où le narrateur s'adresse au lecteur — ou au spectateur —, fût-ce par personnage interposé, ces métaphores eussent été non seulement acceptables, mais logiques. En mettant une distance temporelle suffisante entre les événements et le narrateur, le récit devient une sorte de *discours sur le monde* où les faits sont pris pour autant d'éléments sémantiques devant lesquels la logique du référent n'est plus impérative.

Si Eisenstein avait construit son film comme s'il s'agissait d'un récit fait par *un témoin relatant des événements passés*, alors tout jugement pris à charge par ce témoin, toute comparaison introduisant des éléments disparates eussent été possibles comme ne contredisant point la *logique du discours* alors substituée à la logique du réel.

Certes, dans le cinéma muet, tout commentaire — sauf en d'interminables sous-titres — était impossible. Mais c'est une question de construction. Nul ne songe à taxer d'insolite l'irruption d'une oie puis d'une femme nue dans *A propos de Nice*, le film étant donné au départ comme un pamphlet. Toutefois on peut concevoir une structure discursive où les conditions objectives de la narration et les conditions subjectives du récit pourraient coexister.

Si, en effet, au lieu d'un seul écran on en suppose plusieurs — le triple écran d'Abel Gance, par exemple —, alors on dispose de plusieurs cadres, donc de plusieurs espaces, de plusieurs continuités possibles. Dès lors on peut imaginer une action se déroulant logiquement, selon ses données dramatiques concrètes, dans l'écran du milieu — le plus important — et, dans les écrans latéraux, des images annexes venant rejaillir symboliquement sur le drame. Alors les images métaphoriques les plus étrangères à la diégèse deviennent possibles. Elles n'interviennent plus *dans* le drame mais *à côté*, en contrepoint. La relation dialectique peut être maintenue sans contrevenir à la logique factuelle poursuivie tout au long de la continuité narrative. Sans doute cette forme est-elle encore inemployée dans le cinéma d'aujourd'hui mais elle est parfaitement concevable.

Quoi qu'il en soit, dans le *récit*, le narrateur se manifeste tout en assurant une distance temporelle entre lui et ce dont il nous informe. Présents dans le film les événements n'en sont pas moins conjugués au passé.

Ainsi en est-il du film de Sam Wood, *Une petite ville sans histoire*, où un témoin évoque les aléas de plusieurs familles du village, ou de *L'Opéra de quat'sous*, dont l'action est rapportée par un bonimenteur. Plus souvent toutefois cette forme permet de porter un jugement sur le monde. Mais, outre qu'un tel jugement ne peut être porté que sur des événements *passés*, les choses ne peuvent plus être données comme d'une réalité objective. Elles deviennent l'expression d'une pensée : le narrateur s'affirme dans ce qu'il dit au moyen de ce qu'il montre. Alors, mais alors seulement, la métaphore peut être établie d'une façon arbitraire. Donné et assumé par celui qui juge, le sens n'a plus à être induit par les implications du contexte.

Le mode d'énonciation

Mais qu'il soit situé du côté de l'histoire ou du côté du discours, qu'il soit récit ou narration voire l'un et l'autre à la fois par alternance, association ou imbrication — car cette dichotomie toute théorique n'est pas exclusive —, faire un film de fiction c'est tout à la fois mettre en scène la chose à énoncer et construire le mode d'énonciation, le style étant, pour paraphraser Todorov, « l'empreinte du procès d'énonciation dans l'énoncé ». Mais y-a-t-il énonciation au cinéma ?

Au cours de plusieurs colloques relatifs à ce problème, les émules ou disciples de Christian Metz — Jacques Aumont, Michel Marie, François Jost, Dominique Chateau, Michel Colin — sont arrivés, entre autres conclusions, à convenir que : le récit filmique ne peut continuer à être traité avec les seuls outils de la narratologie mis au point dans l'étude des récits écrits (ce dont on se doutait depuis longtemps) ; le repérage des marques d'énonciation, l'identification de l'énonciateur y sont plus difficiles que dans la langue (ce qui ne laisse pas d'être évident) ; certaines notions ne sont pas transposables telles quelles : ainsi, la focalisation, sur laquelle nous reviendrons.

Sans doute y a-t-il énonciation puisqu'il y a — du moins au niveau du *récit* — commentateur, narrateur, énonciateur. Mais sur la piste sonore. Le problème est des images. Et il est vain, semble-t-il, d'y chercher l'équivalent d'une assertion ou d'une structure propositionnelle dont l'existence n'est qu'en vertu d'un certain assemblage syntaxique d'unités verbales. L'assertion *Pierre est assassiné* dit qu'un tel fait est arrivé ou vient d'arriver. Or, remarque Dominique Chateau,

> cet énoncé n'a pas d'équivalent au cinéma sur le plan structurel. Le film n'énonce rien : il montre le cadavre de Pierre. Son état — du sang sur le visage ou la poitrine — et les implications du contexte ou du dialogue feront comprendre qu'il a été assassiné, mais l'image ne le dira pas : elle le laissera entendre en en montrant les effets. Ce plan, considéré séparément, ne peut être interprété ni comme un fait rapporté par autrui ni comme un fait imaginaire[8].

8. Dominique CHATEAU, *Le Cinéma comme langage*, thèse non publiée, Paris — I, 1980.

Sans doute. Mais en conclure que ce plan ne s'énonce pas plus que ne s'énoncent les accidents ou incidents de la vie quotidienne sous prétexte de *constat* me semble d'une confusion assez fréquente entre les capacités du premier plan (qui montre un objet unique, un acte isolé) et celles des autres plans. Distinction que j'ai tenu à souligner en disant notamment : « Le gros plan d'un revolver ne dit pas "voici un revolver" ou "ceci est un revolver" ; *il montre simplement qu'un revolver est là.* » Mais un plan d'ensemble qui fait voir des actions diverses, un plan moyen qui souligne le comportement différent de deux ou trois personnages dénoncent l'un et l'autre une diversité, une simultanéité et donc agissent à la manière d'un énoncé verbal tout en procédant d'une tout autre façon. Les assertions y sont remplacées par des représentations, le *raconté* par le *montré.*

On ne saurait dire qu'en se produisant un accident se « raconte ». Il n'y a aucune énonciation d'aucune sorte. Pourtant si l'on filme cet accident selon divers points de vue et si l'on projette ce film devant quelques spectateurs étrangers à l'événement tout se passe pour eux comme si cet accident se racontait en se donnant en images. Du fait qu'il est vu (qu'on le fait voir) *dans un certain ordre,* il s'énonce, ou le semble, dans une proposition qui lui donne un sens mais l'implique comme le donné d'une réalité vraie, l'instance narratrice (ou organisatrice) étant évacuée non seulement de ce qu'elle montre mais de l'acte même de montrer.

De telle sorte que l'on peut avec autant de raisons soutenir qu'*il y a* énonciation au cinéma puisqu'il y a quelqu'un qui ordonne, qui met en scène — et en images —, quelqu'un qui s'exprime en montrant les choses d'une certaine façon. Sauf qu'en place d'élocution il y a *monstration* (pour employer cet affreux néologisme).

Et soutenir qu'*il n'y a pas* énonciation puisque le fait d'énoncer disparaît dans le donné imagé, dans le monde qui *se donne à voir* fût-ce à travers le style visible, manifeste, agressif parfois du metteur en scène. Lequel style, tout en étant reconnu comme personnel au niveau du jugement, est enregistré comme une réalité objective au niveau du percept.

Dans le même ouvrage, Dominique Chateau se demande si l'on peut « enchaîner dans n'importe quel ordre deux plans quelconques ». Il ne le semble pas même si le sens profond ne le doit qu'au courant de sens dans lequel ces plans sont impliqués. On connaît ce psycho-test qui consiste à proposer à une dizaine de personnes des séries semblables de 10 ou 20 photos en leur demandant de les ordonner d'une certaine façon de telle sorte que leur ordonnancement permette de raconter une histoire. Presque toujours on a autant d'assemblages — et d'histoires — que de candidats...

Mais au-delà d'un certain nombre cela devient logiquement impossible. Ce n'est pas que l'on aboutisse au non-sens (sauf que volontairement) comme il en est dans l'expression verbale, mais à l'absence de signification, les plans juxtaposés étant alors comme de deux corps étrangers mis simplement côte à côte.

Les propositions *un grand homme* et *un homme grand* n'ont pas le même sens. Pareillement deux plans inversés dans leur succession peuvent avoir un sens contraire. Si l'on a, par exemple :

A. Large plan d'ensemble représentant une place au fond de laquelle un couple apparaît, traverse la place en venant vers la caméra et sort du champ sur la gauche.

B. Vu de dos, le même couple montant une rue en escaliers comme à Montmartre ou à Ménilmontant.

Selon la succession A, B, la place est en contrebas puisque le couple monte les escaliers après l'avoir traversée. Dans la succession B, A, au contraire, la place est en haut puisque le couple monte les escaliers pour y accéder. L'inversion n'est que topographique mais la topographie a un sens...

Par ailleurs, dans un article sur la « Narratologie », François Jost pose la question de savoir « d'une part comment l'image et/ou le son signifient ? D'autre part comment le film raconte[9] ? ». Les deux questions en effet ne sont pas assimilables. Mais ce faisant il pose le problème comme le feraient tous ceux qui sont habitués à analyser les formes linguistiques ou littéraires et qui se demandent d'abord comment les structures syntaxiques signifient pour examiner *ensuite* comment l'organisation textuelle fonctionne. Or, au cinéma où les formes de montage — les structures signifiantes — n'ont pas une signification *donnée* (l'organisation syntagmatique n'étant qu'un schéma superficiel), c'est en examinant comment le film *raconte* que l'on est amené à comprendre comment les images *signifient*, aucune grammaire ne vérifiant leurs différentes modalités. Ce qui amène à se demander *pourquoi* les images signifient, problème rarement posé par référence au langage où les signes sont immotivés et les structures sémantiques commandées par la syntaxe ; ce qui n'est pas le cas des images...

Conséquence et consécution

En attendant, tout en restant dans le domaine du « comment », on peut dire que si je *vois* le film — le regarde, le perçois — comme les

9. François JOST, « La narratologie cinématographique », in *CinémAction*, n° 20, 1983.

choses de la vie quotidienne, je le *comprends* comme un discours. Un discours dont la continuité s'arc-boute en partie — au niveau de l'entendement — sur l'idée de causalité.

Dans son « Introduction à l'analyse structurale des récits », Roland Barthes précisait que :

> Le ressort de l'activité narrative est la confusion même de la consécution et de la conséquence, ce qui vient *après* étant lu dans le récit comme *causé par*[10].

Ce que j'avais développé de mon côté trois ans auparavant en soulignant que :

> Dès l'instant qu'il peut y avoir un rapport quelconque entre deux termes successifs, cette relation engendre aussitôt, dans l'esprit du spectateur, une idée de causalité. Autrement dit, B est entendu comme conséquent de A, même si cette anticipation n'a qu'une valeur provisoire [...]. Du fait que, dans la réalité, les choses qui se suivent sont généralement engendrées les unes par les autres *ou le semblent*, dans les événements présentés successivement, c'est-à-dire dans les relations de plan à plan, l'esprit cherche aussitôt un lien de causalité. Il le cherche parce qu'il reconnaît (*croit* reconnaître ou *veut* reconnaître) l'image des schèmes organisateurs engendrés par des liens de causalité[11].

S'il est vrai, comme dit Noguez, que cette définition du récit est « largement admise aujourd'hui », je n'ai pas cru avoir fait une découverte sensationnelle en constatant un mécanisme psychologique connu je suppose depuis longtemps. Mais, se demandent Michèle Lagny, Marie-Claire Ropars, Pierre Sorlin :

> Quels sont les agents sociaux privilégiés pour porter le récit, le suspendre ou le faire dériver ? A qui revient l'initiative de l'action, la délégation du regard, la prise de parole ? Bref, qui a le droit d'être porteur de subjectivité, et de proposer au spectateur l'illusion d'un sujet à soutenir[12] ?

Focalisateur et focalisé

On a vu que, dans la narration, l'image qui représente le point de vue de l'instance narrative n'est pas située dans l'espace diégétique. Sa localisation n'est décelable que par le fait des plans successifs qui se

10. Roland BARTHES, « Introduction à l'analyse structurale des récits », in *Communications*, n° 8, 1966.
11. *Esthétique et psychologie du cinéma*, vol. 1, p. 401-402. Éd. universitaires, 1963.
12. « Le récit saisi par le film », in *Hors Cadre*, n° 2, 1984.

situent les uns par rapport aux autres au fur et à mesure de la continuité. L'image n'est personnalisée que pour autant qu'elle s'identifie au regard d'un personnage situé dans le champ et donné comme « regardant quelque chose ou quelqu'un ».

Connu depuis *Variétés* (1925), notoirement théorisé vers 1945-1950, ce plan dit *subjectif*[13] a été réactualisé par quelques sémiologues — ou sémioticiens — dont Gérard Genette, Tzvetan Todorov et Mieke Bal, mais sur un plan strictement littéraire. Intéressé par le problème du locuteur (qui voit ? qui parle ?), Gérard Genette a proposé le terme de *focalisation* pour désigner (ou caractériser) le point de vue du narrateur ou d'un actant quelconque[14]. Dès lors, les sémioticiens du film reprirent en chœur, tout comme s'il s'agissait d'idées nouvelles appliquées de la linguistique. François Jost cependant, afin d'éviter les confusions qui s'en suivirent, proposa le terme d'*ocularisation* pour qualifier « la relation entre ce que la caméra montre et ce que le personnage est censé voir[15] ».

Le terme de « focalisation », en effet, n'a de sens au cinéma que s'il désigne le plan subjectif attribué au regard de X... Sinon il est superfétatoire, toute image étant conséquente de la focalisation due à un système optique déterminé.

Dire donc que « chaque plan pris séparément relève de la focalisation » et que « l'objet filmé étant toujours en situation d'extériorité est toujours *situé à la fois par rapport au focalisateur et par rapport aux objets avec lesquels il coexiste dans l'espace filmé*[16] », revient à définir d'une manière ambiguë le cadrage et le champ visé par la caméra, c'est-à-dire le plan lui-même (quel qu'il soit) sans que cela change quoi que ce soit. Même si l'on suppose « diverses modalités de diégétisation du focalisateur », la focalisation — devenue de ce fait synonyme tout à la fois de prise de vues et de représentation (focalisateur/focalisé) — peut être entendue tantôt comme *externe* (objective, impersonnelle, extérieure à X...) ou *interne* (« à la place de », ou « avec »).

Or, que la caméra soit « à la place de X » ou « avec X » ; que X soit — et demeure — en amorce dans le champ ou en sorte, la vision n'en est pas plus « interne » pour autant. Il se trouve simplement qu'elle est *visiblement* rapportée au regard de X. Il est donc beaucoup plus simple — et plus valable — de parler de plan subjectif ; d'autant que s'il est indispensable, dans un récit *écrit*, de distinguer nommément le focalisa-

---

13. Cf. *infra*, p. 107.

14. Gérard GENETTE, *Figures III*, Éd. du Seuil, 1972 ; Mieke BAL, *Narratologie*, Éd. Klincksieck, 1977.

15. François JOST, « Ocularisation et focalisation », in *Hors Cadre*, n° 2, 1984.

16. André GARDIES, « Le Vu et le Su », in *Hors Cadre*, n° 2, 1984.

teur et le focalisé, de désigner *qui* regarde et *qui* est vu (ou quoi), dans un film le focalisateur est objectivement situé par rapport au focalisé sans quoi parler de plan subjectif n'aurait aucun sens.

Par ailleurs, Michèle Lagny et ses collaborateurs donnent, à travers ce concept de focalisation, une analyse du monologue intérieur qu'ils comparent, sur le plan auditif, à l'image subjective, étant évident qu'« un film peut en même temps montrer ce que voit un personnage et dire ce qu'il pense ».

De son côté Michel Colin s'efforce de donner une valeur typologique aux panoramiques et aux travellings selon qu'ils s'effectuent de gauche à droite ou de droite à gauche. Prenant un exemple concret dans *Le Dernier Train pour Gun Hill* il avance que « le panoramique gauche-/droite a une fonction de progression dynamique tandis que le panoramique droite/gauche a, par opposition, une fonction de cohésion ». Ceci en se référant à la distinction structurale qu'il y a entre des énoncés tels que *Wren a construit ce monument* et *Ce monument a été construit par Wren*. Dans la première phrase, dit-il, le sujet *Wren* est affecté d'un faible degré de dynamique communicative portée au contraire sur le terme *ce monument* situé à droite. Inversement, dans la phrase passive c'est *Wren* qui est affecté du plus haut degré de dynamique communicative (à droite lui aussi)[17]. Or cette différence le doit visiblement au fait que *monument*, d'une part, et *Wren*, d'autre part, sont les compléments d'une assertion et pas du tout parce qu'ils sont « en position de rhème ». Ils répondent simplement a une interrogation implicite : *Wren a construit quoi ? ce monument ; Ce monument a été construit par qui ? par Wren*. Ça relève de la grammaire élémentaire, nullement de la linguistique structurale. Quoi qu'il en soit, on ne construit pas des plans comme des phrases. La signification d'un travelling ou d'un panoramique est en fonction certainement d'un style, d'une manière, mais essentiellement de la nature des événements filmés. Aucune règle n'y fait loi.

17. Michel COLIN, « La dislocation », in *Théorie du film*, Éd. Albatros, 1980.

XIII

SYMBOLES ET MÉTAPHORES

On sait que lorsqu'il prend en charge un sens qui n'est pas le sien, tout objet fait figure de symbole. Dès l'instant donc qu'au cinéma ce sont des choses concrètes qui font office de signe, ces choses (gros plan ou non) sont autant de *signes symboliques*. Ainsi qu'on l'a dit, parler — à ce niveau — de signe ou de symbole, c'est désigner la même unité signifiante. Toutefois dans le même film, voire dans la même séquence, les mêmes objets peuvent avoir ce caractère, ou pas, ainsi qu'en témoigne cette séquence du *Maudit*. A travers la vitrine de l'armurier qui fait angle, Peter Lorre aperçoit une fillette qui, sortant de l'école, se dirige vers lui. Afin de la suivre sans l'effaroucher, il traverse la rue (et sort du champ). Poursuivant son chemin, la fillette longe la vitrine d'un libraire derrière laquelle on voit : une flèche en carton animée par un va-et-vient vertical et, de part et d'autre, des disques tournant en sens inverse qui figurent, l'un un concentrique et l'autre un excentrique[1]. La petite fille les regarde distraitement. Pour nous comme pour elle ce ne sont que des attractions publicitaires. Or, tandis que la gamine se jette dans les bras de sa mère venue à sa rencontre, la caméra recadre le « maudit ». Voyant que sa proie va lui échapper, l'homme souffle, halète et brusquement, retraverse la rue pour reprendre haleine dans une encoignure voisine de la boutique. Aussitôt, les objets de la vitrine (qui occupe la presque totalité du champ, Peter Lorre étant à l'extrême droite) prennent une valeur symbolique imprévisible : le concentrique figure la centration obsessionnelle du sadique, l'excentrique son égarement, sa déperdition mentale, et la flèche, le martellement incessant de son idée fixe. Cela parce qu'il est là et qu'une opération de transfert reporte sur ces objets *ce que nous savons de lui*. Devant la petite fille ils

1. Dans l'une des versions du film il n'y a qu'un seul cercle dans la vitrine, le concentrique si je ne me trompe.

n'ont aucun sens ; devant Peter Lorre ils acquièrent une signification extrême. Sans doute parce qu'on la leur prête, mais on ne peut la leur prêter que pour autant que le contexte nous y invite. Ces images néanmoins ne symbolisent que ce qu'elles signifient. Elles font partie de l'énonciation bien plutôt que de l'énoncé. Le symbole au contraire — disons *l'expression symbolique* — engage la substance du contenu ou son sens provisoire. Elle le doit à la pluralité des sens induits par les rapports d'une certaine forme de ce contenu avec une certaine forme de représentation, à un transfert de sens, à leur dérivation dans l'imaginaire.

Mais bien avant cette symbolique de la narration, avant même cette qualité de signe généralement dévolue au gros plan, il semble que toute image ait valeur de symbole.

Ainsi que je l'ai souligné, aucune image n'est le calque du réel, la prise de vue formalisant déjà (angle, cadrage, grosseur des plans, etc.), une réalité littéralement « absorbée » par un duplicat qui est en même temps une sorte de représentation symbolique. Les choses y deviennent le symbole de ce qu'elles sont dans une figure qui recèle au-delà des ressemblances une vérité qu'elles ne peuvent énoncer. *La reproduction est plus riche de sens que la chose reproduite.*

Outre cette symbolisation immédiate — ou cette médiation implicite — qui n'est autre que la connotation fondamentale du dénoté, il y a donc *l'expression symbolique des choses ou des formes*, conséquente parfois du cadrage comme dans la séquence exemplaire de *L'homme que j'ai tué.*

Un dimanche, dans une petite ville de Westphalie peu après la guerre de 14-18, les badauds attendent le défilé des « casques d'acier ». La caméra longe à mi-hauteur une haie de spectateurs, vus de dos, et tente de se glisser au premier rang. Or elle avise une échappée ménagée par la jambe manquante d'un mutilé unijambiste et compose une image cadrée de telle sorte qu'on voit le régiment passer musique en tête entre la jambe valide et la béquille, sous le moignon coupé à mi-cuisse.

Visiblement composé à des fins cruellement sarcastiques, ce cadrage insolite est, à première vue, aussi « fabriqué » que la séquence des harpistes d'*Octobre*. Or, un recadrage nous fait voir tout aussitôt un cul-de-jatte — autre mutilé de guerre — qui, profitant de l'affluence pour vendre de la passementerie, jette sous la jambe de l'autre un regard attendri tandis que la musique militaire, les bruits de bottes et les acclamations constituent le fond sonore de la séquence. D'un seul coup on passe de l'artifice à l'évidence...

Justification du signe symbolique

Dans un récit subjectif une semblable justification pourrait être éludée — à moins que le narrateur ne soit le cul-de-jatte lui-même —, mais dans une narration il convient toujours de faire en sorte que les fonctions symboliques soient intégrées dans le réel concret, *impliquées* par les événements comme dans le film de Lubitsch et non *appliquées* arbitrairement sur eux comme par exemple, dans *La Nuit de la Saint-Sylvestre*. Dans ce film de Lupu Pick, l'action ramassée, tendue, est sans cesse entrecoupée par des plans de vagues en furie qui viennent s'écraser sur le sable. Or cela se passe à Berlin. Que viennent donc faire ces vagues dans le cabaret qui sert de décor à un drame que personne ne raconte si ce n'est pour une symbolique dûment téléphonée par le metteur en scène ?

J'ai précédemment critiqué la fin de *La Grève* où Eisenstein oppose au massacre des grévistes des plans montrant des bœufs que l'on égorge dans un abattoir. L'arbitraire est certain car l'action se passe dans une usine métallurgique ; mais cette usine est située dans une grande ville et les abattoirs sont proches, le parallélisme est donc admissible. Dans le film de Lupu Pick il ne l'est pas. Du moins il ne l'est plus car ce film, réalisé en 1923, fut avec celui d'Eisenstein l'un des premiers à établir des comparaisons symboliques fondées sur le montage quand les symboles étaient encore plaqués sur le descriptif en de vaines surimpressions.

Lorsque, dans *La Terre*, Dovjenko fait voir conjointement aux funérailles du jeune Kolkozien une paysanne qui accouche, cet événement est donné comme une simple coïncidence, les deux séquences en effet ne s'enchevêtrant pas dans un montage alterné. On peut y voir une signification symbolique mais le film ne le dit pas si toutefois il le laisse entendre. Selon Eisenstein, Dovjenko aurait dû opposer aux scènes de l'enterrement un plan montrant une femme enceinte debout, *isolée* dans le paysage et regardant passer le convoi. Alors, dit-il, cette image se serait associée à l'idée de fécondité en en devenant le signe, l'équivalent affectif.

Une semblable insistance toutefois n'appartient plus guère au cinéma d'aujourd'hui. On montrerait plutôt *dans le même cadre* le convoi et la femme enceinte, celle-ci étant cependant située *au tout premier plan*. On peut utiliser la symbolique des choses sans nécessairement les isoler pour en faire une sorte d'abstraction provisoire. Les exemples sont innombrables. Sans quitter Eisenstein on peut citer, dans *La Ligne générale*, la séquence où la paysanne va pour emprunter le cheval du Koulak : il est midi. Le Koulak, énorme et poussif, est allongé, il fait la sieste. A côté de lui un énorme bocal est empli de bière ; dans ce bocal, une louche. Marfa est vue de dos ; on devine qu'elle interroge. A demi somnolant le Koulak se dresse, avale une rasade de bière, laisse retomber la louche et se rendort. Marfa est immobile. Alors on voit (comme elle voit elle-même) la louche qui lentement se remplit puis retombe en oscillant au fond du bocal — image du refus, de la désolation, de la lassitude. Les épaules de Marfa suivent inconsciemment le mouvement de retombée, puis elle baisse la tête, se détourne et s'en va...

Il faudrait citer encore la « procession pour la pluie » et, parmi beaucoup d'autres films, de nombreuses séquences de *Citizen Kane*. Notamment l'ampoule électrique qui clignote et s'éteint tandis que la voix de Susan s'éraille dans le contre-ut ; l'ombre portée de Kane qui, graduellement, à mesure qu'il s'approche de Susan, la recouvre et semble l'effacer sous sa domination.

On sait que ce film fut l'un des premiers à montrer un objet en gros plan sans l'isoler grâce à la mise au point sur toute la profondeur du champ. L'objet ici *n'implique plus* l'idée de l'empoisonnement, il en *témoigne*. Il devient le signe d'un acte plutôt que d'une idée. Tout en ménageant la signification symbolique l'événement est saisi dans sa réalité factuelle, dans son *évidence concrète*.

Sans doute a-t-il été question jusqu'à présent des différents aspects du signe symbolique plutôt que de la symbolique du contenu, laquelle peut être axée sur les éléments naturels par le fait d'un transfert de sens fondé sur des réactions affectives : tristesse d'un paysage, solitude des étendues glacées, fureur de l'océan, etc. ; parfois sur un transfert freudien mais dont le sens prête souvent à des interprétations discutables.

Symbolique des formes

La symbolique des formes est à cet égard plus directe, qui ne dépend ni des structures narratives, ni du montage (ou à peine) mais de connotations picturales, plastiques ou architectoniques fondées, comme la symbolique des choses, sur des réactions émotionnelles. Mais intellectualisées, codifiées par toute une tradition ésotérique : une symbolique où le jaillissement des verticales, la douceur des courbes, la rigueur des droites, brisées, horizontales ou diagonales sont comme autant d'appels tendus sur l'inconscient, sur l'imaginaire, sur l'indéterminé, et que l'expressionnisme a exploité de multiples façons.

L'étrange fascination du genre le doit, semble-t-il, au fait que *la forme de l'expression n'y est autre que la forme du contenu* selon une commutation unique au cinéma. Alors que le gros plan signifie par la relative « abstractisation » du concret, l'expressionnisme — qui est essentiel-

Symbolique des formes : la rue dans *L'Étudiant de Prague*, de Henrik Galeen, 1926

lement du décor — signifie par la formalisation d'une idée. La différence — considérable — est que la signification le doit à une stylisation antérieure à l'enregistrement cinématographique. Les choses se donnent à voir à travers un réel *déchiffré*, orienté. Non pas selon un sens qui appartiendrait au monde représenté hors de sa représentation mais à cette interprétation décorative dont le déchiffrement débouche sur des horizons idéologiques, métaphysiques ou psychanalytiques. Les exemples sont innombrables. On retiendra, entre autres, la symbolique des escaliers, des marches, à peu près constante chez les uns et les autres, en particulier chez Fritz Lang où, toujours *rectilignes*, ils expriment la *montée* vers un idéal *(Les Trois Lumières, Les Nibelungen)* en même temps qu'ils symbolisent l'accession au pouvoir, la volonté de puissance, alors que les escaliers tournants, en forme de conque, repliés sur eux-mêmes comme dans *Le Golem* (de Galeen et Wegener) ont une signification inquiétante. La symbolique de la *grotte* qui figure le ventre

Symbolique des escaliers : *Metropolis*, de Fritz Lang, 1926 ;
Les Nibelungen, de Fritz Lang, 1924

maternel, l'origine fœtale, l'endroit où se jouent les aspirations et le destin du monde.

Souvent désespéré, morbide, le drame expressionniste s'inscrit dans le décor même : contours anguleux, volumes chancelants, voutes basses, étendues nostalgiques, eaux stagnantes, etc.[2]. Ce n'est pas ici le lieu d'en analyser le sens, il y faudrait un volume, mais de dire que si l'expressionnisme est quelque peu codifié, ce n'est qu'à la mesure d'un sens établi selon les rituels d'une *mimêsis* ancestrale, bien que les glissements de sens intuitifs dont nous aurons à reparler soient — à mon sens — beaucoup plus probants. Là, pas plus qu'ailleurs, il n'est de règle *a priori*.

Bien qu'un grand nombre de films en soient encore imprégnés l'expressionnisme est passé de mode. Il est peu probable qu'on en

2. Cf. *Histoire du cinéma*, vol. II, p. 448-498, et vol. III, p. 193-223.

revienne à une symbolique aussi manifestement soulignée mais, pour être plus subtile, celle-ci n'en est pas moins constante. Elle est simplement laissée à l'interprétation personnelle de chacun et relève des choses naturelles plutôt que des formes. C'est ainsi que les dernières images de *L'Incompris* — celles du lac où l'enfant s'est noyé — peuvent être entendues comme symbolisant l'image de la mère (morte quelques années plus tôt) dont la tendresse infinie enveloppe le petit cadavre. Mais rien n'y oblige.

Je ne parlerai pas ici de la symbolique impliquée par les motivations du drame, par une thématique dont le film souvent n'est guère mieux qu'une consciencieuse illustration. Le nom du père, l'ordre œdipien, la symbolique de castration et autres complexes phalliques ou situations paranoïdes peuvent fort bien être exprimés par le film à condition d'émerger d'actes ou d'événements qui, tout comme dans la réalité, ne semblent pas avoir été faits pour les définir.

Symbolique des ombres et lumières : *Sorcellerie*,
de Benjamin Christensen, 1921 ;
Le Long Voyage, de John Ford, 1940

Pour être plus précis il y a à mon sens beaucoup plus de psychanalyse vraie — mais implicite — dans *Las Hurdes* de Buñuel que dans *Cet obscur objet du désir*, du même. Mais, que la symbolique soit implicite, peut-être est-ce ouvrir la porte à tous les délires d'interprétation possibles. Certains critiques n'y manquent pas...

Pourtant il y a une sorte de symbolisme « accidentel » qui n'est pas moins interprétatif et qui dépend des conditions de tournage et du hasard car l'image est toujours d'un « moment » comme d'un aspect du monde.

Imaginons une scène de rupture à la suite d'une partie de campagne. Pour diverses raisons le metteur en scène a choisi de tourner au bord de la mer. Il a plu. Dégagée par la marée basse, la plage, en raison du temps, est vide de toute présence. L'homme s'éloigne et disparaît au loin. L'image le montrant minuscule sur cette plage déserte (dont l'immensité peut être accusée par le cadrage) entraîne aussitôt l'idée de solitude, d'abandon.

La scène se passe-t-elle en pleine campagne, à l'orée d'un bois, tandis que le soleil est au zénith ? Voici que la forêt au sein de laquelle l'homme s'enfonce paraît l'engloutir, l'absorber. L'idée d'oppression, d'étouffement, surgit aussitôt. C'est le même événement, ce sont les mêmes paroles et pourtant la scène prend une tout autre signification. En fait ce n'est plus la même, car ce qui compte ce n'est pas tellement la dispute réduite à son argument premier, mais ce qu'elle signifie, ce qu'elle donne à penser.

Or, plutôt que de voir son personnage s'évanouir sous les arbres, le metteur en scène a préféré qu'il s'éloigne à travers champs. On a décidé de tourner vers midi. De la sorte, la rigueur de l'éclairage, le découpage des ombres et des lumières diront assez la violence de la rupture quelles que soient les paroles échangées. Mais des circonstances imprévues retardent l'enregistrement. La caméra fonctionne mal ou les microphones. Le temps de changer les appareils, les heures passent. Or il faut tourner coûte que coûte. Quand tout est prêt il est plus de seize heures. Le soleil incline déjà des ombres molles et le temps qui tourne à l'orage amoncelle de gros nuages lourds. Le ciel est bas. On filme malgré tout. L'homme s'éloigne, arpente un petit sentier tortueux et disparaît à travers champs.

Et voici que sur l'image, l'atmosphère orageuse, la lumière sourde, la lourdeur du ciel reflètent en un contrepoint symbolique, les sentiments qui déchirent le héros. La critique ne manquera pas d'y voir quelque symbole. Le réalisateur, peut-être, s'en défendra : il n'a jamais voulu cela. Mais cela *est*, la pellicule en témoigne. Et c'est le critique qui a raison.

D'où il ressort que bien des significations sont accidentelles, dues au hasard, aux caprices d'une nature que l'on ne peut pas toujours maîtriser. D'autant que les cinéastes les plus soucieux d'assurer les significations plastiques oublient fort souvent de considérer ce « moment des choses » plus significatif parfois que le cadrage lui-même.

Quoi qu'il en soit, les symboles ne prennent leur sens qu'en regard des événements qui leur servent d'ancrage et en permettent l'interprétation. On voit bien que le message littéral — narration ou récit — est un sujet nécessaire et qu'aucune symbolique intelligible ne saurait être sans lui.

On me fera remarquer que si les choses ou la forme des choses ont un sens symbolique, ce n'est jamais qu'en regard de certaines habitudes culturelles, donc d'un certain code. Sans doute. Mais, une fois encore, cela ne regarde que le filmé et, une fois encore, la notion de code me paraît déplacée. Pas plus que les habitudes sociales les habitudes culturelles ne sont les mêmes partout. Les expressions symboliques ne sont pas des entités. Elles supposent une marge de liberté, d'interprétation personnelle que la rigidité du code ne permet pas. Sans aller chercher des idéologies contraires, il y suffit parfois de deux critiques. Or le code civil est le même pour tous.

Reste à considérer non plus la symbolique des films ou des images, mais le symbolisme éventuel du fait filmique au niveau du narratif et non plus de la narration.

Symbolique et psychanalyse

Il y a une vingtaine d'années, je notais dans mon *Esthétique* que le spectateur de cinéma était plus proche d'être un *voyeur* que d'être un spectateur par le fait qu'en son objectivité réaliste l'événement filmé se donnait à voir comme s'il n'avait pas été fait pour qui le regarde, pas plus que l'accident auquel le passant assiste par hasard. Bien entendu je donnais au terme de « voyeur » le sens de *témoin* et pas du tout celui, étroit comme un trou de serrure, que lui accorde la psychanalyse. Sans doute le passant qui regarde, s'approche, s'inquiète, interroge, satisfait-il une curiosité qui n'est pas toujours sans rapport avec un désir refoulé ou quelque autre manifestation subconsciente, mais sans qu'il y ait en l'occurrence quoi que ce soit de libidinal, pas plus que chez le spectateur qui va *intentionnellement* au cinéma dans le désir de voir un film. Cependant, en identifiant la notion de voyeur à celle de l'enfant qui voit s'ébattre le couple parental (comme si la chose était d'usage courant...), certains psychanalystes vont jusqu'à conclure que « le signifiant filmique est de type œdipien », ce qui en arrive à réduire la signification à un processus primaire univoque dont l'image — ou processus secondaire — ne ferait que rendre compte ; à tout ramener à des pulsions de caractère exclusivement sexuel et à faire de toute symbolique le transfert inconscient du désir.

On reviendra sur l'idée du *leurre* et autres notions que l'on n'en finit pas d'hypostasier mais, à travers la symbolique du reflet, certains n'ont de cesse d'en appeler à Lacan et au « stade du miroir » en invoquant les relations affectives que le spectateur entretient avec le film. Il est évident que le spectateur projette sur les motivations du drame un imaginaire qui leur donne une résonance plus ou moins fantasmatique. Mais si le spectateur se reconnaît dans le film, bien qu'il ne s'inscrive pas sur l'écran comme dans un miroir, c'est sans doute parce qu'il y retrouve, dans une certaine mesure, sa propre expérience des choses. Il ne semble pas nécessaire pour autant d'en appeler à un stade dépassé par le spectateur ni de faire du cinéma une « scène symbolique » en prenant les pulsions refoulées pour fondement spectatoriel. D'autant que s'il est difficilement contestable, le « stade du miroir » n'en est pas moins aléatoire.

« Le moment où l'enfant (de 6 à 18 mois) perçoit sa propre image et l'image du semblable — celle de la mère qui le porte, par exemple — est fondamental dans la formation du moi », dit Jacques Lacan selon qui la première différenciation du sujet et de l'*autre* se constitue sur la base de l'*identification à une image*. Toutefois si la découverte de son unité corporelle en se voyant dans un miroir paraît évidente, le fait n'est pas impératif: *il y faut en effet des miroirs*. Or la profusion des miroirs n'existe que depuis le XIXe siècle et seulement dans les classes bourgeoises. On peut donc se demander comment le « stade du miroir » s'effectuait dans les milieux prolétariens à une époque où les miroirs, même de petites dimensions, y étaient rares, et comment il se joue aujourd'hui là où il n'y en a pas, c'est-à-dire dans les cases, les huttes, les igloos et les bidonvilles. La relation duelle entre le sujet et l'objet, le moi et le non-moi ne s'y effectue pas moins.

Le stade du miroir facilite la prise de conscience du *moi* mais n'est pas indispensable. A moins de soutenir que dans les sociétés primitives, là où les miroirs sont absents, cette conscience n'existe pas. Ce qui serait assez singulier d'autant que Lacan soutient que les transferts symboliques, les glissements de sens et autres expressions métaphoriques ont cette relation duelle pour origine principale. Or, si l'on s'en rapporte à Lévi Strauss, Lévy Bruhl, Durkheim et autres, ce sont précisément les peuplades primitives qui s'expriment (ou se sont exprimées) d'une façon foncièrement symbolique.

Les arcanes de cette expression à laquelle le cinéma nous ramène constamment sont peut-être bien dans l'inconscient, un inconscient collectif plus proche à mon sens des conceptions de Jung ou de Cassirer que des éventualités lacaniennes, mais les aborder dépasserait de beaucoup les considérations générales envisagées dans cet ouvrage.

Métaphore et métonymie

Dans un article des *Cahiers du cinéma*, Roland Barthes, se référant aux modèles rhétoriques de Jakobson, affirmait que le cinéma était un art *métonymique* plutôt que *métaphorique*[3]. A quoi, me rapportant également à Jakobson, je répondais que le cinéma était un art *essentiellement métaphorique*, bien que la métaphore y soit presque toujours prise en défaut.

La contradiction n'est qu'apparente et mérite qu'on s'y arrête car elle implique la distinction nécessaire entre *métaphore* et *expression métaphorique*.

En gros la métaphore suppose une substitution analogique alors que la métonymie signifie par relation contiguë entre un terme propre et un terme figuré. A la suite d'une comparaison telle que : ce morceau de papier est plat *comme* une feuille d'arbre, le « comme » disparaît, puis le terme de comparaison qui est attribué finalement au comparé. D'où : *une feuille de papier*. Toutefois, ainsi constituée, la métaphore perd rapidement son pouvoir évocateur et devient une sorte de syntagme lexicalisé, une unité de signification qui n'a plus qu'une valeur dénotative. Le sens poétique ou connoté a complètement disparu. Entendu dans ce sens, qui est son sens lexical, la métaphore est une métaphore « éteinte ».

Au contraire, l'expression métaphorique, qui est créatrice de sens et non plus l'aboutissement figé d'un sens acquis, est toujours fondée sur une métonymie. Dans l'expression *la foule moutonnière*, il y a glissement

3. Roland BARTHES, « Sur le cinéma », in *Les Cahiers du cinéma*, n° 147.

de sens, transfert d'attribution des moutons à la foule mais point de substitution de terme à terme. Il en est de même des images poétiques. Lorsque Apollinaire dit *Soleil, cou coupé* en comparant (ou associant) le soleil couchant à un cou décapité qui baigne dans son sang ou quand Valéry propose *Été, roche d'air pur*, pour laisser entendre d'une pesanteur matérielle en l'absence de matière sous la limpidité azurée du zénith, ce sont autant d'expressions qui échappent à la substitution paradigmatique, des connotations issues d'une structure contiguë.

Il en est ainsi des métaphores filmiques. Curieusement Jakobson se contredit en citant comme exemple de métaphore « acquise », l'ouverture célèbre des *Temps modernes* où l'on voit des moutons qui se bousculent pour franchir une barrière et, au plan suivant, des gens qui se bousculent à la sortie du métro[4]. Ces deux plans qui se succèdent selon une parfaite contiguïté temporelle constituent très exactement une métonymie, conformément à la définition qu'il en donne. Sans doute le sens de l'un est-il reporté sur l'autre comme dans les images poétiques précitées mais, si c'est de toute évidence une expression métaphorique, ce n'est point une métaphore à la manière de l'*arc-en-ciel* ou du *bec de gaz*.

Le film n'établit pas ses significations *avec* des métaphores. Il les *construit* en confrontant des faits, des actes selon des contiguïtés qui résultent le plus souvent du montage et dont les connotations sont toujours à déchiffrer. La métaphore n'est pas *donnée* ; elle n'existe comme telle (son sens) que dans l'esprit du spectateur.

Dans le langage, les métaphores proprement dites ou lexicalisées ne sont que parce que les mots jouent avec des concepts. Or les images jouent avec des choses, avec des faits concrets qui ne peuvent se substituer l'un à l'autre mais seulement subir un transfert de sens. Toute métaphore donnée comme telle dans un film apparaît donc comme étrangère, extérieure à l'action. C'est le plus souvent un concept objectivé sur une chose comme du calendrier qui s'effeuille pour signifier le temps qui passe, au lieu qu'il soit, ce concept, conséquent de relations de choses. Lesquelles choses sont de la sorte chargées d'un sens préétabli avant d'intervenir dans l'action, l'idée étant *plaquée* sur elles au lieu d'être *impliquée* par elles. C'est ce qu'on veut dire quand on parle de concepts illustrés, de formules littéraires mises en images.

Considérée parfois comme une métaphore, la *synecdoque* est, elle aussi, une figure métonymique qui permet de désigner une idée ou une chose par un terme dont le sens inclut celui du terme propre ou est inclus par lui. On y donne le singulier pour le pluriel, le genre pour

4. Roman JAKOBSON, « Entretien sur le cinéma », in *Cinéma, Théorie, Lectures*, Klincksieck, 1978.

l'espèce, l'abstrait pour le concret — ou l'inverse. Plus souvent la partie pour le tout : une voile pour un navire, une palme pour un arbre, etc. Ce trope est familier au cinéma où la contiguïté métonymique se mue en métaphore sans que jamais le syntagme (cette forme contiguë) ne devienne paradigmatique (intégrée comme signe fixe à la manière d'un lexème, à la suite d'une substitution de sens). Ainsi le lorgnon du *Potemkine*, le noyé de *Païsa*, le ballon du *Maudit*, etc. Certes, là comme ailleurs, le sens connoté est objectivé sur une chose qui fait office de signe ; mais cette objectivation y est conséquente de la connotation : elle ne la précède pas ou ne la donne pas toute faite. L'objet devenu signe ne l'est jamais qu'en regard du contexte, voire en regard du film ; pas du tout devant le langage.

La grande différence qu'il y a entre une synecdoque littéraire et une synecdoque filmique, c'est que la première est le plus souvent fondée sur une sémantique généralisable alors que la seconde est toujours contingente. Le rapport de la partie au tout est fortuit parce que la connotation filmique est ouverte à toutes les significations possibles, fussent-elles sans rapport direct ou indirect avec ce que l'image donne à voir. Par simple synecdoque l'image du lorgnon signifie symboliquement l'« absence » du docteur Smirnov et, par extension, la chute du régime que cet officier représente. Or, ni de près ni de loin, la chute d'un régime n'est propriété d'un lorgnon. Cette idée ne peut être suggérée que dans le cadre du *Cuirassé Potemkine*. Elle est impliquée par un ensemble de relations propres à la continuité de ce film.

Par ailleurs, dans certaines expressions métaphoriques fondées sur une association comparative, il n'y a plus glissement de sens ni inclusion, mais un échange de signification où chacun prête à l'autre. C'est ainsi que dans la fameuse séquence terminale de *La Mère* où l'on voit, d'abord conjointement puis alternativement, les grévistes qui avancent le long du Mail et la Néva qui charrie des glaçons, les images des glaces qui se brisent symbolisent le soulèvement populaire. Mais le monde « fleuve qui fait éclater son corset de glaces » ne devient expression métaphorique de la révolte que parce que la révolte est là dont le sens, aussitôt transféré aux images du fleuve, fait de ces glaces qui se brisent le symbole de ce dont ce soulèvement lui-même n'est qu'une figure : la colère du peuple, l'idée de « révolution en marche ». Le signifié s'affirme dans le signifiant en lui donnant pouvoir de signifier, c'est-à-dire en le chargeant de ses propres significations.

Ici et là on voit donc qu'il est tout à fait possible de dire avec Barthes que le cinéma est un art métonymique plutôt que métaphorique, quoique fait essentiellement d'expressions métaphoriques...

Les métaphores lexicalisées du langage courant ne vieillissent pas parce que ce ne sont plus que des unités de signification conventionnalisées et banalisées, des lexèmes — ou monèmes — tout comme les autres mots. Au contraire, les expressions métaphoriques vieillissent, deviennent « cliché ». Ce qui *ne devrait pas* arriver au cinéma où l'usage de signes fixes est interdit, mais qui arrive chaque fois qu'une métaphore « acquise » est plaquée sur le sens syntagmatique, comme du calendrier cité plus haut. Le difficile est de faire en sorte que, tout en étant originale, l'expression métaphorique soit naturelle, c'est-à-dire *objectivement fondée* ; qu'elle découle de l'évidence des faits, de l'évidence des choses car, même dans un film « irréaliste », le cinéma met le réel concret en jeu et, pour le moins, une logique afférente au genre choisi.

L'image « littéraire »

On en arrive par là au concept littéraire « mis en images » en place du concept filmique, ainsi qu'aux plans longs et bavards. Mais avant d'aller plus loin, il convient de s'entendre sur les mots.

Le concept littéraire *mis en images* n'a rien à voir avec l'adaptation d'une œuvre littéraire laquelle, mise à l'écran, peut être d'expression purement filmique. D'autre part, un plan long et bavard n'est pas nécessairement un plan qui dure longtemps et dans lequel on parle beaucoup. Ne pas confondre autour et alentour me paraît essentiel.

Pour ce qui est du concept littéraire, j'entends d'un concept symbolique, métaphorique ou autre dont le sens est abstrait, dont la signification est donnée par les mots et que l'on applique au cinéma à travers une figuration concrète de telle sorte qu'on signifie avec du *déjà signifié* au lieu d'avoir recours à des moyens spécifiques.

A titre d'exemple j'en appellerai d'abord à la peinture, au tableau de Proudhon, *La Justice et la Vengeance poursuivant le Crime*. On y voit comme on sait deux femmes en chemise voguant dans les airs, l'une armée d'un glaive et représentant la vengeance, l'autre pourvue d'un flambeau et représentant la justice, toutes deux poursuivant un Caïn vêtu de peaux de bêtes. L'œuvre est remarquablement exécutée. Ce n'en est pas moins de l'exécrable peinture. Ce sont en effet des *idées* que l'œuvre peinte se contente de figurer à travers une représentation concrète, au lieu de suggérer des sentiments par le jeu des valeurs picturales. Et la formalisation ridiculise le concept bien plutôt qu'elle ne l'exprime.

De ces idées « mises en images » et qui firent, en peinture, les beaux jours du pompiérisme, on trouverait des exemples jusque dans les meilleurs films, même les plus insolites. Sans être le moins du monde à contre-courant, j'ai dit il y a fort longtemps qu'*Un Chien andalou* était

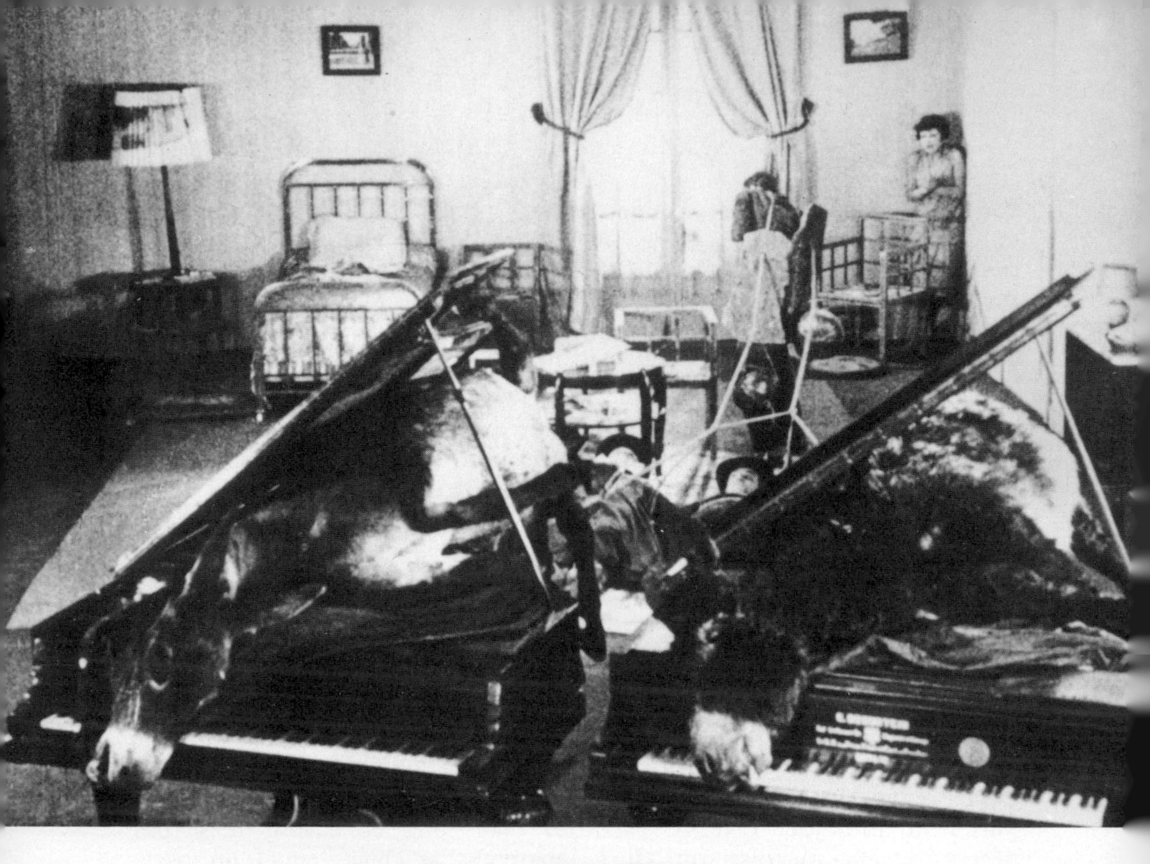

Symbolique surréaliste : *Un chien andalou*,
de Luis Buñuel, 1928

du surréalisme littéraire *appliqué* au cinéma, nullement (ou fort peu) du surréalisme *de* cinéma. A l'exception toutefois de la première image. L'œil coupé au fil du rasoir lorsqu'un nuage passe devant le soleil et le coupe en deux est une association d'idées purement visuelle, digne de l'image verbale d'Apollinaire : *Soleil, cou coupé*, compte non tenu de toute une symbolique freudo-masochiste. Mais l'image de Pierre Batcheff tirant derrière lui un piano (symbole du confort bourgeois) sur lequel sont allongés deux séminaristes (symbole des tabous religieux et du cléricalisme) à côté d'un quartier de bœuf sanguinolent (symbole de la bouffe et de la consommation) n'est rien d'autre que l'illustration d'une symbolique surréaliste par son esprit mais littéraire par sa conception et son expression. On n'est pas loin du tableau de Proudhon. La signification est introduite dans le film, non créée par lui. Si l'on veut du surréalisme *de* cinéma c'est dans les films comiques qu'il faut aller le chercher : Buster Keaton, Harry Langdon, les Marx, Chaplin bien souvent et même Laurel et Hardy. Le burlesque est toujours surréel surtout lorsqu'il est filmique...

Pour ne citer qu'un film français, je pense que le déshabillage de la bottine dans le *Yoyo* de Pierre Etaix (un gag digne du meilleur Chaplin) est d'un surréalisme *visuel* plus évident que même *L'Âge d'or*. Certes, l'idéologie est absente et tout l'appareil iconoclaste qui fait la valeur du film de Bunuel. Mais je me place ici au strict point de vue de l'expression, considérant la relation signifiant/signifié et non uniquement l'idée exprimée.

Plans « longs et bavards »

Pour ce qui est des plans longs et bavards, il est amusant (si l'on peut dire...) de suivre les discussions oiseuses qui tournent autour du fait de savoir si les plans doivent être longs ou courts, fixes ou mobiles, en profondeur de champ ou non ; où l'on parle de gros plans et de plans moyens comme s'il s'agissait de valeurs autonomes, de signes conventionnalisés, codifiés, régis par des lois génératives telles d'une grammaire ou d'une syntaxe. On oublie un peu trop que le cinéma est un art du concret, que l'image est image de quelque chose, qu'elle donne à voir des faits, des actes et que mis à part leur distinction dimensionnelle, un gros plan, un plan moyen n'ont de valeur et de sens que par ce dont ils sont le gros plan ou le plan moyen. Tout est dans la façon de faire voir les choses, de les assembler, de leur donner un sens, mais cette formalisation dépend de ce qu'on formalise.

Qu'il s'agisse d'un travelling ou, plus souvent, d'un plan fixe, un plan n'est long que s'il est ressenti comme « trop long », c'est-à-dire si sa durée excède le temps nécessaire à la totale expression de son contenu. Cela dépend donc de celui-ci, du dynamisme ou du statisme des choses représentées.

Pour simplifier, je m'en tiendrai à deux exemples : soit un plan fixe, cadré en plan d'ensemble, montrant deux personnes assises dans un salon et tenant conversation. Comme toute autre image, ce plan est instantanément perçu dans sa totalité. Reste le temps nécessaire à son déchiffrement, à son analyse, c'est-à-dire à la saisie des détails, du cadrage, de l'organisation du champ, des rapports multiples qui s'ensuivent et du sens éventuel qui en découle. Toutes choses qui, sauf exceptions, n'excèdent pas la minute. Si ce même plan dure au-delà, les personnages poursuivant leur bavardage, l'image ayant épuisé tout son sens n'a plus rien à me dire. Seul demeure le signifié verbal dont elle n'est plus que le véhicule. Elle me donne à voir des gens qui parlent — ce qui est déjà fait — et à entendre un dialogue que je pourrais comprendre tout aussi bien les yeux fermés. Même si le comportement des locuteurs est susceptible de me renseigner sur leur caractère, le signifié gestuel reste tout à fait secondaire puisque ces personnages n'agissent point.

Voyons maintenant un film non moins « causant » dont tous les plans, quoique multiples, sont assez longs : les *Scènes de la vie conjugale*, qui ne sont qu'un long dialogue tenu par un couple vieillissant. Ce n'est certes pas le meilleur film de Bergman, mais tous les plans — fixes — sont des plans rapprochés : plans moyens, plans américains, premiers plans. Il s'ensuit qu'au fil de la conversation, nous saisissons un regard, un plissement des lèvres, un frémissement de paupière, mille réactions imperceptibles qui se dessinent sur les visages et qui donnent aux choses dites une dimension, une résonance qui nous renseignent sur l'état d'esprit des personnages, qui sont comme autant de coups de sonde dans l'analyse de leur caractère, de leur psychisme, la saisie quasi microscopique de leurs sentiments. Il y a une constante relation entre le vu et l'entendu, l'un suscitant, modifiant, corrigeant l'autre. Le signifié verbal ayant le sens premier ce n'est pas, sans doute, du pur cinéma ; ce n'en est pas moins de l'expression filmique. Tour à tour le texte, l'image l'emportent dans un perpétuel entrelacs. Enregistré à sept mètres de la caméra, le signifié visuel étant alors inaccessible, le film ne serait plus qu'un dialogue enregistré. Toute la différence est là. Assurément, dans un sens voisin, *Sonate d'automne* a une autre valeur. Nous sommes ici à la limite.

Un autre aspect est de la prétendue traduction de la « durée vécue » à laquelle on doit quantité de films prodigieusement ennuyeux.

Il est curieux de constater à quel point les tenants du genre oublient que la durée n'est ressentie, éprouvée qu'à travers les faits, les actes que nous vivons. Elle est inexprimable autrement que par l'intermédiaire de ces actes alors même qu'ils abrogent, de par l'attention que nous portons sur eux, la notion de temps qu'ils supposent. La perception du temps — son contrôle, sa mesure, son poids — s'évanouit dans le vécu. Les horloges en donnent un relevé objectif mais l'impression de durée n'est qu'à la mesure des sentiments éprouvés. Les heures écoulées dans le plaisir semblent n'avoir duré que quelques instants. « On ne sent pas le temps passer », dit justement l'expression populaire. Au contraire les heures d'attente nous paraissent interminables. Nous ressentons « en nous-même » le temps qui passe parce que notre attention ne porte sur rien, n'est retenue par rien — rien de concret, d'immédiat. En d'autres termes, seul l'ennui nous fait ressentir le poids de la durée.

On peut bien nous montrer des individus qui s'ennuient. Les films les plus intelligents ou les plus subtils le suggèrent, le signifient par le dehors. Mais ceux dont je parle et qui veulent nous faire ressentir la « durée vécue » ne le peuvent qu'en nous faisant partager les sentiments éprouvés par leurs personnages, c'est-à-dire en nous montrant des images où les héros vaquent à la recherche de leur néant, s'ennuient et nous ennuient mortellement avec leur ennui.

Je ne parle pas, bien sûr, de ce qu'on appelle les « temps morts » qui sont souvent chargés de sens, plus signifiants parfois que les moments de pleine action, mais des temps « vides » qui se déploient interminablement pour nous faire éprouver une béance que rien ne vient combler. Aveu d'impuissance ou prétention plus vide encore que ce qu'elle donne à voir ? Le réalisme, fût-il psychologique, n'est pas une décalcomanie. Ou pourquoi ne pas nous montrer une heure durant et dans un plan unique, fixe comme il se doit, un homme assis sur un banc et qui s'ennuie ? A la soixantième minute une fille arriverait au rendez-vous. C'est par là peut-être que commencerait un autre film. Mais ça ne serait plus intéressant : on n'éprouverait plus, à les suivre, le « poids de la durée vécue... ».

Déconstruction et dédramatisation

Passant à un autre point de vue, on est en droit de se demander ce que peut bien vouloir dire — ou sous-entendre — la *déconstruction* dont on nous a rebattu les oreilles plusieurs années durant.

Il s'agissait bien sûr de contester les formes narratives classiques, le récit conventionnel, la linéarité du drame, de se libérer des structures préétablies au bénéfice d'une narration jouant librement à travers les temps et les espaces. Toutes choses valables sans aucun doute mais qui, bien loin que d'être « déconstruites », supposent tout au contraire une construction beaucoup plus complexe. Or cette complexité exige une rigueur que les formes classiques offraient d'elles-mêmes. Ne dépendant plus que des instances du drame ou des situations psychologiques, elle devient plus souple, plus pertinente bien souvent mais plus difficile à obtenir, la liberté apparente prêtant le flanc à toutes les facilités possibles. Ce qui justifierait le terme quand la construction y est plus impérative que partout ailleurs.

Lorsque, au cours des années vingt, les romanciers anglo-américains (Faulkner, Dos Passos, Aldous Huxley, Virginia Woolf, sans parler de James Joyce) renouvelèrent les structures romanesques en instituant et généralisant le récit a-chronologique, aucun d'eux jamais ne prétendit déconstruire quoi que ce soit. Quoi de plus « construit » au contraire que *Lumière d'août, Manhattan Transfer, Contrepoint* ou *La Promenade au phare* ?

Parler de dédramatisation me paraît donc plus juste dès l'instant qu'il s'agit de *remplacer un développement soumis à l'exigence des règles par un développement soumis à l'exigence des faits*. En place de la rigidité d'une architecture contraignante, on peut parler d'un drame obéissant à un courant, à des impulsions, à des contradictions qui le façonnent, le conduisent, le modifient ; mais il est évident que les circonstances et les enchaînements de ce drame ne peuvent pas ne pas être prévus sans quoi le film ne pourrait être fait. Il ne saurait donc être question de faire un film sans idée ni plan préconçu, mais de faire en sorte que cette prévision ne paralyse point l'action, n'ankylose point le vivant, que tout se passe *comme si* l'auteur avait saisi les événements par hasard, comme s'il les avait arrachés au sein de la vie même.

Il ne s'agit plus de « mettre en scène » une histoire préétablie mais de créer des situations, de confronter des personnages, de découvrir des perspectives, en bref, de façonner des événements qui « s'organisent en histoire » au fil de l'écriture : *il s'agit de déchiffrer le réel et non plus de nous donner un réel déchiffré.* Point de situations qui épuisent un personnage, mais des personnages qui épuisent une situation. Des faits, des actes qui se développent, s'engendrent, se contrarient à la faveur d'un choix, d'une impulsion, d'un libre arbitre, selon une marge d'incertitude toujours présente et non selon le décalque d'un plan visiblement préconçu. Le film dès lors ne met plus un monde en images, il se *constitue en monde* à l'image du réel.

Telles sont, d'une façon très générale, les intentions, les directions du cinéma contemporain. Du moins pour ce qu'il a de meilleur. Mais cette conduite du récit, cette construction d'une forme qui suscite son propre contenu tout en ménageant une logique événementielle qui tient des circonstances, du moment, des lieux, des personnages, selon un équilibre perpétuellement menacé est bien la chose la plus difficile qui soit.

Bien peu, ainsi que je l'ai laissé entendre, en ont jusqu'ici triomphé, l'éclatement des structures narratives prêtant souvent à un arbitraire que les artifices d'une histoire construite selon les normes classiques justifieraient plus aisément.

Car il est évident que cette façon de raconter une histoire en bousculant les temps et les espaces, le présent et le passé, le réel et l'imaginaire et où la mémorisation est aussi implicative que l'action en cours, n'est recevable que lorsqu'elle est justifiée. Pour d'incontestables chefs-d'œuvre, combien de films effectivement déconstruits c'est-à-dire mal construits ?

Croyant renouveler les formes d'expression en nageant dans l'arbitraire, le dernier des metteurs en scène se serait cru déshonoré s'il avait dû suivre un développement linéaire. Or la non-chronologie, le montage discontinu, les ruptures narratives exigent un maximum de clarté autant qu'un minimum de raison.

Rien n'est plus clair, plus compréhensible que, par exemple, *Cria Cuervos*, fait cependant de continuelles ruptures. Sans parler de *Lenny*, de *Providence* et de bien d'autres films semblables. Par contre, dans un film pourtant fort linéaire, *Femmes, femmes*, de Paul Vecchiali, où deux comédiennes sur le retour se livrent à des singeries qui feraient rougir une gamine de dix ans, le metteur en scène introduit ici et là des flashes montrant des photos de vedettes. L'allusion est claire. Mais ces inserts viennent rompre la continuité à des moments où aucune des deux femmes n'est en situation (dramatique ou psychologique) d'évoquer celles dont elles pourraient envier le succès. La gratuité fait loi. Sans doute l'auteur veut-il affirmer par là son libre arbitre ? Mais sa présence implicite derrière les marionnettes dont il tire les ficelles contrevient à la logique des choses — disons la logique de la narration — alors qu'elle eut été plausible dans un récit subjectif.

Un dernier problème relatif aux différentes formes de la narration est celui de la *vraisemblance*. Problème de contenu plutôt que de forme mais qui dépend de celle-ci. Christian Metz l'ayant démontré, il me paraît plus simple et plus normal d'y renvoyer le lecteur plutôt que de dire la même chose que lui, après lui[5]. Sauf que de dire que si la vraisemblance est une chose relative à une attitude culturelle, idéologique, spectatorielle, devant un genre déterminé, la crédibilité — le *crédible* — en est une autre qui relève du possible et de l'impossible, du sens et du non-sens, c'est-à-dire de la logique des choses et que l'on abordera plus loin.

5. Christian METZ, « Le dire et le dit au cinéma : vers le déclin d'un vraisemblable ? », in *Essais sur la signification au cinéma*, vol. I.

XIV

LE RYTHME

Ainsi que je l'ai dit précédemment, les sémiologues, axés sur les analogies linguistiques du film, n'ont pas prêté la moindre attention au rythme — aux structures rythmiques — qui jouent cependant un rôle de tout premier plan en littérature, au niveau de la prosodie et des formes poétiques qui ne se réduisent pas à une enfilade de métaphores.

Au cours des années vingt, après la découverte du montage proprement dit et des formes rythmiques élémentaires, deux écoles se partagèrent l'essentiel des recherches concernant les relations temporelles des plans : l'École soviétique qui, à la suite de Koulechov, s'efforça vers la mise en valeur des symboles et des images-idées, et l'École française qui, à la suite d'Abel Gance, s'engagea dans la recherche d'un rythme visuel pur et d'une signification relative à la valeur *durée* des images.

A cet égard, *La Roue,* d'Abel Gance, marqua un tournant décisif dans l'évolution du cinéma. Renchérissant sur les découvertes de Griffith et sur le montage métrique, ce film apportait en certaines de ses parties (train emballé, mort de Norma-Compound, etc.), une forme rythmique accélérée due à un montage de plans de plus en plus courts. La brièveté des plans, la rapidité du tempo permirent de se rendre compte plus aisément des possibilités rythmiques du film et, dès lors, les recherches théoriques se multiplièrent, donnant naissance à un mouvement qualifié d'« avant-garde » parce qu'il n'avait d'autre but que la recherche pure.

Ce fut, rapporte Jean Epstein, l'époque la plus significative pour l'évolution générale du cinéma français, la plus féconde en perfectionnements apportés au nouveau moyen d'expression, la plus riche en découvertes techniques et théoriques, qui sont restées actives et qui se reprennent à diriger l'évolution du parlant. Époque qui est le premier âge mûr, au cours duquel, en France, le cinéma a reçu la révélation de ses moyens propres, a pris conscience de sa personnalité, de sa volonté et de sa capacité d'être un art autonome[1].

Il fallait donc creuser la question, étudier ce rythme en lui-même, pour lui-même. La relation des scènes brèves et des larges ensembles, les épanouissements en forme d'andante ou de crescendo, particulièrement sensibles dans les films de Griffith et dont *La Roue* offrait une éclatante démonstration, laissaient entrevoir les affinités du cinéma et de la musique. La comparaison venait de loin. Le critique musical Émile Vuillermoz n'avait-il pas écrit, dès 1919 :

> La composition cinégraphique obéit, sans s'en douter, aux lois secrètes de la composition musicale. Un film s'écrit et s'orchestre comme une symphonie. Les « phrases » lumineuses ont leur rythme[2].

Le « mot » était donné. Tandis que Louis Delluc, qui fut un peu le chef de file du mouvement de rénovation artistique du cinéma français, proclamait : « Il faut créer un cinéma qui ne doive rien ni au théâtre, ni à la littérature, mais à la seule vertu des images animées », les critiques, les cinéastes, cherchant dans la musique le fondement du rythme visuel, proclamaient à leur tour :

Léon Moussinac :

> Si l'on essaie d'étudier le rythme cinégraphique on s'aperçoit qu'il a une grande analogie avec le rythme musical [...]. C'est pourquoi également le poème cinégraphique tel que je le conçois sera si parent du poème symphonique, les images étant à l'œil, dans le premier, ce que les sons, dans le second, sont à l'oreille [...], le sujet ne demeurant plus l'essentiel de l'œuvre, mais le prétexte ou mieux le thème visuel. [...] Et nous dirons : c'est du rythme que l'œuvre cinégraphique tire l'ordre et la proportion sans quoi elle ne saurait avoir les caractères d'une œuvre d'art[3].

Abel Gance :

> Il y a deux sortes de musique : la musique des sons et la musique de la lumière qui n'est autre que le cinéma ; et celle-ci est plus haute dans l'échelle des vibrations que celle-là. N'est-ce pas dire qu'elle peut jouer sur notre sensibilité avec la même puissance et le même raffinement[4] ?

---

1. Jean EPSTEIN, *Esprit de cinéma*, Éd. Jeheber, 1955.
2. *Les Cahiers du mois*, numéro spécial sur le cinéma, 1925.
3. *Idem.*
4. *Idem.*

Germaine Dulac :

La musique seule peut évoquer cette impression que propose aussi le cinéma et nous pouvons, à la lumière des sensations qu'elle nous offre, comprendre celles que le cinéma de l'avenir nous offrira. La musique n'a pas non plus de frontières précises ; ne peut-on en déduire, à la lumière des choses existantes, que l'idée visuelle, que le thème qui chante au cœur des cinéastes ressortit beaucoup plus à la technique musicale qu'à toute autre technique ou tout autre idéal ?

La musique qui donne cette sorte d'au-delà au sentiment humain, qui enregistre la multiplicité des états d'âme, joue avec les sons en mouvement, comme nous jouons avec les images en mouvement. Cela nous aide à comprendre ce qu'est l'idée visuelle, développement artistique d'une nouvelle forme de sensibilité.

Le film intégral que nous rêvons tous de composer, c'est une symphonie visuelle faite d'images rythmées, et que seule la sensation d'un artiste coordonne et jette sur l'écran[5].

Fernand Léger :

L'avenir du cinéma comme du tableau est dans l'intérêt qu'il donnera aux objets, aux fragments de ces objets, ou aux inventions purement fantaisistes et imaginatives.

L'erreur picturale, c'est le sujet.

L'erreur du cinéma, c'est le scénario.

Dégagé de ce poids négatif, le cinéma peut devenir le gigantesque microscope des choses jamais vues et jamais ressenties[6].

Oublier le scénario — c'est-à-dire l'histoire, l'anecdote — faire du cinéma une musique visuelle, s'exprimer au moyen d'un rythme signifiant par lui-même, tel fut en effet le but poursuivi par toute une génération d'artistes et de chercheurs au cours des années 1920-1925.

Mais cette recherche d'un rythme pur, d'une expression qui soit pour l'œil ce que la musique était à l'oreille, ne le devait pas au seul film d'Abel Gance non plus qu'à la seule opinion d'Émile Vuillermoz ni des esthètes pressés de délivrer le cinéma de la tutelle théâtrale.

Ce mouvement, qui se développa en Europe, fut surtout animé par des peintres, et notamment par Vicking Eggeling, Walter Ruttmann et Hans Richter, en Allemagne ; Fernand Léger, Marcel Duchamp, Man Ray, Picabia, en France. L'initiateur fut incontestablement Léopold Survage[7]. Guillaume Apollinaire, qui présentait une exposition de ce

5. *Idem.*

6. *Idem.*

7. Léopold Survage : né à Moscou le 12 août 1879 ; origine scandinave mais formation française ; appartient à l'École française.

peintre en 1917, précisait qu'il avait « inventé l'art nouveau de la peinture en mouvement ». Le *rythme coloré*, disait-il, « allait se manifester au public grâce au ciné, ce formidable moyen de propagande, quand la guerre interrompit ses projets ». Survage avait publié dans la revue d'Apollinaire, les *Soirées de Paris*, en juillet-août 1914, un manifeste par lequel il définissait l'originalité de ses recherches[8]. Nous ne pouvons nous y arrêter bien que cela conduise aux films abstraits et à un cinéma parallèle toujours vivace. Mais le rythme étant une structure *musicale* avant tout, il importe de cerner quelques définitions fondamentales.

Rythme et proportions

Selon E. d'Eichthal, auteur de la formule la plus simple et la plus générale : « Le rythme est dans le temps ce que la symétrie est dans l'espace. » A cette définition claire et précise fait écho celle de Vincent d'Indy : « Le rythme est l'ordre et la proportion dans l'espace et dans le temps. »

Toutefois, il convient de préciser, avec Pius Servien, que le rythme est *périodicité perçue*, et d'entendre le terme de symétrie dans le sens de « commodulation » ou de proportion harmonique. De telle sorte que si, comme le souligne Matila Ghyka dans son *Essai sur le rythme*, « la théorie vitruvienne des proportions et de l'eurythmie n'est plus qu'une transposition dans l'espace de la théorie pythagoricienne des accords ou plutôt des intervalles musicaux telle que nous la voyons reflétée dans le *Timée* », on pourrait retourner la proposition de E. d'Eichthal et dire que — dans une certaine mesure tout au moins — la commodulation est dans l'espace ce que le rythme est dans le temps.

Quoi qu'il en soit, le rythme, selon la remarque d'Herbert Spencer, se produit « partout où il y a un conflit de forces qui ne se font pas équilibre ». Si donc, comme l'assure Gaston Bachelard[9], « le jeu contradictoire des fonctions est une nécessité fonctionnelle », le rythme serait une sorte de dialectique du devenir bien plutôt qu'une continuité dont les variations périodiques déformeraient en nous la coulée habituelle du temps. Il se développe, en effet, selon une alternance de tensions et de détentes qui ne sont que l'expression d'un conflit incessamment renouvelé.

D'autre part, si le rythme n'est rythme que pour autant qu'il est

8. On trouvera ce manifeste reproduit intégralement dans mon *Esthétique*, vol. I, p. 333-335. Également une étude approfondie sur le rythme (p. 287-354) dont je ne puis donner ici qu'un exposé très succinct.

9. Gaston BACHELARD, *Dialectique de la durée*, Boivin, 1936.

perçu, il doit cadrer nécessairement avec les limites de nos capacités sensorielles. Autrement dit, l'ensemble des relations qui constitue le rythme doit être perçu comme un « tout » auquel chacune de ses parties peut être immédiatement rapportée. Et cela ne peut être que pour autant que la mémoire est capable de le faire en mettant en jeu un processus de « persistance des images » (visuelles ou auditives) analogue, en tant que fait de conscience, à ce qu'est la persistance rétinienne sur le plan physiologique.

> Les sensations auditives, dit Paul Souriau, ont une durée appréciable indépendante de l'impression physique. Quand j'entends un choc brusque, longtemps après que les vibrations de l'air se sont éteintes définitivement, ce choc continue de me tinter aux oreilles, et quand la sensation même a disparu, on peut encore distinguer dans la conscience comme une résonance idéale, comme une image consécutive du son, qui dure plus longtemps encore[10].

De toute façon, le rythme n'est perceptible comme tel que pour autant qu'il est dominé par la conscience. On peut percevoir comme rythme des relations de durée de l'ordre des secondes ou des fractions de seconde rapportées à un ensemble qui, dans certains cas, peut atteindre une demi-minute. Chaque *période rythmique* peut avoir, bien entendu, des rapports également rythmiques avec les périodes suivantes du film, du poème ou de la partition, mais le rythme de l'œuvre elle-même, résultant des relations de toutes ces périodes, ne peut pas être perçu comme tel. Il peut seulement être *compris* comme une *coulée rythmique*, c'est-à-dire comme la courbe générale d'une modulation dont on aura suivi, partie par partie, les différents effets sensibles appelés rythme. Car si la perception peut « retenir » un ensemble de moins d'une minute et saisir les rapports de ses éléments relativement entre eux et relativement à cet ensemble, il lui est totalement impossible de le faire pour l'œuvre elle-même. La notion de rythme n'est plus alors que le fait d'une opération intellectuelle qui reconstruit mentalement les relations perçues et s'en fait une « idée » générale très approximative.

Aussi bien n'est-ce que métaphoriquement que l'on peut parler par exemple du « rythme des saisons ». Il y a bien là, intellectuellement parlant et « relativement au Cosmos », un rythme, mais dans lequel nous sommes entraînés, qui nous domine et, donc, que nous ne pouvons reconnaître comme tel que dans un concept abstrait, par ailleurs fortement anthropocentrique.

Les Anciens — Pythagore, Platon — avaient justement proposé le corps humain comme modèle d'eurythmie idéale. Et il est bien vrai,

10. Paul SOURIAU, *Esthétique du mouvement*, Alcan, 1918.

comme le souligne Matila Ghyka, que « les deux cadences psycho-physiologiques vitales (battements du cœur et respiration) nous livrent, en effet, d'un côté la notion de la "mesure" fondamentale (régime normal du cœur humain = 80 battements à la minute), de l'ordre, et les notions relatives du "vite" et du "lent" ; et de l'autre, de par le rythme respiratoire (fonction rythmique par excellence, avec tension, détente, repos), le reflet et l'accompagnement des ondes affectives dont les rythmes prosodiques ou musicaux sont l'expression sonore[11] ».

Comme le dit Ludwig Klages, « le rythme est un phénomène de vie général, auquel participe tout être vivant ; la mesure est une création humaine ; le rythme peut se manifester sous la forme la plus parfaite en l'absence complète de mesure, la mesure par contre ne peut se manifester sans la collaboration d'un rythme[12] ».

La *mesure* est une commodité de travail et rien de plus. C'est une mise en ordre intellectuelle du rythme, une façon de le noter, de lui donner un cadre fixe à partir duquel et relativement auquel il fait valoir sa mobilité expressive. La mesure règle donc le rythme sans pour autant le soumettre à son arbitraire, et elle ne le doit sous peine de briser son élan. Bien loin que le rythme soit soumis à la mesure, c'est celle-ci qui doit lui être soumise, assurant simplement des points de référence à sa libre évolution.

Toutefois, la mesure qui, à l'origine, réglait le flot rythmique sans l'enfermer dans un cadre strict, accordant aux accents le droit de tomber sur l'un quelconque des temps mesurés, en vint, dans certains cas, à diriger le rythme lui-même. Les divisions du rythme devaient coïncider avec les divisions de la mesure et les accentuations tomber sur les temps « baissés » (ou temps forts du battement). Le rythme devenait alors *subordonné à la mesure*, d'où la confusion fréquente de l'un avec l'autre.

La *cadence* n'est autre que la « marque » du rythme, c'est-à-dire des retours périodiques ou des accentuations. Il est évident que la cadence n'est pas le rythme mais le rythme est soutenu par la cadence dont les périodicités inégales doivent être cependant réglées selon certains rapports et certaines lois. L'irrégularité totale des cadences ferait que le rythme ne serait plus un rythme au sens exact du mot. D'autre part, la répétition d'une périodicité uniforme (mais de tonalité ou d'intensité variable) est un facteur hypnotique et hallucinatoire certain (musique orientale, tam-tam, etc.).

La *métrique* est la notation des mesures naturelles du rythme, indé-

11. Matila GHYKA, *Essai sur le rythme*, N.R.F., 1938.
12. Ludwig KLAGES, *Vom Wessen des rythmus*, Niels, 1934.

pendamment de la mesure équivalente des temps. C'est l'expression arithmétique des périodicités. Cette notation ne parvient pas à saisir le rythme dans sa totalité expressive (elle ignore les relations de timbre, de hauteur, de tonalité, etc.), mais elle en traduit l'aspect fondamental qui est bien cette périodicité mesurée. Elle mesure les cadences, c'est-à-dire les proportions dans le temps.

« Enlevez, dit Mathis Lussy, à une page de musique l'intonation, c'est-à-dire les différentes hauteurs des sons, mettez toutes les notes et les silences sur une seule ligne de la portée, et il restera le dessin rythmique, le squelette musical, l'ossature. » C'est ce dessin, sa notation chiffrée que j'appelle la *métrique*, notation qui peut être exprimée en secondes ou fractions de seconde se rapportant soit aux temps mesurés, soit à l'incise fondamentale. Entendue dans ce sens, la métrique n'est d'aucune utilité en musique, et c'est pourquoi elle se confond avec les unités métronomiques réglant la mesure ; mais c'est ainsi que nous l'entendrons dans cet ouvrage, ce sens étant immédiatement adaptable au rythme filmique comme il l'est d'ailleurs à la prosodie.

Notons qu'il ne s'agit pas d'une représentation linéaire — courbe ou sinusoïde — semblable à celles imaginées par Étienne Souriau, qui sont une sorte de traduction graphique des propriétés de l'œuvre musicale, une « correspondance », non une métrique[13].

Pour nous résumer, nous dirons avec Matila Ghyka que « le rythme naît de l'action de la proportion sur la cadence ». Mais il n'est pas égal à la somme de ses parties. Il n'est pas la simple addition de durées relatives ou d'intensités relatives ; il en est la fonction. Il est synthèse et non somme. Aussi bien l'analyse métrique ne peut-elle rendre compte que du schème rythmique et non du rythme lui-même.

Comme l'excellence du rythme musical est d'être un flux continu, quoique périodique, et qui s'épanouit par-delà la discontinuité de la mesure, mais grâce à elle, l'excellence du rythme filmique est d'être une modulation dont le devenir homogène et la continuité univoque s'établissent par-delà le morcellement et la discontinuité des plans, mais grâce à eux.

Ainsi que nous l'avons vu, nous ne percevons que des relations, des différences, du discontinu. Une pure continuité ne pourrait donc pas constituer un rythme. *Le rythme est un développement dont la continuité est assurée et définie par une discontinuité qui permet d'en rendre compte.* C'est le développement harmonieux d'une série de périodes qui s'engendrent les unes les autres et dont la périodicité est fondée sur la différence des temps.

---

13. Étienne SOURIAU, *La Correspondance entre les arts*, Flammarion, 1947.

Rythme prosodique

Il est évident que le rythme prosodique est plus facile à saisir, ne serait-ce que par ce dont il est rythme, le mot ayant une existence concrète et une fixité relative. Par le fait que les mètres ont une structure précise, les cadences ne supposent qu'un nombre assez limité de variations. Mais il n'en est pas moins vrai que s'il est possible de traduire par des notations arithmétiques les intervalles entre les accentuations (dont les rapports métriques sont à peu près constants), il est pratiquement impossible de ramener à quelque notation semblable le jeu des timbres et des allitérations qui n'obéit à aucune loi formelle mais seulement au contenu verbal. La modulation du vers ne dépend que d'un principe très général, étranger à toute forme particulière de versification.

De plus, *ce n'est pas avec des mots que l'on fait des vers, mais avec des syllabes*. Les mots ont et gardent leur sens (bien qu'il puisse être modifié par le contexte), mais les syllabes, n'ayant aucune signification par elles-mêmes, sont la matière musicale et suggestive du poème. A l'uniformité métrique ou tonique de la structure elles apportent la constante mobilité des timbres.

Et c'est le jeu des timbres, modulant et colorant de leur diversité infinie les temps forts et les temps faibles, renforçant de leur éclat les accentuations, qui constitue le rythme proprement dit, les mètres n'en assurant que la cadence. A la périodicité, symétrique ou asymétrique, des accentuations, distribuées selon certaines lois, vient s'adjoindre ou se superposer la périodicité plus ou moins régulière des timbres qui tombent tantôt sur les temps faibles, tantôt sur les temps forts et jouent, dans le développement du poème, un rôle analogue à celui des intervalles musicaux. Bien qu'elle ne prenne effet que dans la continuité verbale, l'harmonie prosodique n'en est pas moins une harmonie au sens réel du mot. Elle détermine le développement mélodique du poème dont l'accentuation seule s'infléchit selon des règles imposées. Les périodicités peuvent voir le retour des mêmes éléments sonores ou des éléments de signification (images, concepts, etc.), mais si, comme le dit Pius Servien, « un rythme est analysable en rythmes toniques, arithmétiques, de timbre ou de durée », le rythme réel est *tout cela ensemble*. C'est-à-dire la conséquence de tous ces développements agissant et réagissant relativement entre eux.

La divergence la plus forte entre le rythme musical et le rythme prosodique, note Pius Servien, c'est le rôle diamétralement opposé qu'y jouent les timbres.

Si on altère les timbres, rien n'est changé dans un thème musical, mais dans les mots, le timbre a une importance capitale[14].

Dans le vers de Verhaeren : « Voici le vent cornant novembre », « l'image, dit Matila Ghyka, est presque engloutie par les timbres ». Si l'on veut dire de l'image intellectuelle, c'est évident, mais le jeu des timbres se superposant à celle-ci constitue, précisément, une nouvelle image (que j'ai appelée *image verbale*). Ce n'est plus l'idée suggérée par l'association des mots « vent » et « novembre » qui prime, c'est le vent que l'on *entend* souffler à travers les mots qui le décrivent — sans qu'il s'agisse jamais, bien sûr, d'une plate imitation.

L'analyse des rythmes toniques montre par exemple comment, dans la phrase de Chateaubriand : « Le dé*sert* dérou*lait* mainte*nant* devant *nous* ses soli*tu*des démesu*rées* », le simple déplacement de l'accent (qui passe de la troisième syllabe des premiers mots à la quatrième, puis à la cinquième) allonge le rythme tout en le ralentissant et traduit rythmiquement, c'est-à-dire en intensités perçues, l'étendue démesurée des solitudes dont il est question.

On voit que la traduction sensible d'une idée ou d'une impression n'est pas seulement le fait des sonorités mais aussi bien des intensités, c'est-à-dire de la plasticité verbale.

En réalité l'image poétique est une forme de style bien plutôt qu'une image, celle-ci étant une création mentale. Toute image, réfléchie sur le plan du langage, devient *figure*.

L'idée, réduite à elle-même, ne déborde jamais de son contenu, souligne René Waltz : la plus complexe est plus simple que ne l'est la plus simple image. L'image au contraire, et jusqu'à la plus dépouillée, est *synthétique* par nature. Elle groupe autour de l'objet ou de son concept des notions circonstancielles ou adventices qui s'y amalgament et constituent avec lui, psychiquement, une sorte d'unité fictive, plus ou moins hétéroclite[15].

Toutefois l'image poétique, même si elle suppose un « mouvement » intellectuel, la formation d'une idée, l'éclosion d'un rapport curieux ou imprévu, est éminemment *statique*. Le rythme seul est *dynamique*. L'image, c'est de la peinture ; le rythme, c'est de la musique.

---

14. Pius SERVIEN, *Les Rythmes comme introduction physique à l'esthétique*, Boivin, 1930.
15. René WALTZ, *La Création poétique*, Flammarion, 1949.

Musique des images et « cinéma pur »

Mais ce qui nous intéresse ici c'est, bien entendu, le rythme cinématographique. Nous ne pousserons donc pas plus avant cet aperçu sur le rythme musical et le rythme prosodique en rappelant toutefois que les recherches entreprises dès 1923 à la suite de *La Roue* et en vue d'un soi-disant « cinéma pur » soulevèrent bien des objections et opinions contradictoires. Henri Fescourt, metteur en scène formé, au départ, à la Schola Cantorum, disait :

Nous croyons à la possibilité d'un genre de cinéma apparenté par ses règles à la musique. Mais nous croyons aussi qu'on se trompe aujourd'hui sur la nature des recherches à entreprendre.

Rythme, composition, mélodie sont des *modalités*. A quoi les appliquer ? Quelle *matière* le cinéma présente-t-il en regard de l'ordonnance stricte des sonorités musicales ? Alignez un chapeau, un livre, un encrier ou même des figures : carrés, cercles, spirales. En tirez-vous des accords spontanés : *Do do sol mi ?* Quand on aura trouvé des éléments harmoniques — et on les trouvera — nous pourrons parler de « musique de l'œil ». Jusque-là, ayons le courage de ne pas mettre sous l'égide de cet art si réglementé qu'est la musique, l'anarchie du « cinéma intégral »[16].

De son côté, Émile Vuillermoz précisait, en 1927 :

Il y a des rapports fondamentaux exceptionnellement étroits entre l'art d'assembler des sons et celui d'assembler des notations lumineuses. Les deux techniques sont rigoureusement semblables. Il ne faut pas trop s'en étonner parce qu'elles reposent l'une et l'autre sur les mêmes postulats théoriques et sur les mêmes réactions physiologiques de nos organes en présence des phénomènes du mouvement. Le nerf optique et le nerf auditif ont, malgré tout, les mêmes facultés de vibration.

On peut donc retrouver dans la composition d'un film les lois qui président à celle d'une symphonie. Ce n'est pas un jeu de l'esprit, c'est une réalité tangible. Un film bien composé obéit instinctivement aux préceptes les plus classiques des traités de composition du Conservatoire. Un cinégraphiste doit savoir écrire sur l'écran des mélodies pour l'œil, exposées dans un mouvement juste avec les ponctuations convenables et les cadences nécessaires. Il devra calculer l'équilibre de ses développements, savoir quelle longueur il peut donner à son arabesque sans risquer de faire perdre aux spectateurs ce que l'on pourrait appeler le sentiment tonal de sa composition.

[...] C'est cette ordonnance et cette alternance des mouvements que l'on appelle généralement, au cinéma, le rythme. On donne ainsi à ce terme, par

16. Henri FESCOURT et J.-L. BOUQUET, « Sensations ou sentiments ? », in *Cinéa-Ciné pour tous*, 1926.

extension, un sens un peu différent de celui qu'il a en musique. Mais on comprend fort bien le parallélisme qu'il indique. Certains passages de *La Roue* d'Abel Gance sont rythmés comme un *allegro* de symphonie. Un metteur en scène comme Griffith apporte dans toutes ses compositions un instinct musical d'une infaillibilité surprenante. Dans *Intolérance* il semble avoir exécuté le montage de son film sous la dictée d'un professeur de fugue. Il a exposé l'un après l'autre ses quatre thèmes, les a développés, fragmentés, travaillés de mille manières, a usé du contrepoint d'images le plus rigoureux, puis, accélérant à la fois son mouvement et la fréquence du rappel des thèmes, il resserre peu à peu ses entrées jusqu'au moment où il réalise une *strette* finale conforme aux exigences les plus sévères de la fugue d'école[17].

Entre ces opinions contradictoires mais également valables, essayons de faire le point. Qu'il y ait des rapports étroits entre le rythme filmique et le rythme musical, que l'on puisse retrouver dans la composition d'un film les lois qui président à celle d'une symphonie, voilà qui ne laisse pas d'être évident. Mais il ne s'agit jamais que de structures rythmiques, c'est-à-dire de relations mesurées au moyen du chronomètre ou du « mètre unitaire » filmique (une seconde, ou 24 images, ou 0 m 45) et nullement de relations *ressenties* et perçues comme un rythme.

Vuillermoz dit : « Le nerf optique et le nerf auditif ont, malgré tout, les mêmes facultés de vibration. » Cette erreur, commune à bien des cinéastes, est à la base de l'énorme confusion sur les capacités rythmiques du film d'où sont sorties les théories de l'« avant-garde » et les recherches dont nous venons de parler.

Moussinac, pourtant, remarquait déjà que :

Si notre regard analyse la différence des couleurs, la différence des formes, la différence des degrés de rapprochement ou d'éloignement dans la perspective, il n'analyse pas l'évolution rythmique dans les mouvements qu'il perçoit — il ne voit pas le mouvement qui est dans le mouvement [...] Si, actuellement, l'adaptation musicale nous apparaît la plupart du temps nécessaire, c'est que nous ne percevons pas le rythme des films ou le percevons mal (quand il existe), et que — conséquence du mouvement des images qui appelle le rythme — nous désirons trouver celui-ci dans la musique afin d'être satisfaits.

Mais il ajoutait :

Pourquoi au cinéma l'œil resterait-il moins sensible à un rythme que l'oreille ? Question d'éducation avant tout[18].

---

17. Émile VUILLERMOZ, « La musique des images », in *L'Art cinématographique*, Alcan, 1927.
18. Léon MOUSSINAC, *Naissance du cinéma*, Povolotzky, 1925.

Question d'éducation, sans doute. Mais il y a un seuil perceptif que l'œil ne peut pas dépasser et qui fait que les relations de durée un peu subtiles lui sont totalement étrangères. Tandis que l'oreille perçoit des différences temporelles de l'ordre du dixième de seconde et des vibrations d'intensité ou de tonalité de l'ordre du coma (81/80), l'œil perçoit très mal des relations inférieures au cinquième de la durée d'un plan relativement court. Et si, entre des plans assez longs ou entre des séquences successives, l'esprit se rend compte d'une certaine différence temporelle, il demeure incapable de l'évaluer exactement — à moins qu'elle ne soit sensiblement marquée, tel que du simple au double ou au triple, c'est-à-dire d'une façon fort grossière. Et quand l'oreille peut percevoir sans fatigue tout près de vingt notes ou percussions différentes à la seconde, l'œil supporte difficilement, et seulement pendant un laps de temps très court, des successions d'images d'un sixième de seconde.

Ainsi que le souligne Ernst Meumann, « la vue se manifeste comme le sens le plus obtus dans les expériences sur l'estimation du temps ». Et si David Katz peut affirmer de son côté qu'« en aucun domaine du sensible les formes rythmiques n'ont un caractère aussi accusé que dans le domaine acoustique », c'est que l'oreille est par excellence l'organe du rythme. Elle est faite pour percevoir non seulement des sons et des relations sonores, mais encore des relations de durée. Et si elle ne perçoit point l'espace, elle perçoit du moins des « dimensions » spatiales de par les relations d'intensité et surtout d'orientation du son.

L'œil, au contraire, est fait pour percevoir l'espace et les relations spatiales. Il est par excellence l'organe des proportions. S'il perçoit des relations dans le temps, celles-ci sont toujours attachées aux modifications d'un certain cadre. En d'autres termes, c'est en se référant à des données spatiales que l'œil évalue la durée relative des choses. Il n'accorde aucun sens à des relations de durée si, de par leur structure, leur mouvement ou leur intensité, les choses représentées et mises en cause n'ont pas *déjà* un certain sens que l'espace leur confère *a priori*.

Pour en revenir aux essais de Ruttmann ou de Vicking Eggeling, il est évident que l'œil perçoit les durées relatives de plan à plan puisque les formes géométriques mises en cause se modifient dans ces durées et qu'il ne s'agit jamais que de relations temporelles sensiblement marquées. Mais le plus grave, c'est que ces relations ne signifient rien par elles-mêmes. Elles ne provoquent aucun sentiment, aucun état psychique particulier. Si nous avons par exemple l'extension d'une spirale pendant deux secondes et la déformation d'un cube ou d'un losange pendant trois secondes, cette relation n'est justifiée par rien. On pourrait tout aussi bien avoir trois secondes de spirale et deux secondes de losange ou intervertir leur succession. J'en ai fait maintes fois l'expérience avec mes élèves de l'Institut des hautes études cinématographiques ou devant certains auditoires de ciné-clubs ; on projette le film une fois à l'endroit, puis une fois à l'envers, c'est-à-dire en remontant de la dernière image à la première : le résultat est exactement le même. Ces mouvements purs ne sont pas sans un certain charme *décoratif* mais, quel que soit leur ordre de succession, les relations qui les unissent s'avèrent absolument *gratuites*. On perçoit bien un certain rythme, c'est-à-dire qu'on a le sentiment très net d'une relation proportionnelle entre les plans successifs, entre les durées relatives des formes en mouvement, mais cette relation ne détermine aucune émotion particulière, étant évident qu'on ne saurait qualifier d'émotion un simple agrément visuel — lequel agrément, d'ailleurs, est le même quel que soit l'ordre de succession des plans. La réversibilité de ce « rythme » est la preuve de sa non-signification, de son vide : absence de *devenir* et *non-nécessité d'être*. Aucun sentiment de durée vécue, aucune plénitude temporelle ne sauraient être communiqués par ces durées sans substance, exemptes de tout *qualia* émotionnel profond.

Alors que deux accords se succédant dans un rapport temporel quelconque sont déjà riches d'un contenu émotionnel dû au simple rapport des hauteurs et des tonalités (toute matière sonore signifiant à la fois de par elle-même et de par son rythme), la relation de formes abstraites ou de graphismes en mouvement demeure sans objet.

Il est démontré de la sorte que le rythme visuel est dépourvu de capacité émotionnelle comme de signification dès l'instant que les formes dont il est rythme sont dépourvues de signification objective et de force émotionnelle initiale. La mobilité d'un graphisme abstrait est une émotion intellectuelle sans orientation définie et sans puissance effective. C'est un « charme » qui n'engendre aucune émotion « en devenir », le devenir de ce mouvement se résorbant dans la gratuité de ses arabesques. Enfin *par lui-même le rythme visuel n'apporte rien*. Il ne *crée* rien. Autrement dit, il n'y a pas de rythme « pur » au cinéma, non plus qu'en littérature. Il n'y a de rythme pur qu'en musique, ce rythme pur étant précisément la musique elle-même.

Ainsi cet art tant souhaité, qui puisse être pour l'œil ce que la musique est pour l'oreille, est un leurre. Et pour la double raison que nous venons de dire : incapacité visuelle de saisir d'un plan à l'autre des relations de durée quelque peu subtiles ; inexpressivité ensuite de ces relations réduites à elles-mêmes[19].

Quand ils n'auraient servi qu'à démontrer cette impossibilité, les efforts de l'« avant-garde » n'auraient pas été vains.

19. On voudra bien oublier les films abstraits de Len Lye, Fischinger ou McLaren qui, fondés *sur* la musique, se justifient par elle et posent des problèmes différents.

Le rythme filmique

Si le film se pose d'abord comme une réalité objective organisée dans un certain espace, c'est dans la durée qu'il acquiert son expression la plus sensible, sa signification la plus évidente. Le « devenir » au cinéma ne naît pas comme en musique de la forme rythmique mais des événements dont la suite se compose. C'est un temps vécu par des personnages et non une durée subjective formalisée et modulée par un rythme pur. Mais si cette durée ne naît pas *du* rythme, elle se développe du moins *dans* une forme rythmée, déterminée et justifiée par la réalité dramatique dont elle module la constante évolution.

Doués d'une substance qui assure leur existence concrète, les êtres et les choses opposent fatalement leur inertie — disons leur spatialité — au mouvement qui les entraîne. Le rythme filmique n'est donc pas, apparemment, un rythme libre alors que le rythme musical, qui est d'une matière sonore sans réalité concrète — donc sans inertie — ne se réfère qu'à sa nécessité formelle. C'est-à-dire à des règles déterminées par des lois physiques : rapports des intervalles, accords possibles ou impossibles, obligations tonales ou autres — de telle sorte que le rythme « libre » de la musique est, en fait, un rythme *contraint*. Au contraire le rythme filmique, soumis au poids contraignant de la spatialité, à tout ce dont il est rythme, n'est, à la limite du déroulement objectif des choses, sujet d'aucune loi formelle, d'aucun principe imposé *de l'extérieur*.

Le rythme filmique est un rythme linéaire. C'est celui d'un développement narratif, d'un récit dont le courant continu ne retrouve jamais des conditions identiques. Le contenu étant constamment mobile et changeant, les retours n'ont trait qu'à une certaine forme de représentation et non au donné représenté. La même intensité de mouvement est donnée par des mouvements différents, la même durée par des actes divers, le même cadre par des contenus sans rapports immédiats. C'est — nous l'avons dit — le rythme libre et « continu » de la pose rythmée dont la modalité cyclique ne se réfère jamais à une métrique imposée mais seulement à quelque nécessité interne. Les termes infiniment variables de cette modalité font que le rythme visuel est pratiquement indéfinissable.

Alors qu'en musique, c'est *le même* retrouvé dans *l'autre*, au cinéma c'est seulement *l'analogue* reconnu dans le *dissemblable*. Il n'y a donc pas, à l'écran, de rythme juste ou de rythme faux, si l'on entend par là d'un rythme qui serait ou non conforme à certaines règles ou à certaines formes *fixes*. Les conditions du rythme visuel ne sont pas transcendantes à toute œuvre possible mais immanentes à chacune d'elles. *Le rythme est en fonction de ce qui doit être rythmé*. Ce n'est donc que devant l'œuvre elle-même qu'il peut être jugé et non en raison de quelques principes érigés en absolu. Toutefois certains genres supposent, de par leurs intentions, un rythme préférentiel. On ne rythme pas un film psychologique comme on rythme une épopée ; cela tombe sous le sens.

Le rythme filmique ayant été ressenti pour la première fois grâce à des faits de montage, on en a conclu que ce rythme lui était conséquent. Ce qui est vrai dans un certain sens, mais absolument faux si l'on entend par là d'une création totale. Cette erreur a suscité, entre 1922 et 1926, une quantité de films qui se croyaient rythmés parce qu'ils présentaient une action fragmentée en d'innombrables et inutiles montages courts. Ce qui était confondre rythme et précipitation et penser que le rythme était une simple affaire de métrique.

Le montage, en effet, outre qu'il permet de construire le film, permet de définir les proportions temporelles des plans et des séquences, c'est-à-dire, en fait, leur longueur relative. Mais le rythme n'est pas de simples rapports de durée. Un film n'est pas rythmé parce qu'on a décidé arbitrairement de monter une suite de plans dans un rapport métrique déterminé. Le rythme est bien davantage de *relations d'intensité*, mais de relations d'intensité *dans des relations de durée.*

L'intensité d'un plan dépend de la quantité de mouvement (physique, dramatique ou psychologique) qu'il contient et de la durée dans laquelle il se produit. En effet, deux plans de même longueur, c'est-à-dire de même durée *réelle*, peuvent donner une impression de durée *plus ou moins grande* selon le dynamisme de leur contenu et le caractère esthétique (cadre, composition) qui leur est propre.

Pour une même action (une bataille, par exemple, telle que la bataille des glaces d'*Alexandre Nevsky*), un plan d'ensemble contient plus de mouvement qu'un plan rapproché. Mais ce mouvement peut être plus intensément ressenti dans un plan moyen. En conséquence, si le plan d'ensemble est de même longueur, il donnera l'impression d'être plus long, parce que moins intense. Mais si, par la quantité des mouvements variés qu'il contient, il requiert une attention plus grande, donc un temps de perception plus long, c'est lui qui paraîtra plus court.

Comme ce qui compte, dans le rythme, ce n'est pas la durée réelle mais *l'impression de durée*, c'est cette qualité seulement qui peut servir de référence et non une longueur métrique déterminée. D'une façon générale — mais telle qu'elle ne saurait être comprise comme une règle, seulement comme une indication, la chose étant infiniment variable — on peut dire qu'*à longueur égale* un ensemble dynamique semble plus court qu'un premier plan dynamique ; mais un premier plan dynamique semble plus court qu'un ensemble statique, lequel, à son tour, semble plus court qu'un premier plan statique. Autrement dit : plus le contenu est dynamique et plus le cadre est large, plus il semble court ; plus le contenu est statique et plus le cadre est étroit, plus il semble long.

Si l'on voulait obtenir au moyen de ces plans une impression de durées équivalentes, il conviendrait d'accorder (par exemple) : 30 s à l'ensemble dynamique ; 14 s au premier plan dynamique ; 10 s à l'ensemble statique et 6 s au plan de détail immobile. Bien entendu, il ne s'agit pas d'obtenir des durées égales mais *proportionnelles* à l'intérêt et à la signification du contenu. C'est cet intérêt seul qui peut et doit déterminer la relation des plans, laquelle doit être calculée *en fonction de l'impression de durée produite par chacun d'eux et non en raison de leur longueur métrique.*

Cette impression ne pouvant pas être prévue absolument, en raison des conditions multiples et constamment variables qui la déterminent, c'est seulement *a posteriori*, c'est-à-dire au montage, devant l'image projetée que l'on peut en juger d'une façon précise. D'où l'on peut dire que c'est au montage en effet qu'on *établit* le rythme du film, bien qu'il ne s'agisse point d'une création au sens exact du mot mais d'une simple mise au point.

En d'autres termes, le rythme filmique n'est jamais une structure abstraite obéissant à des lois formelles ou à des principes qui seraient applicables à quelque œuvre que ce soit, mais au contraire une structure impérieusement déterminée par le contenu. *C'est par l'action seulement, par sa mobilité épique, dramatique ou psychologique que le rythme qui soutient cette action peut être perçu comme rythme.* Autrement ce n'est qu'une forme vide que rien ne justifie et qui demeure sans effet.

XV

SENS ET NON-SENS

Le *non-sens* n'existe pas au cinéma si ce n'est volontairement par le fait d'une intention sarcastique ou destructrice. Jouant avec les choses et leur sens logique il se définit lui-même comme absurde et par cela même devient *sens*.

Le non-sens est essentiellement dans les mots. C'est un fait de langage dont il convient tout d'abord d'examiner les différents aspects et l'entendement tantôt négatif — tel que « dépourvu de sens » —, tantôt positif — tel qu'« ayant un sens contraire à la logique ».

Une phrase grammaticalisée ne saurait être dépourvue de sens ni absurde, contrairement à ce que soutiennent certains logiciens comme Carnap ou des linguistes comme Chomsky. La grammaire en effet assure le sens ou la légitimité du sens de par la simple organisation syntaxique des mots conformément à des relations définies par les règles. La syntaxe est indépendante du sens, mais le sens n'est pas indépendant de la syntaxe. Ce qui est indépendant c'est le « sens du sens », son exactitude, sa non-contradiction. La syntaxe assure le fait d'avoir du sens, mais non la validité de ce sens.

Pour Carnap cependant, une phrase grammaticalement correcte, telle que : *Le cheval est un coléoptère à six pattes*, est absurde. Or, quoique contraire à l'entendement conventionnel qui veut que le terme *cheval* désigne un quadrupède appartenant à la classe des mammifères, cette phrase ne met pas la logique en cause. Si, par simple convention, le terme désignait un hanneton, la proposition serait vraie. Il n'y a donc qu'une erreur portant sur le vocabulaire. On ne peut pas dire que cette proposition soit dépourvue de sens sous prétexte que la relation signifiant/signifié est inexacte. Elle est *non vraie* ; elle n'est pas absurde.

Au contraire, des propositions du genre : *Il y a des chevaux qui ne sont pas des chevaux ; Ce chien est à la fois malade et bien portant* sont absurdes parce que contradictoires, affirmant des faits matériellement impossibles. Plus absurde encore est la phrase : *Mon courage pèse cinq kilos*, parce que ni vraie ni fausse ; on ne peut pas attribuer un poids à une qualité, pas davantage qu'une activité à des choses inertes comme dans : *Pierre est pratiqué par le tennis*, simple inversion du sujet à l'objet. Mais toutes ces phrases sont incorrectes, non conformes aux règles de formation syntaxique[1].

Pour Chomsky,

> la notion de *grammatical* ne peut être assimilée à celle de *doué de sens* ou *significatif* dans quelque sens sémantique que ce soit. Les phrases suivantes : *D'incolores idées vertes dorment furieusement*, et *Furieusement dormir idées vert incolore* sont également dépourvues de sens mais n'importe quel locuteur reconnaîtra que la première seule est grammaticale[2].

Voire. La première phrase est construite correctement sans doute mais son énoncé est contradictoire. Des idées ne peuvent pas être à la fois vertes et incolores. Pour le reste, *des idées vertes dorment furieusement* est non sensique au niveau du dénoté concret mais peut avoir, dans un contexte poétique, un certain sens métaphorique. Dans la seconde phrase — et sans qu'il soit question d'établir la syntaxe sur la sémantique —, le non-sens y est conséquent de la déficience syntagmatique. Les éléments ne sont pas organisés relativement entre eux. Pourtant une structure grammaticale incomplète n'entraîne pas nécessairement le non-sens. Ainsi : *Vous comprendre français ?* est immédiatement déchiffrable (comme tout parler infantile ou « petit nègre ») parce que si la formulation est incorrecte, la structure syntagmatique est conforme.

On ne retiendra pas ici les mots informes ou déformés tels que *sltcieux*, *fortacomble*, *scrumique*, ni les énoncés constitués semblablement comme *bdragsomrighphytzvring* qui, les uns comme les autres, sont totalement dépourvus de sens sauf qu'onomatopéique. Au niveau du *signifié* le non-sens le doit aux déviations des énoncés bien plutôt qu'aux déviations lexicales ou sémantiques. Ainsi en est-il de la confusion/identification (critique ou sarcastique) du mot et de la chose dans le propos de Chrysippe : « Si tu dis quelque chose, cela passe par ta bouche. Or tu dis "un chariot", donc un chariot passe par ta bouche[3] » et autres développements logiques de prémisses illogiques ou de raisonnements faux. Tel le syllogisme d'Humpty-Dumpty : « Les serpents mangent des

1. Cf. Rudolf CARNAP, *La Science et la Métaphysique devant l'analyse logique du langage*, Ed. Hermann, 1934 ; *La Syntaxe logique du langage*, Éd. Harmann, 1938.
2. CHOMSKY, *Structures syntaxiques*, Éd. du Seuil, 1969.
3. Rapporté par DIOGÈNE de Laërte, stoïcien grec.

œufs. Les petites filles mangent des œufs. Donc les petites filles sont des serpents[4]. »

Au niveau des *signifiants* là où l'élément perturbateur se trouve à l'intérieur du mot, là où une architecture phonologique inhabituelle dérègle les fonctions normales de constituants linguistiques établis et codés en vue de la *communication* verbale, là où le non-sens dénonce l'univocité du sens, restent les combinaisons de ce qui est grammatical et de ce qui ne l'est pas, c'est-à-dire les calembours et les mots-valise. A l'exception des allitérations qui n'échappent pas aux catégories syntaxiques.

L'allitération, rappelle Michel Butor, « est le procédé poétique par excellence, puisqu'il consiste à faire tendre le langage vers cet idéal de cohérence absolue dans lequel son et sens seraient enfin solidement liés par des lois ». Mais, tout comme le poème, l'allitération est fondée sur les syllabes plutôt que sur les mots. Il suffit qu'une série d'allitérations plus ou moins systématiques l'emporte pour que le sens, englouti dans les sonorités verbales, devienne non-sens ou aboutisse au calembour. Ainsi :

Par les mots d'amis déments / la mie des mots / les mots mis à l'envers / l'envers des momies / le maniement des mots / les monuments démis / par le chamois qui chatoie / dans l'Artois qui larmoie / Sois Toi[5]..., etc.

Ou encore :

L'amant dort / L'âme endort la mandore / qui, seule amante, se lamente. / La menue à l'âme nue / donnant au soudard deux sous d'art / sous les bois saoule et boit[6]..., etc.

Plus significatifs au niveau du non-sens verbal sont les mots-valise :

Prenez par exemple les deux mots *fumant* et *furieux*, dit Lewis Carroll. Imaginez que vous vouliez les prononcer ensemble... Si vos pensées inclinent tant soit peu du côté de fumant, vous direz *fumant-furieux* ; si elles tournent, fût-ce de l'épaisseur d'un cheveu, du côté de furieux, vous direz *furieux-fumant* ; mais si vous avez ce don des plus rares, un esprit parfaitement équilibré, vous direz *frumieux*. A quoi fait écho le propos d'Humpty-Dumpty : « *Slictueux* veut dire

---

4. In *Alice au pays des merveilles*, de Lewis CARROLL, trad. Henri Parisot, Éd. Flammarion, 1969.

5. In *L'Ave Vénus*, Éd. Le Préambule (Montréal), Diffédit, Paris, 1980.

6. In *Le Panier à salade* : « La mie des mots », Éd. Le Préambule (Montréal), Belles Lettres, Paris, 1983 (5 et 6) : fragments de poèmes écrits en 1927-1932 (période surréaliste) en vue d'introduire de telles syncopes dans les normes de la poésie classique.

à la fois souple, onctueux et visqueux. Vous voyez, il y a trois mots en un seul comme dans une valise... »[7].

Ainsi : *fourmidable* (fourmi + formidable) ; *famillionnaire* (familier + millionnaire). Cléopâtre et Léopold sont unis à tel point qu'ils ne font plus qu'un : *Cléopold.*

Pourquoi l'absurde réjouirait-il si son intrusion ne dérangeait l'ordre oppressif de la coutume, ne substituait à la logique figée du monde adulte les libertés combinatoires de l'infantile ?, dit Jean Paris[8].

Et, précise Freud :

L'esprit apparaît comme un non-sens lorsqu'il adopte les façons de penser que *l'inconscient* accepte mais que le *conscient* réprouve, c'est-à-dire lorsqu'il use des fautes de raisonnement[9].

Encore que — selon Lacan — l'idée inconsciente ne saurait altérer un sens acquis si l'inconscient n'était déjà *langage.* Auquel cas on pourrait soutenir que l'inconscient est beaucoup moins inconscient que ne le voudrait la psychanalyse, plus proche du subconscient que du préconscient.

Il reste que si fumant et furieux donnent *frumieux* plutôt que *furmiant,* si William et Richard donnent *Rilchiam* plutôt que *Wilchiard,* ce n'est certes pas en vertu de quelque règle mais d'un choix conséquent de la parole. Rien ne limite ces combinatoires si ce ne sont les facilités du prononçable, les assimilations phonétiques.

Outre les mots-valise on doit noter les « mots ésotériques » (ainsi nommés par Deleuze) qui constituent l'essentiel du *Jabberwocky* et contractent des signifiants déjà contractés :

Il était reveneur ; les slictueux toves
Sur l'allouinde gyraient et vriblaient
Tout flivoreux vaguaient les borogoves
Les verchons fourgus bourniflaient[10], etc.

On peut remarquer toutefois que quel que soit le sens — ou le non-

---

7. Lewis CARROL, *op. cit.*
8. Jean PARIS, « L'agonie du signe », in *Change,* Éd. du Seuil, 1972.
9. S. FREUD, *Le Mot d'esprit et ses rapports avec l'inconscient,* Éd. Gallimard, 1930.
10. Cf. Gilles DELEUZE, *Logique du sens,* Éd. de Minuit, 1969, p. 42-44 ; *Jabber* : bavardage volubile ; *wocer* : rejeton ; *toves* : blaireaux-lézards, tire-bouchons ; *borogoves* : oiseaux-balais ; etc.

sens — des mots employés dans ce poème, la structure des phrases est conforme aux règles syntaxiques. De ce fait l'ensemble est comme chargé d'un *sens induit*. Le vocabulaire non-sensique débouche sur des connotations intuitives, sur l'« exprimé de l'inexprimable ».

Ainsi en est-il dans le *Finnegans Wake* de James Joyce. De là on en arrive à la prolifération des entités verbales où le sens n'est pas compris dans la chose mais dans le terme qui désigne cette chose et où « tout nom qui désigne un objet peut devenir lui-même objet d'un nouveau nom qui en désigne le sens[11] » (paradoxe de Frege). Ainsi dans *Alice* : le nom de la chanson c'est ce que le nom est appelé mais la chanson est autre ; elle n'est pas son nom. Cependant, portant un nom elle doit être désignée par un autre nom. Or, ce qu'elle est *en réalité* n'est pas ce nom qui désigne le nom qui la désigne, etc.

Si, selon les stoïciens, le sens c'est l'*exprimé de la proposition*, le non-sens serait un manque ou, au contraire, un excès. A moins que ce ne soit l'expression elle-même qui récuse ce qu'elle exprime.

Nous nous en tiendrons cependant à la définition de Deleuze pour qui « le non-sens est à la fois ce qui n'a pas de sens mais qui, comme tel, s'oppose à l'absence de sens en opérant la donation de sens » — d'un sens évidemment toujours dévié.

Le non-sens filmique

Au cinéma, les structures signifiantes n'étant pas données par des règles, on ne peut pas « partir des structures pour en arriver au sens », mais l'inverse. Ainsi qu'on l'a souligné précédemment, c'est parce qu'il y a du signifié qu'il y a des signifiants.

Les structures physiques, biologiques ou psychologiques ne sont pas *a priori*. Elles sont moins déterminantes que déterminées et, comme dit Piaget, « se construisent selon un réglage actif, une "autorégulation" constituant un "centre de fonctionnement" ».

Ainsi en est-il — à peu près — du cinéma. Les plans s'organisent en structures en raison des éléments concrets qui les constituent. Le processus signifiant, qui est en construction permanente, est générateur de structures.

Le non-sens filmique n'atteint pas l'être-lui-même, l'objet-lui-même, mais la manière d'être, la façon d'agir ou de réagir devant le monde, la façon dont sont les choses dans une situation donnée. Alors que le non-sens verbal est sans référent concret et n'en appelle qu'au concept ou à

11. *Idem.*

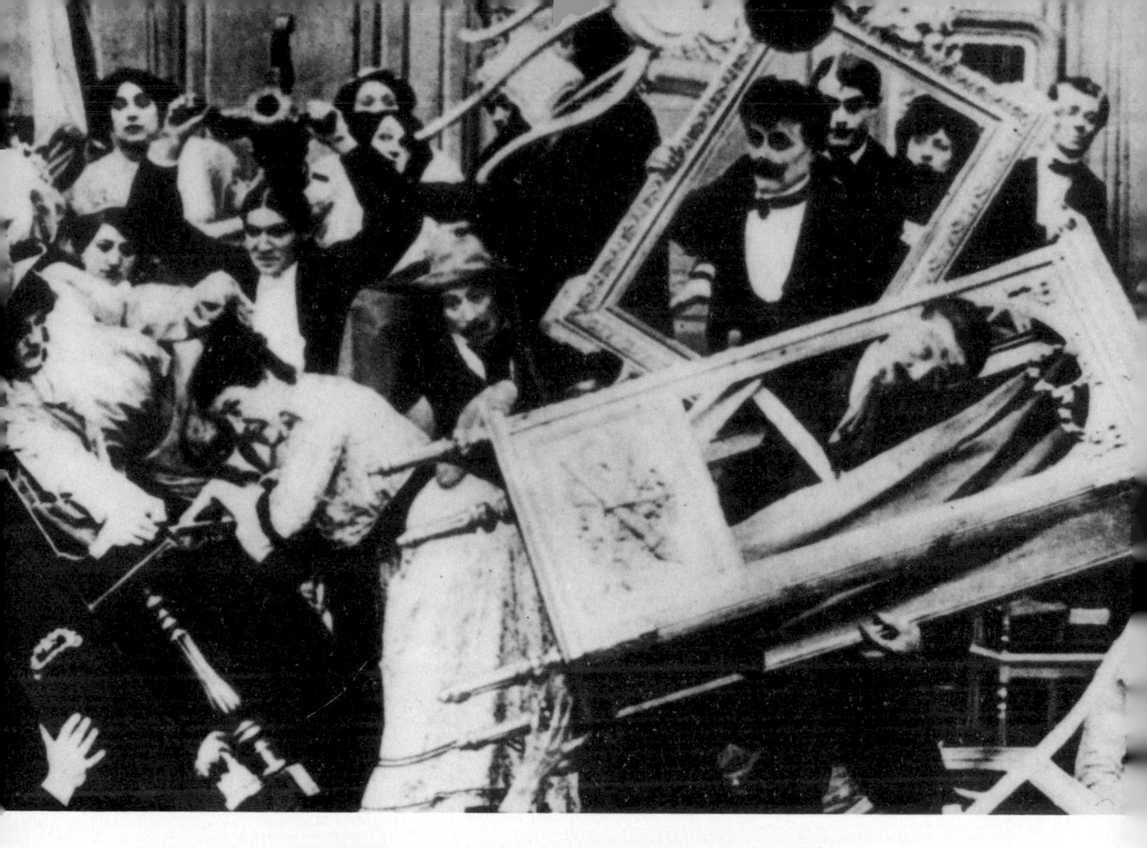

Amplification destructrice dans un burlesque de 1911 :
Le Rembrandt de la rue Lepic, de Jean Durand

l'imaginaire, le non-sens filmique en appelle à une relation toujours possible avec un réel vrai.

Au niveau des faits dénotés la logique du film est celle toute simple du réel vécu : elle est évidente. Il ne peut pas y avoir d'erreurs de catégories puisqu'on n'y parle pas *sur* les catégories mais *avec* les catégories. Il ne peut pas y avoir de propositions absurdes qui ne témoignent aussitôt de leur absurdité ou qui donnent le change comme en langage de mots. Le non-sens, aussitôt, constitue la matière inépuisable des films burlesques. Mais c'est alors une *absurdité du monde* et non des mots, chose qui a scandalisé bien des gens à l'époque des premiers films de Mack Sennett. Si le mot chien ne mord pas, il ne vole pas non plus. On peut bien parler d'un chien-volant tout comme, dans *Alice au pays des merveilles*, d'un Chat-sourire ou d'un Sourire-sans-chat ; ce n'est jamais qu'un concept fantaisiste ou absurde. Mais qu'un chien réel évolue dans les airs comme un oiseau, qu'un chasseur tue un poisson, qu'un nageur nage en un champ de neige, voilà bien qui est scanda-

L'effet « miroir brisé » dans un burlesque de 1913 :
Kiki domestique, de Ovaro (Italie)

leux, qui *porte atteinte au réel.* « C'est idiot », disaient alors les bonnes gens, sans réfléchir autrement.

Mais si la logique des faits est évidente, si elle exige du moins la crédibilité des événements, la logique des implications nées de la mise en rapport des faits ou des objets dans une continuité temporelle donnée est bien malaisée à définir. Les implications valent ce que valent logiquement de tels rapports en conséquence de ce qu'ils suggèrent à l'esprit. Les connotations doivent donc être orientées par le sens des choses dénotées, de telle façon que l'on puisse se servir avec précision de leur imprécision même. Mais jusqu'à un certain point.

La fabulation chaplinesque

Il suffit que le connoté soit désaxé par rapport à la logique du référent pour que la relation apparaisse comme absurde ou rende absurde le réel dénoté.

« En rapportant les choses dont il se sert à celles que son geste évoque »

Jour de paye, Chaplin, 1921

Ainsi en est-il de la rébellion des objets dans les films de Chaplin, rébellion que *Le Noctambule* porte à son comble. Le film tout entier n'est qu'un assaut perpétuel livré aux objets auxquels Charlot se heurte de toute part. C'est la porte du taxi dont il n'arrive pas à se dégager, la clef introuvable, le bocal à poissons dans lequel on met son pied en entrant par la fenêtre, puis la clef retrouvée, la sortie par le même chemin afin d'aller ouvrir la porte et la difficulté d'entrer une clef dans la serrure lorsqu'on est ivre... Puis c'est la carpette qui dérape, la peau de tigre qui vous happe une jambe au passage, la carafe d'eau qui se dérobe, la table qui pivote sur son axe à mesure que l'on tourne autour d'elle... C'est l'étage inaccessible, l'escalier impraticable, les marches sur lesquelles on glisse en entraînant le tapis avec soi, l'ascension dix fois recommencée, l'étage conquis comme un Annapurna avec tous les accessoires du parfait alpiniste... Mais c'est alors le balancier de la pendule qui vous assomme et, en fin de compte, le lit pliant qui vous écrase. Tous les objets se dérèglent, se détraquent, se refusent et se vengent dans une sorte de cauchemar éveillé où l'absurde, jaillissant perpétuellement de chaque chose et de chaque geste, prend les proportions inquiétantes d'une surréalité hallucinatoire. La puissance diabolique des objets

Charlot chef de rayon, Chaplin, 1916

se déchaîne avec l'automatisme ironique d'un destin qui aurait réuni dans un même lieu et dans un même temps toutes les chances improbables avec un aveuglement clairvoyant, décidé et volontaire.

Mais l'objet ne tient pas toujours le rôle d'un adversaire rébarbatif et malfaisant. Il devient souvent l'auxiliaire favorable qui tire Charlot d'un mauvais pas et lui permet de transformer à son avantage le jeu des circonstances. Simplement, *l'objet ne lui devient favorable que dans la mesure où il l'emploie à contresens ou l'utilise à des fins qui ne sont pas les siennes*. L'objet devient alors l'élément d'une étrange fabulation grâce à laquelle l'univers chancelle autour du personnage.

Grâce à une analogie fortuite, l'objet réel disparaît derrière un « imaginaire » dont la finalité pragmatique se substitue à la sienne. En rapportant les choses dont il se sert à *celles que son geste évoque*, Charlot modifie le monde au milieu duquel il évolue. Il parvient ainsi à se soustraire à une réalité qui le blesse en lui substituant une fiction qu'il peut d'autant mieux dominer qu'elle est née de lui. Il crée un univers dont il est le maître et qu'il peut manier à sa guise pour se défendre ou se défaire du monde extérieur. Autrement dit, il ne peut échapper au réel qu'en le *niant* dans une certaine mesure.

La logique veut que l'on agisse avec les choses en les rapportant à leur catégorie. Quand un objet appartient à une catégorie familière et que l'on agit avec lui comme s'il appartenait à une autre catégorie, quand on le rapporte à un ordre auquel il ne saurait appartenir, ce déclassement et l'absence de notion de jugement qu'il implique déterminent un choc comique qui est au cinéma ce qu'est le quiproquo dans la logique du discours. Le comique est d'autant plus grand que l'objet est plus connu, plus quelconque, l'inversion du geste le rendant de ce fait plus insolite.

Lorsque, tirant de ses robinets le lait et le café du petit déjeuner, Charlot *(Le Pompier)* se sert de la pompe à incendie comme d'un percolateur (parce que la pompe à incendie U.S.A. modèle 1910 ressemble à un chaudron et, avec ses robinets, évoque l'idée d'un percolateur), il l'affirme tout en la niant. Par son geste, la pompe à incendie *est et n'est pas*. Il l'affirme en tant qu'objet, puisqu'il s'en sert ; il la nie en tant que catégorie, puisque à la catégorie « pompe à incendie » il substitue la catégorie « percolateur ». Il nie l'objet dans son utilité — le « néantise » — en tournant cette utilité en dérision. Il se venge ainsi de la chose dont il est l'esclave ou la victime.

L'idée est poétique en soi, spirituelle en ce qu'elle est *idée* et opération de l'esprit. Absurde en tant que *fait*, lorsqu'elle est prise à la lettre, Charlot agissant avec l'objet comme si cette identification était réelle quand elle est purement imaginaire.

Il y a donc une double transposition : de l'objet à son utilisation, d'une part, c'est-à-dire à la catégorie différente à laquelle il est rapporté. De l'idée à l'acte, d'autre part, qui donne au concept une évidence concrète ; qui objective le subjectif en le projetant sur le monde, en l'introduisant dans un événement qu'il transforme à son image. Le concept ainsi chargé d'un poids de réalité qu'il ne saurait avoir devient à son tour une dérision. Charlot le ridiculise en l'affirmant, en le « réalisant ».

Mais cette utilisation « a contrario » subordonne toujours l'objet à quelque intentionnalité précise. En effet, lorsque Charlot ausculte le réveille-matin comme un docteur le dos d'un patient, lorsqu'il l'ouvre comme une boîte de conserve, en examine les rouages à la manière d'un horloger ; tire le ressort en guise d'extraction dentaire et mesure ce ressort en imitant les marchands-drapiers *(L'Usurier)*, il supprime le réveil en le faisant disparaître derrière des « imaginaires » successifs. Mais il le rapporte moins à des catégories étrangères qu'aux idées suggérées par son geste : tous les réveille-matin évoquent le bruit d'un cœur qui bat.

L'Usurier, Chaplin, 1917

Donc j'agis avec ce réveil comme avec un patient. Je l'ausculte parce que, *dans l'instant présent*, j'ai besoin de me donner l'importance, l'assurance, l'autorité d'un praticien, etc.

Plus qu'à l'objet, il prête à l'*instant* une gravité qui lui donne à lui, Charlot, de l'importance. Mais, incapable d'en justifier autrement que par ce simulacre, il renie aussitôt son acte pour lui en substituer un autre qui fait basculer la fiction. Il ne s'affirme que par des négations successives dans une durée faite d'instants qui ne peuvent se valoriser qu'en récusant chaque fois l'instant précédent.

Le parfum keatonien

Bien davantage que de quelque velléité caricaturale le comique keatonien se fonde essentiellement sur la *dégradation du hasard*. C'est un comique de la raison plutôt que de l'affectivité, un comique qui relève du *burlesque* bien plus que du comique entendu au sens premier du mot.

Le comique en effet procède par *destruction* ou *dégradation*. Mais cette dégradation repose toujours sur des motivations de caractère psycho-social.

Le *burlesque*, lui, est souvent compris comme d'une bouffonnerie caricaturale assez grossière. Ce n'est certes pas dans ce sens que nous l'entendons ici. Par burlesque nous voulons dire d'un comique fondé non plus sur la destruction de quelque *valeur* morale ou sociale, mais sur le retournement de la *logique*, sur sa dégradation ou sa mise en échec au moyen des principes mêmes dont elle est l'expression. Une contradiction manifeste, le développement logique d'une donnée fausse ou impossible, l'inversion des lois de la probabilité ou de la causalité sont les fondements du burlesque qui relève essentiellement de *l'absurde*.

Sans doute la contradiction ne débouche-t-elle pas toujours sur le burlesque ou va-t-elle au-delà, comme de cette histoire du prisonnier que ses geôliers mettent hors de la prison pour le punir d'avoir triché aux cartes, en vertu de la règle qui veut que « tout tricheur soit mis dehors », et malgré l'autre règle qui exige que « tout prisonnier soit tenu dedans ». L'absurdité de la chose, dit Lucien Fabre (qui cite cet exemple d'après Schopenhauer), « est moins de la contradiction de deux règles de valeur inégale dont la moins importante serait prise pour guide contre tout bon sens que de l'irrationalité d'une conduite qui soumet le devoir essentiel ou permanent de geôlier à l'humeur momentanée issue d'un passe-temps rare et même interdit ».

Charlot a donné un exemple analogue lorsque, pour secourir une pauvre femme, il cambriole l'éventaire de l'épicier que sa charge lui commande de surveiller *(Le Policeman)*. Mais dans les deux cas — celui-ci surtout — l'absurde a pour mobile une opération de l'esprit, un sentiment-réflexe. Il révèle un comportement et, par là, rejoint le comique social. Le burlesque, lui, est moins fondé sur la contradiction des idées ou des sentiments que sur celle des faits ou des actes. Il participe de l'invraisemblable plaqué sur du vrai, de l'irréel plaqué sur du réel ou de l'illogique plaqué sur du logique (pour répondre à la définition bergsonienne — à vrai dire insuffisante — qui veut que le comique soit par essence « du mécanique plaqué sur du vivant »).

Le burlesque keatonien, lui, ne se fonde ni sur le faux ni sur l'invraisemblable. Tout ce qui lui arrive est *possible*. Sauf qu'*infiniment improbable*... Les exemples ne manquent pas. On n'en retiendra cependant que quelques-uns, fort significatifs, pris dans *Le Mécano de la « General »* : Buster, qui a accroché derrière le tender de la « Kansas » un canon monté sur plate-forme, a tenté à plusieurs reprises — mais en vain — d'envoyer des boulets sur les ravisseurs de sa « General » qui le précèdent à moins d'un kilomètre sur la voie. Après avoir de nouveau bourré le canon, puis allumé la mèche, il remonte sur le tender. Mais il se prend le pied dans le crochet qui retient le wagon-plat. Il parvient à s'en dégager mais, ce faisant, détache le wagonnet. Par la vitesse acquise celui-ci continue d'avancer mais le crochet, brinquebalant sur la voie, lui imprime des secousses. Tant et si bien que le canon, pointé à 45°, descend à chaque coup et arrive en position horizontale. Le voici pointé droit sur le tender. Buster qui, dans sa précipitation, s'était de nouveau coincé le pied franchit le tender, puis sa guérite, longe le flanc de la loco, se réfugie sur le chasse-buffles, ferme les yeux, se bouche les oreilles, et attend...

Or la locomotive s'engage dans une courbe et le canon, qui a ralenti son allure, suit à quelques mètres. N'ayant pas encore pris la courbe il se trouve alors pointé sur le convoi des nordistes que l'on aperçoit au loin. Le coup part... *Par le plus grand des hasards*, les boulets dont il était chargé viennent exploser *juste* derrière leur fourgon semant la panique parmi eux qui se croient poursuivis par un fort détachement.

Vers la fin, alors qu'il participe à la guerre dans les rangs sudistes, Buster prend le commandement d'une batterie sise sur le haut d'une colline, face aux nordistes rangés de l'autre côté du fleuve. Un canonnier tombe. Comme il donne des ordres à un autre canonnier, celui-ci, à son tour, est tué net. Puis un troisième. Buster commence à sentir son héroïsme fondre à la chaleur du combat. Un nordiste, en effet, qui s'est faufilé dans les broussailles, a traversé la vallée. Caché derrière un buisson, à quelques dix mètres en contrebas, il « descend » les uns après les autres les servants de la batterie.

Buster exhorte au courage les derniers survivants. D'un geste large et emphatique, il tire son sabre et commande : « Feu ! »... En raison de la violence du geste, la lame qui ne tenait qu'à un fil s'échappe et Buster contemple, ahuri, le pommeau qui lui est resté dans la main. Mais les tirs ont cessé. Après avoir décrit une trajectoire circulaire, tel un boomerang, *la lame*, en effet, *est venue se planter net entre les épaules du tireur ennemi !...*

Reprenant courage, Buster remplace les canonniers. Il charge un canon, tire..., mais son geste trop brusque désaxe la gueule qui bascule et crache le boulet à la verticale... Dans le même temps, les nordistes s'élancent et traversent le fleuve. Or le boulet retombe un peu en amont, *juste sur la digue* qui se rompt et déverse aussitôt une trombe d'eau qui emporte et noie les assaillants.

Mais on n'en finirait pas de citer... Il y a donc ici comme une *fatalité du hasard* qui répond, sur le mode burlesque, au *fatum* de la tragédie dont elle est tout à la fois la caricature et l'antithèse, c'est-à-dire la simple exagération statistique. Il suffirait en effet d'un coup de pouce, de deux ou trois fatalités supplémentaires pour faire d'*Œdipe-roi* une comédie burlesque. La tragédie est à la limite du probable. Au-delà, le

Le Mécano de la « General », Buster Keaton, 1926

drame devient risible. L'univers de Keaton, de par cette insistance du hasard, n'a donc pas besoin d'être dégradé : *il se dégrade lui-même*. Ce n'est pas Malec qui est ouvert au monde si, du moins, il y est attentif, c'est le monde qui s'entrouvre à chaque instant sous ses pas, dans lequel il culbute mais qui le favorise par jeu en lui tendant la perche du hasard.

Une perche qui, elle aussi pourtant, se dérobe parfois. Ainsi, dans *Sherlock Junior* qui est sans doute son meilleur film avec *Le Mécano de la « General »*, Buster, à un moment donné, se trouve isolé sur un récif, en pleine mer. Il veut plonger pour regagner le rivage. Il plonge en effet, mais à peine a-t-il fait quelques brasses qu'il se trouve nageant dans un désert de sable. Il se dégage, retire le sable de ses souliers, marche pieds nus mais avance dans un champ couvert de neige. Rechaussé en hâte, il se frappe la poitrine par extension des bras pour se réchauffer mais se cogne aux arbres qui l'entourent : il est au milieu d'une forêt, etc.

Il est vrai qu'il s'agit d'un rêve. Buster, qui est projectionniste dans un cinéma, rêve qu'il participe à l'action du film. Son « double » entre dans le monde de l'écran. Mais ce monde se refuse et l'éjecte. Buster triomphe du réel dans des conditions invraisemblables mais l'imaginaire filmique n'a pas de conditions « vraies » qui le paieraient de retour. A moins que le réel et l'irréel n'en viennent à se confondre en se « réalisant » l'un dans l'autre à la faveur d'une perpétuelle substitution...

L'amplification destructrice

Parmi les « absurdités logiques », on citera encore certains films de Laurel et Hardy. Le non-sensique n'y est plus d'une confusion, d'un quiproquo ou d'une inversion portant sur les choses, les actes ou les circonstances, mais d'une véritable destruction, d'une démolition multipliée par la progression quasi mathématique d'un fait tout d'abord anodin. Le sommet de cette amplification progressive peut être représenté par *The Battle of the Century* (*La Grande Bagarre*, 1927) qui restera sans doute dans les annales du cinéma comme le chef-d'œuvre du burlesque par où la motivation disparaît derrière les conséquences, ici triomphe du saccage, de la dégradation physique par les « tartes à la crème » poussée à un paroxysme encore jamais atteint.

Cette bataille gigantesque — plus de 3 000 tartes à la crème et près d'une tonne de pâtisserie y furent, dit-on, utilisées — vaut surtout par son rythme, par la rigueur de son développement. On passe d'une tarte à deux, puis quatre, puis six, puis huit. Et soudain, ça explose : douze, seize, vingt-quatre, trente-deux, quarante-huit, etc., avec un naturel, une évidence telle que l'absurde lui-même devient logique, qui prend les proportions d'un véritable cataclysme. Et le rire se développe pareillement, entraîné dans cette absurdité logique par une logique non moins progressive, et jusqu'à l'hystérie, jusqu'à la douleur physique. « C'est le plus grand film comique jamais tourné », disait Henry Miller dans *L'Âge d'or*. Dans le sens de l'automatisme du rire, ce l'est assurément.

Comparable à ce film, *Two Tars* (*V'la la flotte*, 1928) porte sur une démolition volontaire dont la réciprocité s'amplifie de proche en proche.

Ayant loué une Ford modèle T pour sortir deux jolies filles, Stan et

Ollie provoquent un embouteillage. Heurtés par l'automobiliste qui les suit, ils se disputent avec lui. D'un coup de poing, le bonhomme furieux brise un phare de la Ford. Ollie arrache une aile de la Buick. L'autre arrache une portière. L'altercation se propage. Les uns après les autres tous les conducteurs bloqués derrière eux, pris d'une rage destructrice, se démolissent mutuellement leurs voitures. Des monceaux de ferraille jonchent la route. Cent voitures sans ailes, sans phares, sans portières, sans pare-brise, avancent cahin-caha, suivant Stan et Ollie remontés dans leur Ford. Mais ils quittent la route sans s'en apercevoir et s'engagent dans le tunnel du chemin de fer. Cent voitures brisées ressortent à reculons. Apparaît finalement celle de Laurel et Hardy, compressée en accordéon par la locomotive.

On citerait encore cinq ou six films également remarquables, notamment *The Second Hundred Years* (*Prenez garde à la peinture*, 1927), *You're Darn Tootin* (*Ton cor est à toi*, 1928), *The Finishing Touch* (*Le Poing final*, 1928).

Ce qui compte pourtant, qui fait l'originalité de ces films en dehors de l'amplification progressive érigée en système, ce n'est pas tellement, comme on l'a dit, la lenteur du geste mais, derrière cette lenteur, *le temps de réflexion* qui témoigne d'une intention d'autant plus absurde qu'elle est réfléchie, accomplie *avec calme*, avec la sérénité d'un rituel. Car c'est bien en effet la sottise de tels *actes réfléchis* qui donne aux événements qui en découlent les dimensions apocalyptiques d'un absurde transcendantal. Mais si la systématisation est un atout majeur dans l'amplification progressive qui relève d'un *automatisme*, elle devient nuisible lorsqu'il s'agit de *comportements*. Or c'est vers un comique de comportement que Laurel et Hardy s'orientèrent dès les débuts du parlant.

Dès que l'amplification disparaît et le collectif qui la sous-tend, les deux personnages sont alors en face d'une bêtise — ou d'une maladresse — qui *devient la leur*. Ne comptent plus désormais que leurs actes. Or ces actes, réduits à eux-mêmes, sont tout juste drôles. N'étant plus multipliés, amplifiés par autrui, ils ne peuvent plus que se *répéter*. Une fois encore, si la mécanisation des *faits* ou des actes collectifs en arrive à une absurdité épique parce qu'elle met en cause une *vérité statistique*, la mécanisation des gestes, des *comportements* porte à faux parce qu'elle met en cause une *vérité psychologique* qui la refuse[12].

12. On ne dit rien ici du comique des Marx dont le « non-sens » est systématique mais fondé sur des mots plutôt que sur des images.

L'absurde accidentel

Le non-sens, certes, ne se manifeste pas seulement dans les films comiques, mais les fautes de raccords qui en prodiguaient pas mal sont devenues fort rares. Elles parsemaient encore certains films muets en un temps où, dans le cinéma standard, il n'y avait ni script-girl ni monteur spécialisé : un homme entre dans une pièce avec un chapeau mou et en sort avec un canotier. Une femme change de robe instantanément selon qu'elle passe du salon à la salle à manger, etc.

Toutefois dans les films dont l'action se déroule dans la réalité quotidienne le non-sens — lorsque non-sens il y a — est au niveau du signifié bien davantage que dans les signifiants. Il est dans la vérité, la crédibilité de l'histoire ou des situations et nous renvoie une fois de plus à la distinction faite entre l'effet de réel qui témoigne de la réalité des choses filmées et l'impression de réalité qui, partant de là, fait passer pour vrais des événements improbables ou des situations impossibles. Tel ce principe absurde qui voulait que, jusque dans les instances les plus réalistes, la vedette soit comme l'incarnation d'un idéal mythique. Principe dont certains films témoignaient encore il n'y a pas vingt ans.

La version du *Facteur sonne toujours deux fois* tournée par Tay Garnett serait estimable en sa totalité si la première partie n'était gâchée par une Lana Turner arborant tout le jour, dans un garage crasseux, une robe d'une blancheur immaculée comme si elle devait se rendre au bal du district. De bons esprits ont prétendu que cette blancheur « symbolisait la pureté première de la jeune femme ». A supposer que cela soit, cet artifice, contraire à toute vraisemblance, fausse la crédibilité même du film.

Avec sa robe pailletée, sa guêpière et ses fanfreluches, Marilyn est superbe dans les scènes du bar par quoi commence *Rivière sans retour*. Mais la voici qui descend avec quelques trappeurs le cours d'un torrent. Le voyage dure plusieurs semaines. Or, malgré la pluie, le vent, les embruns et autres intempéries auxquelles le radeau est sans cesse exposé, sa coiffure demeure roulée au petit fer comme s'il y avait, pour la remettre en état, un savant perruquier au coin de tous les rapides du Far West ! On croit rêver. On rêve en effet. Mais le « réalisme » supposé en prend un sacré coup...

Même chose dans *Paramata*. Dans ce mélodrame de Douglas Sirk, Zarah Leander est condamnée à des travaux épuisants. Toutes les femmes qui partagent son triste sort sont plus ou moins sales, déguenillées. Pas elle. Ses atours n'ont pas une tache et son pur visage aux sourcils bien arqués laisse entendre que le maquilleur n'est pas loin...

Le rêve et l'imaginaire

Bien souvent, on admettrait les situations les plus arbitraires si elles étaient présentées avec un minimum de vraisemblance factuelle. Une vraisemblance toute extérieure, certes, mais qui fait que cet arbitraire débouche dans l'onirisme comme il en fut, par exemple, de *Susan Lennox*.

Reste le rêve dont l'absurde est difficilement représentable. Bien que les rêves ne soient pas « absurdes par principe » nous rêvons avec des choses (nous rêvons des choses...) que les images mentales nous font voir à peu près conformément à ce qu'elles sont « en réalité ». L'incohérence du rêve est bien moins dans les formes du donné imagé que dans les relations événementielles. Le « non-sensique » qui peut s'ensuivre dépend du montage mais on peut se demander dans quelle mesure il est intelligible. S'il l'est c'est qu'il est rapporté à des constantes logiques comme dans le non-sens burlesque, auquel cas son onirisme ne peut être que supposé.

Fondamentalement subjectif, le rêve est incommunicable. Les images de *mon* rêve n'intéressent que moi, ne sont compréhensibles que par moi. Au contraire, dans les images transmises par le film ce n'est pas moi qui rêve, c'est l'*autre*. Je vois ce qu'il rêve ou ce *à quoi* il rêve mais ce qui, chez lui, est une organisation de l'inconscient n'est pour moi, spectateur, qu'un informulé indéchiffrable.

Par contre, le cinéma peut fort bien raconter une histoire de caractère onirique, développer des événements qui s'enchaînent « comme » dans un rêve tout en demeurant compréhensibles. Les exemples ne manquent pas, à commencer par les remarquables films du Polonais Wojciech Has, *Le Manuscrit trouvé à Saragosse* (1964) et *La Clepsydre* (1973).

Par ailleurs, on peut se demander dans quelle mesure le spectateur est ou n'est pas en position de rêve devant l'écran en raison des conditions de perception et de participation qui l'impliquent.

Christian Metz, dit Roger Odin, a bien montré comment l'institution du cinéma dominant produisait un actant spectateur isolé, immobile, muet, avec un positionnement psychologique intermédiaire entre la veille, la rêverie et le rêve, et disposé à produire cette construction totalisante et imaginaire : la diégèse[13].

Sans doute. Mais Metz n'en dit pas moins :

---

13. Roger ODIN, « Sémio pragmatique du cinéma », in *Iris*, vol. 2, 1984.

Jean Mitry fait observer à juste titre que toutes les explications de l'« état filmique » par l'hypnose, le mimétisme ou d'autres processus purement passifs ne rendent pas compte de la participation du spectateur au film, mais seulement des circonstances grâce auxquelles elle n'est pas impossible : le spectateur est « déconnecté » du monde réel, soit ; mais il lui reste à embrayer sur autre chose, à accomplir un *transfert de réalité* impliquant toute une *activité* affective, perceptive, intellective, qui elle-même ne peut être amorcée que par un spectacle ressemblant un tant soit peu à ceux du monde réel. On retombe donc, si l'on veut expliquer un phénomène *fort* comme l'impression de réalité au cinéma, sur la nécessité de prendre en compte des facteurs positifs, et notamment les éléments de réalité contenus dans le film lui-même, au premier rang desquels la réalité du mouvement[14].

Pour Michel Colin :

L'intérêt de la démarche de Jean Mitry réside ici dans le fait qu'en insistant sur la dimension imaginaire de la relation du spectateur au film, il est amené à rejeter le concept d'identification. « Alors qu'une confusion du "moi" et de l'"autre" serait inévitable dans le cas d'une identification, il n'y a, au cinéma, qu'une simple analogie de comportement dans une situation donnée : la raclée que le héros inflige à son adversaire est celle-là même que j'aurais voulu flanquer à certain malotru mais que ma civilité — et ma faiblesse — m'ont empêché de lui administrer. » Pour Mitry, « l'"identification" se limite à ce qu'il appelle une "association projective" ». Le sujet spectateur défini par Mitry est un sujet conscient, "libre" et doué de volonté. Or, ce que permet de montrer la psychanalyse, c'est l'inadéquation de cette conception du sujet spectateur ; il n'y a certes pas suppression des fonctions du Moi, mais un amoindrissement de sa vigilance qui « favorise le retrait narcissique et la complaisance fantasmatique », la « suspension provisoire de l'intérêt pour le monde extérieur ainsi que des investissements d'objets, du moins sous leur forme réelle »[15].

Or, s'il n'y a pas suppression des fonctions du Moi, cela revient à dire ce que j'ai dit en d'autres termes, à savoir que :

Pour nous, spectateurs, l'image filmique se substitue au réel tout comme l'image mentale lorsque nous rêvons. Pour être moins vifs au cinéma, où nous ne perdons jamais la notion d'être présents, les phénomènes de participation n'en sont pas moins les mêmes à ceci près, évidemment, que, dans le rêve, l'imaginaire est mien alors qu'au cinéma il me vient du dehors et s'impose à ma conscience.

Devenu une sorte de réel perçu, il se donne à moi comme une réalité objec-

14. Christian METZ, « L'impression de réalité », in *Essais*, vol. 1.
15. In *Esthétique et psychologie du cinéma*, p. 183-188 ; citation de Michel COLIN dans *CinémAction*, n° 20, « Théories du cinéma », p. 121-127.

tive mais, comme *je sais* que cette réalité est imaginaire, je puis toujours refuser de m'y soumettre et d'y participer. J'ai, dans une certaine mesure, plus de liberté devant lui. Ma participation n'est jamais que le fait d'un acte volontaire, d'une soumission consentie.

Quoi qu'il en soit, l'identification du spectateur (qui est comme un surcroît de croyance à la réalité du film) suppose une sorte de renoncement à soi-même, ne serait-ce que le temps du spectacle, pour s'identifier à l'« autre »[16].

Il serait donc difficile d'« investir des objets réels », la projection devant — en principe — se faire dans l'obscurité afin, précisément, que l'image puisse se substituer au réel. Condition qui a permis à certains psychologues d'assimiler toute image filmique aux fantasmes et à l'onirique. Or, qui dit fantasme dit « aliénation » et l'on en revient aux idées de Jean-Paul Fargier, Jean-Louis Baudry et autres selon qui la production du film et son esthétique seraient « idéalistes » parce qu'« elles ne distinguent pas fermement les processus imaginaires des processus réels »... Or le premier soin du film est d'effacer tout ce qui pourrait mettre en évidence les manipulations cachées derrière ce que l'image donne à voir.

Pour satisfaire ces théoriciens, il faudrait que le son ne soit pas synchrone pour bien montrer qu'il s'agit d'un artifice ; que la photo soit mauvaise pour bien montrer qu'il s'agit d'une image et pas du réel ; que les acteurs récitent leur texte pour bien montrer qu'il s'agit d'un rôle et pas du personnage incarné, etc. En bref, il ne faudrait pas occulter le travail, mais le constituer en condition créatrice. Le propos est légitime lorsque le travail devient *sujet* comme d'un film sur la réalisation d'un film ; il est absurde en toute autre circonstance. Si l'on doit « retourner l'activité transformatrice du travail pour agir comme un révélateur », souligner que le film est fabriqué et que l'histoire est fictive cela revient à nier le cinéma et à détruire tout ce qui en fait l'intérêt.

« Avec le direct l'aliénation cesse à la fois d'être la condition du cinéma et sa fonction », dit Jean-Louis Comolli[17]. J'inclinerais plus volontiers à croire le contraire. En effet, le direct qui se donne pour un document « objectif » ne ment pas au niveau du plan : ce qu'il montre est vrai. Mais, direct ou pas, le film suppose l'ordonnancement d'une quantité de plans. Lequel ordonnancement peut faire dire aux images non seulement « autre chose que ce qu'elles montrent », mais le contraire même de ce qu'elles laissent entendre.

J'ai déjà fait remarquer — citant cet exemple parmi cent autres —

16. *Idem.*
17. In *Les Cahiers du cinéma*, n° 292.

que le film de Frank Capra, *Pourquoi nous combattons*, fait pour combattre le nazisme était composé en grande partie de documents pris dans les actualités allemandes qui avaient pour mission de l'exalter.

Le cinématographique et le filmique

On terminera ce tour d'horizon en essayant de donner un sens à ce qu'on appelle la *spécificité filmique*.

« Qu'est-ce que ça peut bien vouloir dire *être du cinéma ?* », demande innocemment un certain critique qui, s'il l'ignore, devrait de toute évidence changer de métier. Sans doute se moque-t-il des remarques à l'emporte-pièce qui consistent à déclarer d'une façon aussi gratuite souvent que péremptoire : « C'est du cinéma », ou « Ce n'est pas du cinéma ». Mais peut-être vaudrait-il mieux tenter de l'expliquer...

Par définition, tout ce qui est enregistré sur pellicule et projeté sur un écran relève du cinéma comme tout ce qui est imprimé relève de l'écriture. Mais tout ce qui relève de l'écriture n'est pas expression et signification résultant d'une certaine manière d'employer les mots. Dire donc d'un film « ce n'est pas du cinéma », cela veut dire que ce qui y est exprimé ne le doit pas uniquement aux moyens ou à l'interaction des moyens — images, paroles et sons — qui font du cinéma un art composite.

Encore que le terme « cinéma » soit fort ambigu : on va au cinéma (salle de projection) voir du cinéma (film) obtenu au moyen du cinéma (caméra).

Cohen-Séat a judicieusement distingué le *cinématographique* du *filmique* : le simple enregistrement d'une chose en mouvement, quelle que soit cette chose, est un fait cinématographique. Le filmique consiste à exprimer. Hormis l'utilisation exclusive des images (dans l'organisation desquelles le cinéma muet avait trouvé sa « spécificité » compte non tenu des sous-titres souvent envahissants), ce qui le doit à un seul d'entre ces moyens — sauf l'image — ne relève pas de l'expression filmique.

L'autonomie d'un art est des *productions de sens* et des *formes signifiantes* créées avec des moyens qui n'appartiennent qu'à lui. Le signifié qui en découle lui est alors *spécifique*. Si le film se contente d'enregistrer des idées exprimées ou conceptualisées par des significations qui lui sont étrangères, ce n'est plus qu'un véhicule. En quoi ce qui est « véhiculé » n'est plus qu'un communiqué verbal transmis par des moyens audiovisuels.

On peut écrire un volume sur un tableau, l'analyser du point de vue pictural, symbolique, métaphysique, aucun texte jamais ne pourra exprimer ce qu'il exprime. Aucun film, aucune image ne pourront traduire un exprimé verbal. Et pas davantage celui-ci ce qu'un film donne à entendre. Toute traduction, toute adaptation ne seront jamais qu'un « à-peu-près », pas même un équivalent.

Lorsque Cézanne fait un tableau avec trois pommes disposées sur une nappe blanche, il utilise des choses qui n'ont aucune signification *a priori*. Mais, par la composition, par le jeu des formes et des couleurs, il leur donne une *valeur* et un *sens*. Lesquels ne le doivent qu'à l'expression picturale qui trouve ici sa spécificité.

De la même manière, la spécificité du cinéma consiste à donner une signification métaphorique, symbolique ou autre à des choses, des actes, des faits qui n'ont aucun autre sens que chosal ou factuel et qui se trouvent impliqués dans un courant de sens qui en fait soudain des éléments signifiants.

Être « du cinéma » ne consiste donc pas à être conforme à des habitudes, à des conventions. Bien plutôt à les renouveler, à les transformer, mais à faire en sorte que ces opérations nouvelles soient posées en termes filmiques.

On a vu qu'il est difficile au cinéma d'exprimer des idées autrement que par l'intermédiaire d'une narration — construite ou « déconstruite », continue ou discontinue — c'est-à-dire d'une série de *faits* qui s'engendrent ou se conditionnent mutuellement et grâce auxquels les connotations prennent acte et sens. En conséquence, moins que dans tout autre art on n'y saurait séparer le fond de la forme. Si le contenu ne prend sens que par la forme qui l'exprime, la forme, en revanche, n'existe que par ce dont elle est la forme. Ce n'est pas une structure qui existe comme telle, ce n'est pas une matrice ; ce n'est que la *manière d'être* — d'apparaître — du contenu. Dire donc, comme Tretjakov : « L'idéologie n'est pas dans le matériau que l'art utilise, mais dans les procédés d'élaboration de ce matériau. L'idéologie est dans la forme », ou, comme Eisenstein : « La forme est toujours idéologie », nous paraît plus que contestable. Assurément, l'idéologie n'est pas « dans le matériau que l'art utilise », mais pas davantage dans la manière de l'utiliser. Elle est dans le matériau *formalisé*, non dans « ce qui le formalise ». Et si ce qui le formalise est, de toute évidence, en *fonction* d'une idée, s'il donne au contenu tout son sens, c'est le contenu seul qui est *dépositaire de ce sens*.

C'est en effet « le contenu concret qui fournit l'indication de la manière de sa réalisation extérieure et sensible ». Le contenu détermine la forme dans laquelle il s'incarne, mais la forme n'est sensible qu'à travers la substance de ce contenu. Autrement dit, la forme est bien *d'une* idéologie, mais point *cette* idéologie dont le contenu seul porte témoignage.

Parler de la forme, c'est nécessairement parler du contenu. Parler du contenu, c'est nécessairement parler de la forme. Le formalisme consiste à ne considérer celle-ci que pour elle-même, indépendamment de ce pour quoi et par quoi elle existe. Mais c'est aussi bien ne considérer que le contenu indépendamment de l'œuvre, les idées hors de ce qu'elles sont dans le récit et aux fins de ce récit.

Comme on a tenté de le démontrer au cours de cet ouvrage — si tant est qu'une démonstration soit possible en ce qui concerne les valeurs esthétiques —, aucun film ne montrant jamais autre chose que des actes, des faits, aucune grammaire ne saurait régir la présentation, la description, l'ordonnancement de tels actes ou de tels faits. Rien si ce n'est — répétons-le — la toute simple logique de l'expérience quotidienne.

Ainsi que Christian Metz le reconnaissait au tout début de ses investigations, *au cinéma il n'y a que des rhétoriques*. Autrement dit, *tout y est possible qui est justifié, c'est-à-dire signifiant dans un contexte donné.*

XVI

L'IMAGE, LE LANGAGE ET LA PENSÉE

Étant une manière de traduire les modalités de la pensée, tout langage, ai-je dit, se réfère nécessairement aux structures mentales qui les organisent, c'est-à-dire aux opérations de l'esprit qui consistent à concevoir, à juger, à raisonner, à ordonner selon des relations d'analogie, de conséquence ou de causalité[1].

Reste à savoir si le langage est *inné* comme le soutiennent Chomsky et de nombreux linguistes, s'il n'est point de pensée qui ne se formule dans les mots ou si, au contraire, la pensée n'est pas *antérieure au langage*, lequel permet d'exprimer cette pensée mais ne la produit pas. Le problème est d'importance qui fait appel aux plus récentes données de la psychologie et de la neurophysiologie en intéressant tout particulièrement les représentations mentales et, par extension, l'image animée.

Reprenons tout d'abord l'idée avancée par Eichenbaum selon laquelle la perception et la compréhension du film seraient indissolublement liées à la formation d'un « langage intérieur », sans lequel l'effort cérébral « absent de l'usage courant où le mot recouvre et évince les autres moyens d'expression serait difficile, fatigant et, bientôt, rendrait le film incompréhensible[2]... »

On a fait bon marché de cette idée. En effet si, tout au long du film, on peut penser, juger, ce jugement ne requiert aucune formulation spécifique et la compréhension des événements, de leurs liaisons ou implications, relève de la simple logique des choses, c'est-à-dire de l'expérience vécue — ou culturelle — et nullement d'un langage « intérieur » articulé ou non.

Cette « compréhension » peut faire appel à des mots, c'est certain, et

1. Cf. *infra*, p. 33/34.
2. *Dito*, p. 163/164.

elle le fait la plupart du temps. Mais c'est un réflexe, une habitude facile, nullement une obligation.

D'un « langage interne »

Si, lorsque je vois l'image d'un fauteuil, le mot « fauteuil » me vient à l'esprit, c'est sans doute que, dans ma première enfance, j'ai appris à nommer les choses en même temps qu'à les connaître. Mais, du simple fait que j'ignore l'allemand, le mot « armstuhl » ne me viendra pas à l'esprit. A supposer, donc, que je ne connaisse aucune des langues actuellement parlées dans le monde je suis en droit de me demander en quel « langage interne » je pourrais bien traduire l'image de ce fauteuil. Un sourd-muet se la représentera-t-il par gestes — d'une façon alors extérieure — ou ne retiendra-t-il pas plutôt, tout comme moi, une image mentale de cette image filmique sans devoir en appeler à quelque représentant linguistique plus ou moins intériorisé ?

Tout récemment encore Emilio Garroni a repris cette idée en se référant au positivisme logique et aux *Thèses* du Cercle de Prague[3]. Il est évident que nous pensons beaucoup plus que nous ne parlons et que le langage ne saurait se réduire à un discours « manifesté extérieurement avec le concours d'une substance sémiotique observable », c'est-à-dire à ce que Garroni à la suite d'Eichenbaum appelle le « langage externe ». Du fait que nous nous exprimons avec des mots nous pensons également avec des mots (plus ou moins informulés) mais, aussi bien, avec des représentations mentales fugitives : mon paquet de cigarettes est vide. En conséquence, je « vois » le bureau de tabac situé au carrefour le plus proche, je me représente vaguement le chemin à parcourir et, selon le temps qu'il fait — observé objectivement — j'endosse un manteau ou sors en taille. Sans plus. Je n'ai pas besoin de formuler mentalement une phrase explicite car si la pensée est une activité de l'esprit ce n'est pas un acte linguistique entendu au sens étroit du mot comme d'une « parole intériorisée ». Sans doute la pensée a-t-elle besoin d'un support sémiotique mais, comme nous le verrons plus loin, ce substrat n'est pas nécessairement de caractère linguistique.

Si, comme le soutient Garroni, l'expression filmique (métaphore ou autre) n'était que la « mise en évidence comme traduction ou transposition d'une réalisation linguistique déjà institutionnalisée en une réalisation visuelle », le film ne serait rien de plus que l'illustration, la « mise

3. E. GARRONI, « Langage verbal et éléments non verbaux dans le message filmico-télévisuel », in *Revue d'Esthétique*, n° spécial cinéma, Klincksieck, 1978.

en images » d'un discours verbal c'est-à-dire tout sauf de l'expression filmique...

Réflexions d'une souris

Avant d'aller plus loin, sans avoir recours aux célèbres expériences de Köhler sur l'intelligence des primates supérieurs, je voudrais rappeler, à titre de référence concrète, les expériences d'Henri Laborit sur le comportement d'une souris.

L'animal est introduit dans un couloir donnant sur deux embranchements aboutissant chacun à un appât. La souris file à droite mais un léger courant électrique lui barre la route. Elle s'en va alors à gauche où aucune résistance ne l'empêche d'atteindre son but. Expérience suivante : la souris spontanément choisit le couloir de gauche. Après quoi, précautionneusement, elle tente une avancée à droite. Ne rencontrant plus de résistance, elle atteint le morceau de fromage. Expérience suivante : la souris s'engage à gauche, reçoit un choc, s'arrête et file à droite où de nouveau l'accès est libre. Expérience suivante : la souris prend tout de suite le couloir de droite, etc.

L'expérience se poursuit un grand nombre de fois, tantôt en alternant l'obstruction, tantôt en la répétant du même côté, tantôt en la supprimant. Or, chaque fois, la souris s'engage dans le couloir qui précédemment n'offrait aucune résistance ; puis prend garde avant d'entrer — éventuellement — dans celui qui la choquait.

D'où il ressort que la souris non seulement « mémorise » l'événement, mais encore porte une sorte de jugement qui détermine son choix. On ne saurait parler de simple réaction sensori-motrice. Elle exerce manifestement une « pensée » si rudimentaire soit-elle — et sans avoir besoin d'un langage interne pour diriger son comportement. Sans doute ce « savoir » opère-t-il en « circuit fermé » : à moins qu'il n'y ait un « langage souris » qui nous est inconnu — et qui semble fort peu probable —, il lui est impossible de le communiquer à ses voisines...

Naissance de la pensée

A un niveau supérieur de nombreuses expériences ont porté sur le comportement des enfants du tout premier âge. L'un des principaux reproches faits à l'école de Wurtzburg et, partiellement, à la Gestalt fut de n'appliquer le « champ expérimental » qu'à des adultes, c'est-à-dire de tabler sur des sujets déjà formés par un environnement socio-culturel ce qui, bien entendu, fausse toutes les réponses relatives à la formation du langage et de la pensée[4]. C'est ainsi que, dans le chapitre sur l'*image et le réel perçu*, n'ayant pas eu à en suivre la genèse, c'est devant l'âge d'homme que j'ai envisagé la perception en la considérant dans son ensemble. Or il est évident que, dans cette globalité, la perception suppose la sensation et les coordinations sensori-motrices qui peu à peu (dans la première enfance) viennent l'organiser. Ainsi que les jugements intuitifs qui parachèvent la prise de conscience, sans omettre tout ce que cette organisation perceptive peut ajouter de complexités aux données sensorielles fondamentales.

Depuis Piaget et son école les expériences majeures ont porté sur de tout jeunes enfants et les plus nombreuses ont révélé que les bébés étaient bien plus précoces que ne le supposaient les idées reçues. Que la genèse de l'intelligence s'accomplisse par assimilation du monde extérieur selon des stades successifs comme le soutient Piaget ou d'une façon continue comme semblent le démontrer les expériences de Konrad Lorenz, l'important est de cette genèse, c'est-à-dire des propriétés *innées ou non* (le problème est là) de l'appareil psychique car, bien avant le langage, la pensée se manifeste dans les actes, les gestes, les réponses sensori-motrices qui animent l'enfant. Qu'il sache dès les premiers jours distinguer des sons ou des syllabes ne prouve nullement que les structures langagières soient déjà conditionnées dans son esprit car il convient de ne pas confondre le langage et les infrastructures qui le permettent. Comme le souligne Dorothy McCarthy, « il existe un abîme psychologique entre la simple émission de la forme phonétique et l'emploi symbolique ou représentatif du mot dans la situation appropriée[5] ». Il reste que dès la naissance, de par son activité même qui se développe et devient cognitive, l'enfant prend, entre six et dix-huit mois, une certaine conscience des choses, de la logique des choses : il prend un jouet, le palpe, le soupèse, le porte à sa bouche, le tourne et le retourne puis le jette. L'instant d'après, lorsqu'il voudra le jeter plus loin, il lui faudra faire un effort plus grand. S'il lâche son jouet, il tombe et tombera de la même manière à chaque occasion nouvelle. Le bambin n'en tire aucune conclusion relative à la pesanteur mais le remarque et en tient compte.

Selon H. Sinclair de Zwart, « l'enfant devient capable d'agir sur un objet avec un autre objet, puis de reproduire la même action sur d'autres objets, d'établir des relations, de procéder à des classifications

4. Il n'est pas question de l'origine du langage qui remonte dans la nuit des temps et suppose une éventuelle anthropologie linguistique, mais de la formation mentale et de l'apprentissage du langage à partir de notions antérieures à ce langage.

5. In *Séminaire de recherche sur le premier développement de l'enfant*, Paris, 1960.

rudimentaires[6] ». Cette organisation cognitive s'accomplit peu à peu en raison de la diversité des interactions avec le milieu et des relations affectives avec l'entourage, avec la mère surtout. Cependant, comme le dit de son côté Barbel Inhelder, « si la connaissance des choses se fait par manipulation et exploration des objets, ce n'est qu'en étudiant la transformation continue des activités que l'on se rend compte qu'elles conduisent aux opérations mêmes de la pensée. En effet, les activités sensori-motrices ne permettent pas seulement de meubler la pensée de contenus nouveaux, elles conduisent à structurer la pensée elle-même[7] ».

Les propriétés structurales qui apparaissent dans ces activités, dit Piaget, permettent à l'enfant de préciser ses représentations et forment la base nécessaire aux acquisitions d'un champ sémantique de plus en plus défini. [...] L'intelligence précède le langage non pas seulement ontogénétiquement comme le confirme l'exemple des sourds-muets, mais phylogénétiquement comme le prouvent par ailleurs les très nombreux travaux sur l'intelligence des singes supérieurs[8]

« Quand le singe ouvre les yeux il est déjà prêt à voir », dit Torsten Wiesel (à la suite de ses expériences avec David Hubel sur la vue en général[9]). D'où il conclut, tout comme Konrad Lorenz, Roger W. Sperry ou John C. Eccles (tous prix Nobel de médecine) à l'innéité des structures neurophysiologiques. Ce qui n'infère en rien l'innéité du langage qui présuppose une intelligence déjà structurée.

Chomsky reconnaît d'ailleurs que :

Les propriétés fondamentales des langues (sons articulés / parole) n'apparaissent pas dans les systèmes symboliques prélinguistiques qui agissent comme des signes (images mentales, occurrences sensorielles et autres). Ce qui apparaît dans ces systèmes symboliques, dit-il, ce sont les structures mentales et par suite les structures langagières qui en découlent[10].

Autrement dit, si le langage n'est pas inné, du moins le sont les structures mentales qui le fondent, lesquelles structures mentales seraient, de la sorte, directement conséquentes des structures cérébrales.

Or, objecte Piaget :

On ne saurait partir de l'hypothèse selon laquelle les connexions nerveuses

6. *Idem.*
7. *Idem.*
8. A. PIAGET, *Épistémologie génétique et recherche psychologique*, P.U.F., 1957.
9. Voir *infra*, p. 55.
10. CHOMSKY, *Le Langage et la pensée*, Payot, 1973.

expliqueraient *directement* la formation de telle ou telle structure mentale, comme si la conscience se bornait à prendre acte de l'existence de structures nerveuses préformées pour les traduire en termes de représentation ou d'opération. Mais on peut supposer que les structures nerveuses *dessinent le tableau des possibilités ou des impossibilités qui détermineront les frontières du champ à l'intérieur duquel s'effectuera la construction des conduites*[11].

De la pensée au langage

Il y a encore une trentaine d'années le positivisme logique[12] ramenait les mathématiques et la logique à la linguistique comme constituant une syntaxe et une sémantique générales. Cette identification de la pensée au langage contrait l'école de Wurtzburg qui prétendait l'inverse. Or, pas plus que la pensée n'est « le miroir de la logique », la logique n'est le simple miroir de la pensée. Il n'y a pas harmonie préétablie entre les structures perceptives et les lois de l'univers physique bien qu'il y ait une sorte d'isomorphisme : tandis que la logique formalisée suppose une construction abstraite dont il ne saurait être question ici, les processus perceptifs les plus élémentaires entraînent une logique implicite.

En rappelant le parallélisme frappant qui existe entre le clavier perceptif visuel et le clavier tactilo-kinesthésique, Piaget insiste sur l'interaction et l'influence réciproque de ces données mais, à mon sens, n'insiste pas suffisamment sur la perception visuelle qui me paraît plus importante, quant à la formation de la pensée, que les signaux sensorimoteurs qui agissent au niveau de l'affectivité et de la conscience de soi bien plutôt qu'au niveau de la connaissance du monde.

Tout comme le singe, l'enfant voit dès qu'il ouvre les yeux (à tout le moins au bout de quelques jours...). Tout comme la souris — et beaucoup mieux sans doute —, il se souvient. Il se représente donc les choses. Autant d'images mentales entre lesquelles il établit intuitivement des relations d'analogie, de distinction, de grandeur, de forme, de couleur, de situation, etc. Or, qui dit représentation dit interprétation, construction d'un schéma qui s'inscrit dans les structures cérébrales et qui n'est autre que la pensée qui s'organise à mesure en un système de significations et donne un sens aux choses perçues, fût-ce au niveau encore rudimentaire d'un enfant de six à dix-huit mois.

D'où il est évident que *l'on pense en images, avec des images avant de*

---

11. PIAGET, *op. cit.*, p. 38 (c'est moi qui souligne).
12. C'est-à-dire Gestaltisme, Empirisme et Béhaviorisme représentés principalement par Köhler, Koffka, Wertheimer (Gestalt), Carnap, Hempel, Neurath (logique) et Bloomfield (linguistique).

penser avec des mots. Sans doute les relations d'images sont-elles langage puisqu'elles expriment quelque chose, mais c'est un langage préverbal, incommunicable et ne pouvant intéresser que le sujet pensant — un véritable « langage interne ». Dire comme Lacan que « l'inconscient est structuré comme un langage » c'est, à mon sens, reconnaître simplement que — chez l'adulte comme chez l'enfant — l'image mentale suppose des associations immédiates, une combinatoire construite intuitivement sans que les structures linguistiques y soient pour quelque chose. Par ailleurs, affirmer comme certains linguistes qu'« il n'y a pas d'idées antérieurement au langage à moins que ces idées ne soient innées », c'est confondre l'idée avec son expression, l'expression de la pensée avec la pensée elle-même comme si cette expression était cause de cette pensée alors réduite à un simple système de conventions verbales.

Bien loin d'être un retour à certaines idées périmées qui ne concevaient la pensée en images que comme d'une collection de clichés tirés d'une conscience figée, les images mentales au contraire sont changeantes, diverses, tout comme le monde qui les suscite. D'autant que l'important est bien moins de ces images que des relations que l'esprit organise relativement entre elles selon une activité créatrice qui se réfère à la logique des choses lorsqu'elle ne débouche pas dans l'imaginaire pur. Et l'on rappellera, pour répondre à des objections déjà fort anciennes, que le cerveau n'est pas un « réservoir d'images » : il n'y a pas plus conservation des images dans le cerveau qu'il n'y a conservation de la musique dans une bande magnétique. L'explication appartient à la neurophysiologie mais, le cerveau n'étant qu'un opérateur, on peut se demander comment se forme l'intelligence.

La Gestalt ne voit l'acte authentique d'intelligence que dans une sorte de « compréhension immédiate » *(l'insight)* que Köhler explique par une restructuration brusque du champ de la perception.

> « Comme si — objecte Piaget — l'intelligence prolongeait sans plus les structures perceptives, comme si les activités de l'enfant et autres tâtonnements qui précèdent l'intuition finale n'étaient pas déjà intelligents...

Infrastructure innée, intelligence acquise

Pour la Gestalt les sensations sont des éléments *structurés* et non pas *structurants* ; c'est une totalité donnée comme telle. Or, quoique gestaltiste (au moins dans une large mesure), je n'ai jamais pu admettre cet « apriorisme ». Les structures mentales en effet ne sont pas des « en soi » ; elles ne sont pas sans genèse et sans relation avec le sujet. L'épistémologie génétique, justement, laisse entendre que les sensations sont des éléments structurants, mais la question est de savoir sur quoi se fonde cette activité structurante, quelles en sont les limites, quel en est le substrat.

Avançant une hypothèse qu'il conviendra de vérifier sur les plans neurophysiologique et psychologique, je présume que ce substrat n'est autre que *l'ensemble des seuils perceptifs, cet ensemble constituant une infrastructure innée et, de par ses limites, une sorte de « cadre » qui délimite la perception et réorganise le perçu selon une « forme » qui sous-tend la représentation des choses, source de toute pensée.* Cela, tout en maintenant une équilibration constante entre les claviers visuel et tactilo-kinesthésique.

Si cela est vrai on peut considérer les sensations comme des éléments structurés. Mais structurés en fonction et par la fonction même de ce cadre préconscient et non plus du tout par innéité. Lequel cadre, s'il est susceptible d'être modifié de l'intérieur par l'activité perceptive elle-même ne saurait transmettre un schème préformé, intellectuellement organisé d'où procéderait le langage, mais en déterminerait et en permettrait la formation.

« Comment la pensée humaine a-t-elle acquis la structure innée que nous sommes amenés à lui attribuer ? », se demande Chomsky[13]. Il me semble au contraire que c'est la structure innée, l'infrastructure sensorielle qui a permis à la pensée de se constituer et de se connaître comme pensée. Ce qui est *inné* c'est le *cadre*, pas le cadré.

Il reste que, si le langage procède d'une intelligence partiellement structurée, il la structure en retour : *la pensée se forme dans la mesure où elle se formule.* Mais cette formulation n'est pas le fait exclusif du langage verbal. Consciemment ou non *nous pensons avec des images aussi bien qu'avec des mots.* Néanmoins, pour communiquer les jugements que nous portons sur le monde, nous ne pouvons le mobiliser, le réorganiser comme nous le faisons dans notre esprit. Aussi bien doit-on avoir recours à des substituts maniables, les mots, qui désignent les choses et entraînent les concepts.

Il en est ainsi de l'enfant qui, au cours des dix ou vingt premiers mois, s'est constitué tout un lot de représentations plus ou moins schématiques mais ne peut communiquer son « monde intérieur », bien qu'il en éprouve le besoin si l'on en juge par les sons inarticulés au moyen desquels il se manifeste. Or, peu à peu, il apprend à parler, à nommer les choses ; et l'on peut croire que cet apprentissage est d'autant plus aisé que l'enfant a déjà assimilé une quantité d'images correspondant aux objets qui lui sont familiers. S'il veut saisir la poupée qui est hors

13. CHOMSKY, *op. cit.*, p. 137.

de sa portée, dès l'instant qu'il sait parler, le mot « poupée » (quelle qu'en soit la prononciation hésitante) se substitue dans son esprit à l'image qui la représentait. Ce qui justifie les idées de Goodman selon qui « l'apprentissage de la première langue ne pose pas de réel problème parce que l'enfant, avant cet apprentissage, a déjà acquis les rudiments d'un système symbolique prélinguistique dans ses rapports ordinaires avec l'environnement ». Il ne s'agit, bien sûr, ni de structures grammaticales ni de propriétés spécifiques du langage comme sans doute le voudrait Chomsky, qui conteste Goodman[14], mais d'énoncés rudimentaires, de mots et non de phrases. Par la suite l'enfant devra apprendre à remplacer ses perceptions globales par des unités verbales, à organiser ces unités ou leurs ensembles selon des règles conduites par la logique du sens. Ce qui le mène à sept ou huit ans, à un âge où il commence à oublier l'image des choses dont il parle pour n'en retenir que les désignations verbales.

Dans le langage de l'adulte la pensée en effet n'a plus besoin de ces images. Du moins elles ne lui sont plus indispensables. D'une façon relativement inconsciente la pensée devient langage et le langage, pensée ; la conscience se résorbe dans la parole — d'où ce qu'on appelle « penser avec des mots ». Aussi bien le langage n'est-il pas le reflet des choses, mais de la conscience que nous en avons, de la façon dont nous les pensons. Pas un décalque mais une interprétation à travers un système de signes qui lui impose ses lois.

Un imaginaire concret

Avec le cinéma — disons l'image animée — on peut donc croire et même affirmer que si nous ne pouvons pas agir sur le monde, sur les choses réelles ou avec elles pour exprimer notre pensée, nous pouvons du moins en manipuler les images, les ordonner comme nous ordonnons nos représentations mentales. Auquel cas les structures de la pensée n'ont plus à se soumettre à un système de signes et de significations : elles *se dévoilent, s'épanouissent librement* à travers une continuité qui fait surgir des connotations imprévues. On retrouve alors la pensée intuitive opérant sur les choses et délivrée de l'emprise des mots. En formalisant ainsi un jugement, un point de vue, une vision du monde, le film devient comme l'image même de la conscience, le reflet d'une pensée livrée au regard, à l'altérité spectatorielle — à la compréhension d'autrui sans autre intermédiaire que cette formalisation même.

14. CHOMSKY, *op. cit.*, p. 119-120. Cf. Nelson GOODMAN, *The Epistemological argument*, Boston, 1966.

Il n'y a donc pas à se demander *pourquoi* le film signifie pas plus qu'on ne se demande pourquoi les choses, les actes, les faits de la vie quotidienne ont un sens. Les images filmiques, réduites à elles-mêmes, se contentent de montrer et ne signifient rien d'autre que de ce qu'elles *montrent*. Au contraire, du fait même que nous pensons, nous créons des relations nouvelles — arbitraires, subjectives — entre ce que figurent nos images mentales. On leur donne un sens particulier en les réorganisant au gré des intentions signifiantes que nous leur imposons. Or, avec le découpage, le montage, la diversité des plans et des angles le film fait de même. Quelles que soient les complexités de certaines formes narratives qui jouent avec les temps et les espaces, le présent et le passé, l'actuel et le souvenir, la logique du film se développe à l'image de l'expérience vécue à propos de laquelle l'entendement commun ne se pose pas de questions.

On dit qu'un même mot n'a pas toujours les mêmes connotations selon qu'il est entendu par l'un ou par l'autre. Sa compréhension dépend des habitudes socio-culturelles et l'intelligence d'un texte varie parfois d'un groupe ethnique à un autre. Mais il en est de même des images. Au cinéma comme ailleurs la signification n'est pas un absolu. Si, donc, la spécificité du cinéma consiste a créer des significations établies avec des moyens qui n'appartiennent qu'à lui, encore faut-il qu'elles soient comprises. Ce qui n'implique nullement qu'il faille se conformer à des conventions qui doivent tout au contraire être sans cesse renouvelées, transformées. L'essentiel est que ces opérations nouvelles soient conduites par les rapports nécessaires d'un contenu et d'une forme indissociables, l'un toujours justifiant l'autre. Je ne vois, pour ma part, aucune autre loi.

BIBLIOGRAPHIE

Principaux ouvrages cités

METZ Christian, *Essais sur la signification au cinéma*, Éd. Klincksieck, vol. I, 1968 ; vol. II, 1972.

— , *Langage et Cinéma*, Larousse, 1971.

— , *Le Signifiant imaginaire*, Éd. 10/18, 1974.

BAZIN André, *Qu'est-ce que le cinéma ?* 4 vol., Éd. du Cerf, 1958-1959.

EPSTEIN Jean, *Écrits sur le cinéma (1920-1945)*, 2 vol., Seghers, 1973.

EISENSTEIN Sergueï Mikhaïlovitch, *Le Sens du film*, Éd. Bourgois, 1973.

COHEN-SÉAT Gilbert, *Essai sur les principes d'une philosophie du cinéma*, P.U.F., 1948.

LAFFAY Albert, *Logique du cinéma*, Masson, 1964.

MORIN Edgar, *Le Cinéma ou l'homme imaginaire*, Éd. de Minuit, 1956.

FAURE Élie, *Fonction du cinéma*, Plon, 1953.

LEBEL Jean-Patrick, *Cinéma et Idéologie*, Éd. sociales, 1971.

MUNIER Roger, *Contre l'image*, Gallimard, 1961.

DELEUZE Gilles, *L'Image-Mouvement*, Éd. de Minuit, 1983.

— , *L'Image-Temps*, Éd. de Minuit, 1985.

ROSSET Clément, *L'Objet singulier*, Éd. de Minuit, 1983.

BURCH Noël, *Praxis du cinéma*, Gallimard, 1969.

BONITZER Pascal, *Le Regard et la voix*, Éd. 10/18, 1976.

— , *Le Champ aveugle*, Gallimard, 1982.

PASOLINI Pier Paolo, « Le cinéma comme langue », *Études cinématographiques*, n° 112.

SORLIN Pierre, *Sociologie du cinéma*, Aubier, 1978.

GODARD Jean-Luc, « Introduction à une véritable histoire du cinéma », Éd. *Les Cahiers du cinéma*, Gallimard, 1982.

JENN Pierre, *Georges Méliès, cinéaste*, Albatros, 1984.

AGEL Henri, *L'Espace cinématographique*, Delarge, 1978.

AUMONT Jacques et LEUTRAT Jean-Louis, *Théorie du film*, Éd. Albatros, 1980.

AUMONT Jacques, BERGALA Alain, MARIE Michel et VERNET Marc, *Esthétique du film*, Nathan, 1983.

MICHOTTE Albert, « Le caractère de réalité des projections cinématographiques », in *Revue de Filmologie*, nos 3 et 4, P.U.F., 1948.

— , *Revue d'Esthétique*, n° spécial sur le cinéma, Éd. Klincksieck, 1978.

Communications, n° 23, « Psychanalyse et cinéma ».

Revue d'Esthétique, n° sur le cinéma, Éd. S.P.D.G., 1967.
Le Cinéma américain — Analyses de films, ouvrage collectif, 2 vol., Flammarion, 1980.
CinémAction, n° 20, « Théories du cinéma », dossier réuni par Joël Magny, L'Harmattan, 1982.

Ouvrages de référence

PIAGET Jean, *Le Structuralisme*, Coll. « Que sais-je ? », P.U.F., 1980.
MARTINET André, *Linguistique synchronique*, A. Colin, 1975.
BENVENISTE Émile, *Problèmes de linguistique générale*, Gallimard, vol. I, 1966 ; vol. II, 1974.
JAKOBSON Roman, *Essais de linguistique générale*, 2 vol., Éd. de Minuit, 1963.
CHOMSKY Noam, *Structures syntaxiques*, Éd. du Seuil, 1969.
GREIMAS A.-J., *Sémantique structurale*, Larousse, 1966.
DELEDALLE Georges, *Théorie et pratique du signe*, Payot, 1979.
CARNAP Rudolf, *La Syntaxe logique du langage*, Hermann, 1938.
BACHELARD Gaston, *Dialectique de la durée*, Boivin, 1936.
SOURIAU Étienne, *La Correspondance entre les arts*, Flammarion, 1947.
GHYKA Matila, *Essai sur le rythme*, Gallimard, 1938.
WALTZ René, *La Création poétique*, Flammarion, 1949.
DELEUZE Gilles, *Logique du sens*, Éd. de Minuit, 1969.
MERLEAU-PONTY Maurice, *Signes*, Nagel, 1948.

INDEX

D

E

F

G

H

I

J

K

L

M

N

O

P

Q

R

S

T

U

V

W

Y

Z

TABLE DES MATIÈRES

7ART Collection « Septième Art »

1. **J. Queval** : *Marcel Carné**.
2. **H. Agel** : *Le cinéma a-t-il une âme ?* (13e mille)*.
3. **G. Charensol** : *René Clair et les Belles-de-Nuit**.
4. **H. Agel, Jean-Pierre Barrot, André Bazin, Jacques Doniol-Valcroze, Denis Marion, Jean Queval, Jean-Louis Tallenay** : *Sept ans de cinéma français* (1945-1952)*.
5. **J.-L. Rieupeyrout et André Bazin** : *Le Western ou le cinéma américain par excellence**.
6. **H. Agel et A. Ayfre** : *Le Cinéma et le Sacré.*
7. **A. Bazin, J. Doniol-Valcroze, G. Lambert, C. Marker, J. Queval, J.-L. Tallenay** : *Cinéma 53 à travers le monde**.
8. **P. Leprohon** : *Cinquante ans de cinéma français* (1895-1945)*.
9. **J. Leirens** : *Le Cinéma et le Temps**.
10. **G. Agel** : *Hulot parmi nous**.
11. **P. Vandromme** : *Le Cinéma et l'Enfance**.
12. **M. Martin** : *Le Langage cinématographique**.
13. **H. Lemaître** : *Beaux-Arts et Cinéma**.
14. **M. et Sh. Giuglaris** : *Le Cinéma japonais* (1896-1955)*.
15. **A. Cauliez** : *Le Film criminel et le film policier**.
16. **J. Siclier** : *Le Mythe de la femme dans le cinéma américain**.
17. **G. Agel et D. Delouche** : *Les Chemins de Fellini, suivi du Journal d'un bidoniste**.
18. **C. Mauriac** : *Petite littérature du cinéma**.
19. **R. Briot** : *Robert Bresson**.
20. **J. Siclier** : *La Femme dans le cinéma français**.
21. **M. Field** : *Cinéma pour enfants**.
22. **H. Agel** : *Miroirs de l'insolite dans le cinéma français**.
23. **J. Siclier et A.S. Labarthe** : *Images de la science-fiction**.
24. **A. Bazin** : *Qu'est-ce que le cinéma ?*, T. I, Ontologie et langage*.
25. **A. Bazin** : *Qu'est-ce que le cinéma ?*, T. II, Le cinéma et les autres arts*.
26. **P. Hovald** : *Le Néo-Réalisme italien et ses créateurs**.
27. **J. Leirins** : *Le Cinéma et la crise de notre temps**.
28. **J.-R. Debrix** : *Les Fondements de l'art cinématographique**, T. I, Art et réalité au cinéma*.
29. **A. Bazin** : *Qu'est-ce que le cinéma ?*, T. III, Cinéma et sociologie.
30. **J. Siclier** : *Nouvelle Vague** *?*
31. **P. Leprohon** : *Histoire du cinéma**, T. I, Vie et mort du cinématographe (1895-1930).
32. **M. Martin** : *Le Langage cinématographique.*
33. **A. Bazin** : *Qu'est-ce que le cinéma ?*, T. IV, Une esthétique de la Réalité : le néo-réalisme*.
34. **P. Leprohon** : *Histoire du cinéma*, T. II, l'étape du film parlant*.
35. **H. Agel** : *Romance américaine**.
36. **J. Deslandes** : *Le Boulevard du cinéma à l'époque de Georges Méliès.*
37. **F. Mars** : *Le Gag**.
38. **É. Fuzelier** : *Cinéma et Littérature.*
39. **A. Ayfre** : *Conversion aux images ?*

40. J.-L. **RIEUPEYROUT** : *La Grande Aventure du western* (1894-1964)*.
41. L. **ESCOUBE** : *Gary Cooper, le cavalier de l'Ouest.*
42. F. **PORCILE** : *Défense du court métrage français.*
43. H. **AGEL** : *Les grands cinéastes que je propose.*
44. A. **AYFRE** : *Le Cinéma et sa vérité.*
45. A. **AYFRE** : *Cinéma et Mystère.*
46. F. **POULLE** : *Renoir 1938, ou Renoir pour rien ?*
47. N. **SIMSOLO** : *Le Monde de Jerry Lewis.*
48. Ph. **PARRAIN** : *Regards sur le cinéma indien.*
49. F. **PORCILE** : *Présence de la musique à l'écran*
50. P. **KANÉ** : *Roman Polanski**.
51. G. **LENNE** : *Le Cinéma « fantastique » et ses mythologies**.
52. Y.-R. **BATICLE** : *Le Professeur à l'écran.*
53. G. **LENNE** : *La Mort du cinéma.*
54. D. **FANNE** : *L'Univers de François Truffaut**.
55. J. **COLLET** : *Le Cinéma en question : Rozier, Chabrol, Rivette, Truffaut, Demy, Rohmer.*
56. A. **BAZIN** : *Orson Welles**.
57. A. **BAZIN** et E. **ROHMER** : *Charlie Chaplin.*
58. M. **MARDORE** : *Pour une critique-fiction.*
59. G. **HENNEBELLE** : *Quinze ans de cinéma mondial* (1960-1975*).
60. A. **BAZIN** : *Qu'est-ce que le cinéma ?* (éd. définitive).
61. J. **ROY** : *Pour John Ford.*
62. J.-A. **GILI** : *Francesco Rosi : cinéma et pouvoir.*
63. G. **LENNE** : *La mort à voir.*
64. M. **DROUZY** : *Carl Th. Dreyer, né Nilsson.*
65. D. **SERCEAU** : *Mizoguchi : de la révolte aux songes.*
66. J.-L. **DOUIN** : *La Nouvelle Vague 25 ans après.*
67. R. **PRÉDAL** : *Le Cinéma français contemporain.*
68. C. **ZIMMER** : *Le Retour de la fiction.*
69. M. **ESTÈVE** : *Le Pouvoir en question.*
70. F. **GARÇON** : *De Blum à Pétain, cinéma et société française.*
71. M. **OMS** : *Don Luis Buñuel.*
72. R. **PRÉDAL** : *La Photo de cinéma.*
73. G. **BEDOUELLE** : *Du spirituel dans le cinéma.*
74. D. **SERCEAU** : *Jean Renoir, la sagesse du plaisir.*
75. M. **MARTIN** : *Le Langage cinématographique.*
76. M. **SERCEAU** : *Roberto Rossellini : du néo-réalisme au cinéma d'analyse.*
77. E. **LARRAZ** : *Le Cinéma espagnol, des origines à nos jours.*
78. M. **OMS** : *La Guerre d'Espagne au cinéma. Mythes et réalités.*
79. C. Th. **DREYER** : *Jésus de Nazareth ~ Médée.* Dossier réuni par M. Drouzy.
80. **EISENSTEIN** : *Le Mouvement de l'art.* Édition établie par Naoum Kleiman et François Albera.
81. J. **MITRY** : *La Sémiologie en question. Langage et Cinéma.*
82. H. **AGEL** : *Un art de la célébration : le cinéma de Flaherty à Rouch.*

* Les titres suivis d'un astérisque sont épuisés ou en réimpression.

Les photographies de cet ouvrage proviennent de la collection personnelle de l'auteur, à l'exception de celle extraite de *La Nuit de San Lorenzo* (p. 87) qui appartient à la collection de Claude Beylie.

Achevé d'imprimer
par Corlet, Imprimeur, S.A.
14110 Condé-sur-Noireau

N° d'Éditeur : 8275
N° d'Imprimeur : 9756
Dépôt légal : février 1987

Imprimé en France